Um vislumbre para 2019

O ano de 2019 estará sob a regência do planeta Marte que, em termos astrológicos, representa força, ação, conquistas, autonomia, assertividade e, sobretudo, liderança. Júpiter, regente de 2018, gerou, entre outras coisas, um grande movimento social de reivindicação por mais justiça e igualdade, e de conscientização, por parte dos cidadãos, da necessidade de lutarem mais por seus direitos e por uma expressiva renovação da classe política.

Esse esforço coletivo parece estar indicando uma mudança sustentada em novas diretrizes, num governo com tendências centralizadoras. No entanto, essas possíveis mudanças não representam tempos de tranquilidade, pois as divergências e os embates ideológicos tendem a continuar acalorados.

No início deste ano, os governantes poderão ser muito mais questionados pelas classes trabalhadoras e a população em geral a respeito das dificuldades relacionadas à geração de emprego, à qualidade da saúde e da segurança. Poderá haver grande mobilização social e reações a mudanças e medidas restritivas na área econômica ou propostas do governo para alterar as leis que regem o atual modelo de trabalho. Um Estado caro e ineficiente também será alvo de críticas mais contundentes. Mas graças a essas reivindicações, podem surgir ideias inovadoras e diretrizes éticas para alavancar um possível crescimento econômico do país. Muitas decisões e reformas urgentes serão o desafio do governo, mas é preciso lembrar que crises sempre significam momentos oportunos para decisões e rupturas com aquilo que precisa ser reformulado.

No âmbito geral, o clima do planeta continua sendo um fator de preocupação, devido às enormes mudanças climáticas responsáveis por ondas de frio e calor extremos. Há grande possibilidade de ocorrer incêndios significativos devido ao aquecimento global, mas nada que influa na agricultura, cujas safras e exportações devem apresentar um grande crescimento.

No plano pessoal, esse ciclo de Marte pode transformar nossos anseios em ação. Não serão apenas impulsos momentâneos, mas uma vontade consciente, ou seja, plena de objetivos mais definidos. Será preciso, no entanto, avaliar os recursos disponíveis para que esse propósito de fato possa ser atingido.

O ano de 2019 promete grandes obstáculos e mudanças tanto pessoais, quanto sociais, mas cabe a cada um de nós fazer a sua parte, lançando mão da regência benéfica do planeta Marte neste a
com mais assertividade, coragem e inteligência.

Horóscopo 2019

O ano de 2019 é o trigésimo nono ano do atual ciclo solar. Seu regente é Marte, o princípio que trata de assuntos bélicos, polêmicos, jurídicos, financeiros e filosóficos. Também rege os empréstimos, o comércio e a superação dos problemas, além de favorecer estudos, romances e assuntos relacionados à justiça.

Os Arcanos Cabalísticos referentes a este ano são **39**, **19** e **58**.

O **39**, que é o número atual do ciclo, tem no tarô a denominação O Soldado de Copas – rivalidades em amor, duelos, rixas etc. por causa de uma mulher. Casamento retardado ou impedido. Adultério perigoso. Experiência adquirida, mistério, surpresas.

O **19** tem no tarô a denominação Lua Resplandecente – felicidades, descobertas, honras, o verdadeiro bem. Tu serás feliz e ninguém poderá roubar tua ventura se a encerrares no matrimônio e no santuário do teu coração.

O **58** tem no tarô a denominação Quatro Espadas – perigo iminente. Perigo por todas as partes. Remorsos, arrependimentos e amargura. Sofrimentos morais. Ações repreensíveis. Morte na família. Decepções nos projetos e mudanças desfavoráveis.

Horóscopo para o Brasil em 2019

Revolução Solar do Brasil

No dia 7 de setembro de 2018, o Ascendente da Revolução Solar do Brasil aponta para o signo de Câncer, que é regido pela Lua. O Sol da Revolução Solar encontra-se em Virgem, na segunda casa, fazendo oposição a Netuno em Peixes e trígono a Plutão em Capricórnio. É importante ressaltar que tivemos esses dois aspectos na Revolução do ano anterior, porém agora estão em casas diferentes. O planeta Plutão é o regente do Meio do Céu do Brasil, e pudemos observar grandes transformações no Poder Executivo e em posições do alto comando do Estado. Elas continuam avançando, assim como a tomada de consciência em relação aos desmandos dos três poderes que marcaram os últimos anos. Pela primeira vez na nossa história, a impunidade e a corrupção estão sendo combatidas com eficiência, trazendo resultados, e os cidadãos estão exigindo uma nova forma de se fazer política no país.

Plutão também recebe um sextil exato de Júpiter, que está em Escorpião, evidenciando a efetividade do Poder Judiciário, que, com o apoio da população, busca ações mais rápidas para que o estado de direito possa ser exercido e respeitado. Júpiter está em trígono com Netuno, o que pode indicar mais transparência na gestão da coisa pública e mais investimentos externos na economia. O governo poderá se empenhar mais a fim de encontrar soluções para problemas ambientais relacionados à água, por exemplo, o saneamento e a despoluição de rios e oceanos. Nesse sentido, a troca de informações e experiências com outros países poderá ser relevante e oportuna.

A oposição entre Sol e Netuno ainda faz persistir um período de nebulosidade e pouca transparência no *modus operandi* da classe política como um todo. As decepções e o "cair dos véus" vão se dissipando lentamente para que uma nova ordem de valores possa surgir. Agora a população vê com muito mais clareza aquilo que antes eram suposições; quanto aos políticos, ainda não perceberam essa mudança de mentalidade, que não quer mais saber do "jeitinho" brasileiro.

Na Revolução Solar vemos aspectos tensos entre Marte, Urano e Vênus, o que poderia colocar em evidência problemas e tensões fortes por questões territoriais no campo e nas cidades, com as dificuldades de moradia. O setor imobiliário poderá ser afetado, assim como patrimônios culturais, por falta de conservação ou investimentos adequados.

Mercúrio está na segunda casa, em trígono exato com Saturno e Urano, em casas ligadas ao trabalho, às finanças do país e aos governantes. Haverá um período mais fértil para ideias e a implementação de reformas estruturais, tais como a fiscal, a trabalhista e a previdenciária, que são bem-vindas e urgentes para o aquecimento da economia. As propostas precisam de agilidade e pragmatismo, tendo em vista a superação da estagnação recente. Haverá êxito em investimentos em escolas técnicas, que podem ganhar um novo impulso e trazer bons resultados na produtividade e na economia em geral. Saturno na sexta casa pode sinalizar ações de longo prazo relacionadas à saúde pública, a fim de que possa contar com tratamentos complementares que se mostrem eficazes e menos dispendiosos.

Trânsitos do Brasil para 2019

Júpiter, o planeta que representa crescimento e expansão, ainda está no Meio do Céu do Brasil, sinalizando uma retomada lenta do crescimento e evidenciando uma reformulação positiva do Poder Judiciário que conta com o apoio da população. Em novembro de 2019, adentrará a Casa XI do mapa do país, de que representa o Congresso, e isso poderá indicar um aperfeiçoamento ou reformulação das leis vigentes, ou seja uma constituinte, que tenha a missão de propor uma nova constituição que seja mais moderna, democrática e adequada aos anseios do povo.

Netuno está em sua conclusiva da oposição ao Sol do Brasil, e esse ciclo termina no final de fevereiro. Como já vimos na análise da Revolução Solar do Brasil, ainda vivemos o final de um período de nebulosidade, falta de transparência e indefinições, que marcaram fortemente a vida política nesses últimos dois anos. Saturno em trígono ao Sol do Brasil, que acontece em meados de janeiro e termina em meados de fevereiro, voltará em agosto, setembro e outubro de 2019. Período auspicioso para reformas estruturais cujo resultado virá a longo prazo; será positivo para a definição de metas e prioridades, que só serão alcançadas com muito trabalho e perseverança. A diplomacia terá papel importante na reconstrução da imagem do país, ainda bastante desgastada.

Plutão fará sextil com o Meio do Céu e Mercúrio do mapa do país. Momento favorável para acordos, negócios que impulsionem a economia e o comércio interno, e também para debates positivos e propostas que desentravem a burocracia e aumentem a criação de empregos. Bom ainda para investimentos nas áreas de comunicação e de transportes em geral. Isso acontecerá no final de fevereiro e se estenderá até o final de junho, voltando em 2020.

Em março e abril haverá uma quadratura entre Júpiter e Mercúrio, que se repetirá no início de novembro. Ao contrário do trânsito anterior, poderá dificultar acordos, contratos, investimentos externos e a diplomacia. A imprensa tende a viver um ciclo de extrema polarização.

O trânsito de Urano em Touro em trígono com Netuno teve início no segundo semestre de 2018, e voltará em abril e meados de maio de 2019. Voltará depois em novembro deste ano e se estenderá a fevereiro de 2020, o que poderá significar melhor desempenho na economia, e isso está relacionado com a definição e a credibilidade do quadro político geral do Congresso, que vem passando por fortes questionamentos e precisa de uma reestruturação de natureza ética. Urano representa as rupturas e a renovação das ideias, dos paradigmas e das estruturas já ultrapassadas, seja no plano individual ou coletivo.

Urano fará trígono a Urano em Capricórnio e oposição a Marte em Escorpião no mapa do Brasil em abril, maio e junho, voltando em outubro de 2019, para se estender até março de 2020. Nesse ciclo poderemos ver a ação renovadora de Urano, que, ao romper com estruturas arcaicas, traz a renovação no plano das ideais e dos valores, geralmente no sentido de promover mais liberdade e novidades, seja na cultura, nos costumes ou nas artes. Novas lideranças políticas podem surgir, voltadas para ações mais progressistas e democráticas. Por outro lado, é possível que ainda se observe a continuidade da violência urbana, um flagelo para todos os cidadãos; os problemas crônicos nas fronteiras e dentro dos presídios parecem estar longe de uma solução. Esse trânsito será amplificado com a entrada de Júpiter no signo de Capricórnio, que faz conjunção com os planetas Netuno e Urano e sextil com Marte no mapa do Brasil em dezembro de 2019. Uma nova jurisprudência poderá oxigenar a vida política do país, que deve legislar a favor da população, sendo que esta, por sua vez, espera por mais igualdade social e oportunidades de crescimento. As desejadas e necessárias reformas devem ser debatidas, para que possam promover e aumentar a rapidez e a eficiência do setor produtivo, sinalizando um novo impulso para a abertura da economia do país.

Marte, regente de 2019

A Astrologia é um campo de conhecimento que visa compreender os ciclos da vida, e sua linguagem simbólica é uma ponte estendida entre o cosmo e a humanidade como um todo.

Astrologicamente, Marte rege os signos de Áries e Escorpião, sendo Plutão seu corregente. Os temas marcianos se referem aos mitos de heróis, indivíduos que se destacam pela força e ousadia no cumprimento de suas tarefas, e, sobretudo, por sua infinita força de superação. Poderemos nos munir desse espírito guerreiro e que enfrenta adversidades, não de forma cega ou obstinada, mas sabendo controlar nossas emoções e estando conscientes das metas que pretendemos atingir. Tudo isso ocorrerá de acordo com esse forte arquétipo, bem como de acordo com os demais aspectos e relações que ele estabelecer com outros planetas no decorrer de todo o ano.

No ano de 2019, Marte vai dinamizar e intensificar todos os temas a ele relacionados: competição, liderança, iniciativas, busca de identidade, independência, vitalidade física, energia masculina em geral, a luta pela vida e pela autoafirmação.

Do ponto de vista pessoal, Marte deve incidir sobre as casas do nosso mapa natal que são regidas pelos signos de Áries e Escorpião. A partir de seu signo Ascendente, veja abaixo como você poderá fazer melhor uso das energias já mencionadas.

 ÁRIES: casa I ▶ corpo físico e vitalidade; imagem, caráter e personalidade; **casa VIII** ▶ morte, psiquismo, crises, transformações profundas.

 TOURO: casa XII ▶ provações, obstáculos, isolamento, espiritualidade, doenças; **casa VII** ▶ uniões, associações, parcerias e casamento.

 GÊMEOS: casa XI ▶ vida e participação social, projetos para o futuro, amizades, consciência política; **casa VI** ▶ trabalho, saúde, relação entre patrões e subordinados, produtividade.

 CÂNCER: casa X ▶ carreira profissional, destino, *status*, o lugar no mundo; **casa V** ▶ relações de amor e com os filhos, autoexpressão criativa, lazer e diversão.

LEÃO: casa IX ▶ ideais, filosofia de vida, viagens longas, estudos superiores; **casa IV** ▶ lar, casa, família, origens, propriedades, condições do final de vida.

 VIRGEM: casa VIII ▶ morte, psiquismo, crises e transformações profundas; **casa III** ▶ intelecto prático, modo de pensar, aprender e trocar, relação com irmãos, viagens curtas.

 LIBRA: casa VII ▶ uniões, associações, parcerias e casamento; **casa II** ▶ dinheiro, recursos e relação com as posses materiais.

 ESCORPIÃO: casa VI ▶ trabalho, saúde relação entre patrões e subordinados, produtividade; **casa I** ▶ corpo físico e vitalidade; imagem, caráter e personalidade.

 SAGITÁRIO: casa V ▶ relações de amor e com os filhos, autoexpressão criativa, lazer e diversão; **casa XII** ▶ provações, obstáculos, isolamento, doenças e espiritualidade.

 CAPRICÓRNIO: casa IV ▶ lar, casa, família, origens, propriedades, condições do final de vida; **casa XI** ▶ vida e participação social, projetos para o futuro, amizades, consciência política.

 AQUÁRIO: casa III ▶ intelecto prático, modo de pensar, aprender e trocar, relação com irmãos, viagens curtas; **casa X** ▶ carreira profissional, destino, *status*, o lugar no mundo.

 PEIXES: casa II ▶ dinheiro, recursos e relação com as posses materiais; **casa IX** ▶ ideais, filosofia de vida, viagens longas, estudos superiores.

Particularidades e correspondências astrológicas de Marte

Elemento: Fogo.
Signos que rege: Áries e Escorpião.
Ritmos: cardinal e fixo, respectivamente.
Funções psíquicas: intuição e sentimento.
Natureza: assertiva, corajosa, audaciosa, masculina, competitiva e rápida.
Metal: ferro.
Pedras: granada e rubi.

Cores: vermelho e escarlate.
Animais: cavalo, tigre, lobo, aves de rapina.
Plantas: cacto, gengibre, pimenta, cebola, manjericão, alcaparra, eritrina.
Flores: flor de laranjeira, verbena, antúrio, tulipa, begônia, bico-de-papagaio.
Dia da semana: Quinta-feira
Profissões: soldados, generais, esportistas, engenheiros mecânicos, químicos, metalúrgicos, bombeiros.
Anatomia do corpo que rege: cabeça, cérebro, nervos motores, maxilares, dentes e olhos.
Doenças: nevralgia, congestão cerebral, enxaqueca, calvície, inflamações nos olhos, febre alta, inflamações, insônia, erupções e ferimentos na face.
Símbolo: a cruz da matéria repousa sobre o círculo do espírito, o que representa desejo e conflito. Para outros, a seta deitada simboliza a lança de Marte, que representa o soldado, o guerreiro.
Lema: "Eu ajo" e "Eu transformo", respectivamente.
Características positivas: coragem, audácia, espírito empreendedor, liderança, magnanimidade, independência, altivez, assertividade, carisma, iniciativa, presença de espírito.
Características negativas: destrutividade, autoritarismo, egoísmo, sarcasmo, ironia, crueldade, agressividade, arrogância.
Personalidades: Ayrton Senna, Roberto Carlos, Antônio Fagundes, Lima Duarte, Elton John, Juliana Paes, Lady Gaga, Ana Maria Braga, Charles Chaplin, Marlon Brando, Russell Crowe.

Marte na mitologia e na astrologia

▸ **MARTE NA MITOLOGIA**

Na antiga Grécia, Ares era o deus das guerras, filho de Zeus e Hera. Embora tivesse ascendência direta de deuses do Olimpo, essa divindade ocupava um lugar secundário no panteão grego.

Colérico, brutal e agressivo, Ares tinha dois escudeiros que o acompanhavam o tempo todo, inclusive nos campos de batalha: Deimos (terror) e Phobos (medo). Posteriormente, esses foram os nomes dados às atuais luas de Marte. Tinha esse deus mais dois acompanhantes: Eris (discórdia) e Ênio (o destruidor das cidades).

Ares não era muito admirado pelos gregos; seu papel se restringia a simplesmente guerrear. Sendo assim, estava mais relacionado à coragem cega, ao ódio, à crueldade. Apesar de sua tremenda força física, Ares acabava por perder muitas batalhas, tendo de se retirar humilhado e vencido. Entre ele e sua irmã, Palas Atena, filha de Zeus, havia uma rivalidade profética. Segundo o mito, Palas Atena havia nascido da cabeça de seu pai, Zeus, e portanto foi gerada sem mãe. Ela era o símbolo da justiça e das estratégias de guerra, e acabava vencendo as batalhas devido à sua inteligência e por lutar em prol de causas mais elevadas. Era a deusa preferida dos heróis gregos, que invocavam sua presença para auxiliá-los nas guerras.

Na cultura romana, Ares encontrou sua correspondência em Marte, o deus da guerra, ocupando um lugar de destaque e tendo muitos poderes, em posição mais elevada até do que Júpiter.

Acreditava-se que Marte era pai de Rômulo e Remo, os fundadores de Roma, dando-se assim a Marte o *status* de fundador da República Romana.

Além de ser o deus da guerra, era cultuado como o deus da agricultura, da primavera e da vegetação, sempre relacionado à fertilidade, ao crescimento e ao vir a ser. O Marte romano tinha dois acompanhantes: Honor (honra) e Virtus (virtude). Os romanos acreditavam que seu destino e finalidade como povo era algo honroso e virtuoso, ou seja, o de governar o mundo dessa forma. O militarismo e o espírito de conquista estavam profundamente arraigados na cultura romana e muito ligados à figura de Marte. Essa civilização, como se sabe, ficou conhecida por seu notável império, suas batalhas, poder bélico e por sua capacidade de dominar, qualidades essenciais de Marte, tanto do ponto de vista mitológico quanto do astrológico.

Os heróis de muitas mitologias são a personificação da força arquetípica de Ares/Marte. O herói é aquele que deve sair pelo mundo e vencer seus inimigos para poder sobreviver; aquele que terá de matar dragões, atravessar florestas ou oceanos, enfrentar monstros ou dificuldades aparentemente intransponíveis. Poderá ou não encontrar o amor, mas voltará ao seu lugar de origem mais sábio e transformado por suas experiências.

Marte não foi muito feliz nas questões de amor. Conta o mito que Afrodite, casada com Hefesto, teve inúmeros amantes, entre eles, Marte. Ao entardecer, os dois se encontravam às escondidas e, para não serem descobertos em seus jogos de amor, traziam consigo um menino chamado Alectryon. Este ficava na porta como sentinela e os avisava quando o dia amanhecia. Contudo, em uma noite fatal, a sentinela dormiu, e o casal foi surpreendido por Hélios, o Sol, aquele que tudo vê, apressando-se este em avisar o marido traído. Hefesto, o deus da forja, muitíssimo irado, teceu uma rede invisível de ouro e nela prendeu Afrodite e seu rival, que ainda estavam no leito. Não satisfeito com isso, chamou todos os deuses para que contemplassem o terrível adultério, acreditando que ficariam escandalizados. No entanto, todos se divertiram muito com a cena e deram uma gargalhada tão sonora, que a abóbada celeste chegou a oscilar. Livre da armadilha, Afrodite, envergonhada, foi para Chipre, e Marte foi para a Trácia. Alectryon também foi castigado: transformaram-no em galo e, assim, ele foi obrigado a cantar eternamente em todas as madrugadas para anunciar a chegada do Sol.

▸ **MARTE NA ASTROLOGIA**

A simbologia astrológica tem sua origem no Hemisfério Norte, e Áries, signo regido por Marte, corresponde à entrada do ano zodiacal e também ao início da primavera, onde se manifesta a renovação da vida e da natureza na exuberância de toda a vegetação e das flores.

O ano astrológico de 2019 terá início no dia 20 de março, às 19 horas.

As influências marcianas estimularão nossa natureza vital, a combatividade, a criatividade e a assertividade. Marte, como símbolo da vontade e princípio masculino impositivo, irriga-nos com mais força física para realizarmos nossas metas. É fundamental ressaltar a importância da agressividade como significativa faceta da personalidade humana. No desenvolvimento da criança, ela serve para efetivar seu impulso básico por autonomia e independência em relação à mãe e ao meio ambiente. Marte é a força intrínseca que leva o indivíduo a querer dominar as coisas, vale dizer, Marte é a energia para nos tornarmos aquilo que pretendemos ser.

Assim, este ano poderá trazer um fortalecimento de nossa vontade e garra, e, se pudermos dar continuidade às iniciativas tomadas, haverá uma sensação de satisfação muito positiva. Quem não gosta de ver um sonho ou projeto de vida realizado? Além do mais, a ação corajosa de Marte nos inclina a atitudes mais confiantes e entusiasmadas.

Astrologicamente, o planeta Marte representa a afirmação da individualidade, ação, iniciativa, imposição da vontade. Marte é a personificação do herói, aquele que precisa conquistar algo ou alguém para si e para o mundo. Marte como símbolo de motivação pessoal se manifesta por meio da liderança, da assertividade, dos desejos e da imposição da vontade. Os anseios marcianos são de autoafirmação, agressividade, impulsividade sexual e tendência para agir de forma decidida e rápida. Marte representa as forças física e instintiva, o amor pela competição, a energia voltada para um alvo definido. A jornada do herói é sempre exterior e interior, e sua meta é a busca das próprias identidade e afirmação.

Neste ano, também é possível que tenhamos o recrudescimento da violência urbana de modo geral, bem como o aumento das tensões internacionais entre grandes potências que buscam o aumento e o poder por meio da indústria bélica. Os conflitos e as revoltas em toda a região do Oriente Médio, mais especificamente entre palestinos e judeus, as disputas territoriais na região da antiga União Soviética e os conflitos na África parecem estar longe de soluções pacíficas.

O clima planetário também tende a estar mais seco e quente, o que favorece grandes incêndios.

O planeta Marte, quando bem colocado em um mapa astrológico, representa a capacidade de enfrentar obstáculos com força e coragem. Com aspectos difíceis, Marte pode indicar agressividade, rancor, ira, violência, energia vital bloqueada e impaciência.

CONHECENDO O TARÔ

O tarô é um jogo de 78 cartas místicas. Há 22 cartas que formam os Arcanos Maiores e representam indivíduos que personificam uma qualidade ou arquétipo particular. As 56 cartas dos Arcanos Menores representam eventos, pessoas, comportamentos, ideias e atividades que acontecem em nossa vida.

Cada carta tem uma imagem, um nome e um número, que são símbolos poderosos e têm significados específicos. Em seu nível mais simples, o tarô é uma linguagem universal que fala através de uma variedade de símbolos arquetípicos.

Conhecer o significado por trás desses símbolos e suas reações a eles significa que você poderá identificar essas qualidades na sua vida, trabalhar com elas de uma maneira positiva e melhorar seu desenvolvimento pessoal e seus relacionamentos.

– Extraído de *A Bíblia do Tarô*, de Sarah Bartlett, Ed. Pensamento.

Marte nos signos

No simbolismo astrológico, cada planeta tem um significado e funções diferentes. Desse modo, Saturno estrutura e enraíza, Vênus embeleza, Plutão transforma, Júpiter traz crescimento. O planeta Marte, como vimos na matéria sobre a regência deste ano, "Horóscopo para o Brasil em 2019", tem a ver com força de ação, comando e liderança. Determinado planeta em uma casa representa o setor de nossa vida *onde* aquela energia vai se manifestar. Por outro lado, o signo onde o planeta está vai mostrar *como* essa energia se manifestará.

O planeta Marte, regente do signo de Áries, como princípio arquetípico comum e presente em todos nós, pode influenciar as ações e motivações mais básicas em direção às nossas conquistas. Na mitologia, Marte é uma divindade masculina que preside guerras, lutas, possuindo uma energia agressiva e primitiva que se insere na realidade por meio da vontade e do arrebatamento. Assim, sua ação é rápida, direta, instintiva e espontânea. Marte também representa a capacidade de se lançar, se aventurar, correr riscos e o gosto pelos desafios. No corpo humano, relaciona-se com a força física e sexual, as gônadas e o tônus muscular.

No horóscopo feminino, Marte, sendo uma força ígnea e masculina, revela o tipo de homem que desperta mais a atenção de uma mulher, ou seja, as qualidades essenciais que ela deverá valorizar em seu companheiro ou amante.

Vejamos agora o que o planeta Marte representa em cada um dos signos:

▶ **Marte em Áries:** No próprio signo, Marte exalta suas tendências naturais. Pessoas com essa posição manifestam sua personalidade através de uma ação incisiva, forte liderança, competitividade, possuindo grande determinação pessoal. São avessas a qualquer tipo de limitação, e sua vitalidade e entusiasmo são facilmente notados; sua franqueza chega às vezes a ser brutal. De caráter competitivo, demonstram pouca simpatia por aqueles que têm muitas dúvidas ou são indolentes. São dotadas muitas vezes de grande força física, e no campo sexual são rápidas e ansiosas. Podem ter uma atitude arrebatadora e mesmo agressiva quanto aos impulsos físicos. Em horóscopos femininos, essa posição astrológica traz atração por homens ousados, firmes e enérgicos. São mulheres independentes, cujos desejos necessitam ser satisfeitos de forma intensa e ardente.

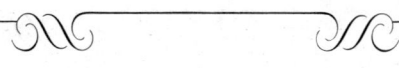

▶ **Marte em Touro:** Neste signo do elemento Terra, a energia de Marte se expressa por meio de pessoas determinadas, pacientes, constantes e com uma incrível capacidade para o trabalho. Sua resistência aos obstáculos é insuperável, o que gera tipos concretizadores e, não raro, obstinados. Ao mesmo tempo que são pessoas afáveis e generosas, transformam-se rapidamente quando iradas ou magoadas; seus acessos de raiva ou fúria são temidos por aqueles que as cercam. Embora tenham uma ação lenta e firme, são tipos voluntariosos e destemidos, virtudes essas que lhes trazem êxito em tudo o que assumem.

Para ambos os sexos, Marte em Touro indica um grande desejo sexual, que se realiza de forma lenta e regular, pois são pessoas que gostam de saborear com calma cada minuto de prazer. A afetividade e o intenso ciúme são componentes marcantes em sua dinâmica de relacionamentos. A mulher com esta posição geralmente procura um parceiro que lhe dê conforto e segurança, preferindo submeter-se aos desejos dele.

▶ **Marte em Gêmeos:** A energia de Marte neste signo manifesta-se através de um comportamento juvenil, eloquente e por vezes um pouco irônico. São pessoas com capacidade de projetar suas ideias com força e clareza, através tanto da fala quanto da escrita. Têm talentos e interesses muito variados, sendo dispersivas na execução de seus projetos. Sua constante necessidade de intercâmbio intelectual e de propagação bem como de novas ideias são inconfundíveis. Gostam de impressionar os outros com sua oratória, e a força de persuasão que possuem é intensa. Reagem com entusiasmo aos estímulos intelectuais de uma boa conversa. São pessoas rápidas e hábeis, não só nas palavras, mas também em suas decisões. Na arte dos relacionamentos pessoais, necessitam de variedade e diversificação em suas experiências, e aprendem tudo muito rápido. A palavra, para elas, é também um poderoso estímulo erótico. Uma mulher que tenha Marte em Gêmeos sente-se atraída por um homem maleável, comunicativo, que tenha espírito aberto e, sobretudo, forte brilho intelectual.

▶ **Marte em Câncer:** O signo de Câncer rege o lar, a família, as emoções e a sensibilidade. Marte nesta posição indica pessoas com forte necessidade de proteção emocional, acentuada percepção do outro e grande dedicação à vida familiar. Em homens, vemos tipos sensitivos e delicados, afinados com o universo feminino, com um gosto particular pelas tarefas domésticas. Essa combinação de Água (Câncer) e Fogo (Marte) pode se traduzir em pessoas especialmente emotivas e com grandes oscilações de humor, que facilmente se deixam levar por ações e desejos inconscientes. Suas decisões são lentas e tendem a ocorrer mais por um processo intuitivo e mesmo sentimental. A dificuldade para livrar-se de mágoas e ressentimentos muitas vezes atrasa seu amadurecimento psicológico. Como amantes, são sensíveis, tímidas, sendo a fantasia seu elemento erótico preferido. Seu ritmo tende a certa irregularidade, e as demonstrações afetivas são bastante inesperadas e ao mesmo tempo sedutoras. Uma mulher com essa posição em seu horóscopo natal sente-se mais atraída por um homem que possa partilhar seus mais íntimos desejos e necessidades, mais voltados para a vida interior e subjetiva.

▶ **Marte em Leão:** O brilho, a alegria e a dramaticidade do signo de Leão estão aqui aliados ao arrojo e à determinação, simbolizados pelo planeta Marte. Essa combinação caracteriza tipos muito expressivos, teatrais e confiantes. O orgulho excessivo por vezes torna-os arrogantes e inflexíveis. Têm um temperamento arrebatador e vital, especialmente em assuntos amorosos, nos quais sua afetividade é transbordante e generosa. Por outro lado, quando contrariados na sua vontade pessoal, são explosivos e podem mesmo beirar a tirania. Lealdade e sinceridade são qualidades que muito admiram e valorizam. Geralmente não suportam a mesquinharia, tampouco a mediocridade. São tipos conquistadores por natureza, e por isso adoram cortejar e conquistar; generosos e vaidosos, adoram dar e receber presentes.

Como amantes, são muito românticos e atrevidos, e gostam de surpreender e encantar, pois afinal, para eles, o importante é ter estilo. No horóscopo feminino, Marte em Leão faz despertar o desejo e o amor por um homem que seja cavalheiro, cativante, ardente e admirável.

▶ **Marte em Virgem:** Neste signo do elemento Terra, Marte caracteriza pessoas de natureza pragmática e eficiente, que sabem usar a inteligência e a praticidade para a realização rápida das coisas. A energia do planeta se manifesta nesse caso de forma analítica, minuciosa e precisa. Em sua constante busca pela perfeição, esses tipos são exímios trabalhadores, inclinados a realizações práticas com finalidades objetivas e imediatas. São muito dotados para qualquer atividade que exija paciência e dedicação. Adoram esmiuçar, pesquisar, organizar e catalogar tudo o que está à sua volta. Seus impulsos físicos e sexuais podem ser bloqueados por uma excessiva autocrítica. São amantes metódicos, nem sempre criativos; devem desenvolver a paciência em não querer apressar o ritmo de seus companheiros. No entanto, são muito sensíveis e cuidadosos com seus parceiros de cama. Uma mulher que tenha essa posição no mapa natal procura em seu companheiro a segurança de uma vida estável e organizada.

▶ **Marte em Libra:** No signo que lhe faz oposição em termos zodiacais, a energia de Marte fica bem equilibrada entre a imposição do desejo individual e a necessidade do outro. São pessoas inclinadas a atividades sociais e coletivas, gostam de coordenar e liderar, embora de forma justa e firme. Podem eventualmente encontrar-se em situações delicadas por não terem uma ação ou colocação imediata frente a algum desafio. Preferem tomar a iniciativa em seus relacionamentos e gostam de saborear uma nova conquista. Embora solícitos com aqueles que amam, são um tanto inquietos e volúveis na vida sentimental. Sexualmente são tipos que gostam dos jogos amorosos e fazem o que podem para agradar ao outro. Seduzem não só com elegância, mas também com ambientes refinados e agradáveis. As mulheres com essa posição astrológica demonstram interesse por homens de natureza ponderada e refinada no amor; por isso, necessitam viver o sexo com muita sutileza e romantismo.

▶ **Marte em Escorpião:** A energia de Marte se manifesta neste signo de forma enérgica, extremista e carismática. Sob essa influência estão os tipos ou personalidades dotados de caráter magnético e autoritário. E são várias as maneiras que encontram para manter o controle emocional sobre aqueles que os cercam. Têm grande habilidade para mandar, sendo eficientes e severos em suas atividades profissionais. Pessoas com essa posição astrológica vibram e mergulham nos desafios, e são capazes de correr risco de vida para provar a si mesmas que nada temem. São geralmente dotadas de grande força sexual e, quando apaixonadas, tendem a um comportamento passional e possessivo e, não raro, implacável. Através da sexualidade, liberam a energia interior e podem despejar suas emoções de forma compulsiva. No mapa de uma mulher, essa posição indica fascínio por homens sedutores e ardentes; são pessoas que adoram sentir-se desejadas e que no íntimo preferem ser dominadas.

▶ **Marte em Sagitário:** No signo de Fogo de Sagitário, Marte exprime uma tendência idealista e filosófica, sempre em busca de metas elevadas. São pessoas argumentativas, diretas – perfeitos juízes defensores da verdade, preferindo pensar sempre em termos de largos horizontes. Alheias à realidade, às vezes parecem viver adiante de si mesmas. Têm índole generosa, bem-humorada, franca, e precisam constantemente traçar planos e metas para vida. Sua independência e capacidade de abstração mental fazem delas verdadeiros líderes nos planos filosófico e social. Defendem a dignidade e a liberdade de espírito com entusiasmo, e suas convicções muitas vezes as tornam dogmáticas e inflexíveis. A sexualidade é vivida de modo expansivo, caloroso e alegre – esses tipos são descontraídos e vão direto ao assunto. Marte em Sagitário no tema natal de uma mulher vai mostrar a necessidade de se relacionar com um homem que tenha essas mesmas características, alguém que ela admire e com quem possa desenvolver ou ampliar seus horizontes intelectuais.

▶ **Marte em Capricórnio:** Com a dinâmica combinação dos elementos Fogo (Marte) e Terra (Capricórnio), temos aqui tipos empreendedores, perseverantes e incansáveis trabalhadores. Marte nesta posição caracteriza pessoas ambiciosas, dotadas de grande capacidade administrativa, alcançando com frequência uma situação de proeminência no âmbito profissional. Encontramos aqui os elevados executivos do mundo dos negócios e da política. Para eles, a concretização e a estabilidade são fundamentais, pois estruturam sua vida sobre sólidos alicerces. Em termos pessoais, essa posição indica um temperamento controlado e reservado. Embora intensa, sua natureza sexual não é perceptível nem flui com muita facilidade. Como amantes, impõem limites na expressão sexual, não mudam muito de estilo e exigem fidelidade de seus parceiros. Uma mulher que tenha Marte em Capricórnio em seu mapa sente-se atraída por homens mais maduros, determinados, perseverantes e que aspirem por ascensão social. Vale dizer: que tenham tudo o que possa ser sinônimo de confiabilidade e segurança.

▶ **Marte em Aquário:** Temos aqui a manifestação de um espírito inquieto e rebelde. A energia de Marte neste signo configura-se de forma pouco convencional e até mesmo excêntrica. São pessoas dotadas de um temperamento inventivo e curioso, sempre ávidas por novas experiências. Preferem aprender com os próprios erros, pois o que já está estabelecido não lhes atrai. Não raro encontram-se envolvidas em atividades sociais ou humanitárias, ou ao menos politicamente corretas e engajadas, e lutam ativamente por causas progressistas e reformadoras. No âmbito pessoal, tal como ocorre com Marte em Gêmeos, gostam de impressionar os outros com sua atividade argumentativa e intelectual. São tipos imprevisíveis e intuitivos, e, ao contrário do signo anterior, são dotados de uma sexualidade livre e arrojada; adoram novas experiências, são desprendidos e deveriam evitar amantes muito possessivos. Essas mesmas características inovadoras e irreverentes são bastante apreciadas por mulheres que têm essa posição astrológica no horóscopo.

▶ **Marte em Peixes:** Essa posição de Marte configura indivíduos cujo temperamento tende a uma ação difusa e ambígua, de modo que suas sensações aparecem de forma sutil e mesmo inconsciente. Isso porque a combinação dos elementos Fogo (Marte) e Água (Peixes) pode resultar em emoções efervescentes e, por consequência, em uma atmosfera nebulosa e instável. São tipos muito sensíveis, dotados de forte imaginação e talento para a expressão artística, sobretudo ligada a música e imagens. Essa predisposição implica uma dualidade em que a delicadeza e a impulsividade se entrelaçam de forma muitas vezes antagônica. A acentuada sensibilidade psíquica torna-os muito permeáveis às impressões do ambiente. Necessitam, portanto, de períodos de descanso ou mesmo reclusão para se recuperarem em níveis físico e psicológico. Têm uma natureza sexual que os inclina à sublimação, e precisam de rituais ou intimidade emocional para obter êxito em seu desempenho; desprezam atos e palavras que sejam muito óbvios e explícitos. A mulher com essa posição astrológica em sua carta natal sente-se atraída por homens de índole pacífica, fantasiosa e romântica, que possam envolvê-la por completo, tanto física quanto espiritualmente.

– **Tereza Kawall**

Fenômenos naturais

~ COMEÇO DAS ESTAÇÕES ~

Estações	Data do início	Horário
Outono	20/03	19h00
Inverno	21/06	12h55
Primavera	23/09	4h51
Verão	22/12	1h21

~ ECLIPSES ~

Data	Hora	Astro	Tipo	Grau	Magnitude
5/01	22h29	Sol	Parcial	15°25' de Capricórnio	0'715
21/01	2h17	Lua	Total	0°52' de Leão	1'195
2/07	16h17	Sol	Total	10°38' de Câncer	4'33
16/07	18h39	Lua	Parcial	24°4' de Capricórnio	0'653
26/12	2h14	Sol	Anular	4°7' de Capricórnio	3'39

~ FASES DA LUA 2019 ~

JANEIRO

Dia	Fase	Horário	Grau
5	Nova	22h29	15°25' de Capricórnio
14	Crescente	3h47	23°48' de Áries
21	Cheia	2h17	0°52' de Leão
27	Minguante	18h12	7°38' de Escorpião

FEVEREIRO

Dia	Fase	Horário	Grau
4	Nova	18h05	15°45' de Aquário
12	Crescente	19h27	23°55' de Touro
19	Cheia	12h55	0°42' de Virgem
26	Minguante	8h29	7°34' de Sagitário

MARÇO

Dia	Fase	Horário	Grau
6	Nova	13h05	15°47' de Peixes
14	Crescente	7h28	23°33' de Gêmeos
20	Cheia	22h44	0°9' de Libra
28	Minguante	1h11	7°12' de Capricórnio

ABRIL

Dia	Fase	Horário	Grau
5	Nova	5h52	15°17' de Áries
12	Crescente	16h07	22°35' de Câncer
19	Cheia	8h13	29°7' de Libra
26	Minguante	19h19	6°23' de Aquário

MAIO

Dia	Fase	Horário	Grau
4	Nova	19h47	14°11' de Touro
11	Crescente	22h13	21°3' de Leão
18	Cheia	18h13	27°39' de Escorpião
26	Minguante	13h35	5°9' de Peixes

JUNHO

Dia	Fase	Horário	Grau
3	Nova	7h03	12°34' de Gêmeos
10	Crescente	3h00	19°6' de Virgem
17	Cheia	5h32	25°53' de Sagitário
25	Minguante	6h48	3°34' de Áries

JULHO

Dia	Fase	Horário	Grau
2	Nova	16h17	10°38' de Câncer
9	Crescente	7h56	16°58' de Libra
16	Cheia	18h39	24°4' de Capricórnio
24	Minguante	22h19	1°51' de Touro

AGOSTO

Dia	Fase	Horário	Grau
1º	Nova	0h13	8°37' de Leão
7	Crescente	14h32	14°56' de Escorpião
15	Cheia	9h30	22°24' de Aquário
23	Minguante	11h57	0°12' de Gêmeos
30	Nova	7h38	6°47' de Virgem

SETEMBRO

Dia	Fase	Horário	Grau
6	Crescente	0h12	13°15' de Sagitário
14	Cheia	1h34	21°5' de Peixes
21	Minguante	23h42	28°49' de Gêmeos
28	Nova	15h28	5°20' de Libra

OUTUBRO

Dia	Fase	Horário	Grau
5	Crescente	13h48	12°9' de Capricórnio
13	Cheia	18h09	20°14' de Áries
21	Minguante	9h40	27°49' de Câncer
28	Nova	0h40	4°25' de Escorpião

NOVEMBRO

Dia	Fase	Horário	Grau
4	Crescente	7h24	11°42' de Aquário
12	Cheia	10h36	19°52' de Touro
19	Minguante	18h12	27°14' de Leão
26	Nova	12h07	4°3' de Sagitário

DEZEMBRO

Dia	Fase	Horário	Grau
4	Crescente	3h59	11°49' de Peixes
12	Cheia	2h13	19°52' de Gêmeos
19	Minguante	1h58	26°58' de Virgem
26	Nova	2h14	4°7' de Capricórnio

Calendário permanente (1901 – 2092)

Tabela A – Anos

1901-2000				2001-2092		
	25	53	81		09	37	65
	26	54	82		10	38	66
	27	55	83		11	39	67
	28	56	84		12	40	68
01	29	57	85		13	41	69
02	30	58	86		14	42	70
03	31	59	87		15	43	71
04	32	60	88		16	44	72
05	33	61	89		17	45	73
06	34	62	90		18	46	74
07	35	63	91		19	47	75
08	36	64	92		20	48	76
09	37	65	93		21	49	77
10	38	66	94		22	50	78
11	39	67	95		23	51	79
12	40	68	96		24	52	80
13	41	69	97		25	53	81
14	42	70	98		26	54	82
15	43	71	99		27	55	83
16	44	72	00		28	56	84
17	45	73		01	29	57	85
18	46	74		02	30	58	86
19	47	75		03	31	59	87
20	48	76		04	32	60	88
21	49	77		05	33	61	89
22	50	78		06	34	62	90
23	51	79		07	35	63	91
24	52	80		08	36	64	92

Tabela B – Meses

J	F	M	A	M	J	J	A	S	O	N	D
4	0	0	3	5	1	3	6	2	4	0	2
5	1	1	4	6	2	4	0	3	5	1	3
6	2	2	5	0	3	5	1	4	6	2	4
0	3	4	0	2	5	0	3	6	1	4	6
2	5	5	1	3	6	1	4	0	2	5	0
3	6	6	2	4	0	2	5	1	3	6	1
4	0	0	3	5	1	3	6	2	4	0	2
5	1	2	5	0	3	5	1	4	6	2	4
0	3	3	6	1	4	6	2	5	0	3	5
1	4	4	0	2	5	0	3	6	1	4	6
2	5	5	1	3	6	1	4	0	2	5	0
3	6	0	3	5	1	3	6	2	4	0	2
5	1	1	4	6	2	4	0	3	5	1	3
6	2	2	5	0	3	5	1	4	6	2	4
0	3	3	6	1	4	6	2	5	0	3	5
1	4	5	1	3	6	1	4	0	2	5	0
3	6	6	2	4	0	2	5	1	3	6	1
4	0	0	3	5	1	3	6	2	4	0	2
5	1	1	4	6	2	4	0	3	5	1	3
6	2	3	6	1	4	6	2	5	0	3	5
1	4	4	0	2	5	0	3	6	1	4	6
2	5	5	1	3	6	1	4	0	2	5	0
3	6	6	2	4	0	2	5	1	3	6	1
4	0	1	4	6	2	4	0	3	5	1	3
6	2	2	5	0	3	5	1	4	6	2	4
0	3	3	6	1	4	6	2	5	0	3	5
1	4	4	0	2	5	0	3	6	1	4	6
2	5	6	2	4	0	2	5	1	3	6	1

Tabela C – Dias da Semana

D	1	8	15	22	29	36
S	2	9	16	23	30	37
T	3	10	17	24	31	
Q	4	11	18	25	32	
Q	5	12	19	26	33	
S	6	13	20	27	34	
S	7	14	21	28	35	

Exemplo

É muito simples usar o calendário permanente. Vamos tomar como exemplo o dia 1º de janeiro do ano de 2019, para saber em que dia da semana começará a segunda década do século XXI.

Procure na Tabela A os últimos dois dígitos do ano 2019 (neste caso, 19) e siga essa mesma linha à direita, parando no mês de janeiro na Tabela B. (Os meses nessa tabela são indicados apenas pela primeira letra.) Ao número encontrado (neste caso, 2), adicione o número do dia em questão (1) e terá o resultado 3. Verifique na Tabela C (ao lado) em que dia da semana cai o número 3. É uma terça-feira (indicada, na Tabela C, pela letra T).

Os signos e a carreira profissional

Áries

A vocação profissional de Áries está ligada à arquitetura, à engenharia civil e mecânica, à agricultura e à pecuária, à siderurgia e a toda forma de assessoria técnica a grandes empresas. Pode também ter vocação para a carreira militar, destacando-se nessa área. Apesar do temperamento impulsivo, o ariano é um profissional constante e fiel à sua atividade. Pode demorar para encontrar a carreira que melhor lhe convém, mas uma vez feita a escolha, dificilmente mudará de atividade. Como líder, é extremamente exigente e severo, mas consegue bons resultados de seus comandados. Sua principal deficiência na área profissional é sua estreiteza de visão. Seus atos impulsivos, apesar de bem-sucedidos, carecem de uma orientação definida ao longo do tempo. Raras vezes Áries se preocupa em refletir sobre a direção de sua carreira.

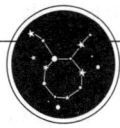

Touro

O indivíduo de Touro adapta-se e produz melhor nas profissões administrativas, financeiras e empresariais de todo tipo. Seu melhor papel é o de organizador da produção. Ele reúne todas as qualidades necessárias para desempenhar o papel de administrador de bens e de empresas. Tem especial afinidade com setores da indústria avançada, computação, aviação e centros de pesquisas de novos materiais. As deficiências profissionais de Touro são todas decorrentes do apego aos modelos escolhidos no trabalho. A teimosia, a rejeição a novos métodos, a compaixão para com os antigos funcionários e a ausência de meios-termos e de bom senso, quando contrariado, são consequência do seu desejo de cumprir aquilo que se propôs na direção e da forma que imaginou, sem ceder um só milímetro à interferência alheia.

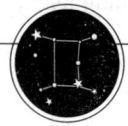

Gêmeos

As habilidades de Gêmeos são muito diversificadas, permitindo que se dedique a praticamente todo tipo de trabalho. Mas os geminianos obtêm maior sucesso quando sua capacidade de estrategista e sua engenhosidade são utilizadas. O nativo de Gêmeos é um grande financista, e se liga especialmente às teorias econômicas e à sua aplicação no intuito de organizar a situação econômica de um governo ou de uma empresa. Além de comunicador, Gêmeos é capaz de resolver qualquer pequeno problema (ou grande), mesmo que não diga respeito à sua área de atuação. As deficiências de Gêmeos são a inconstância, a dispersão e, em alguns casos, uma certa irresponsabilidade.

Câncer

A pessoa do signo de Câncer tem por vocação todos os trabalhos ligados à Terra (construção, agricultura, pecuária), à alimentação e ao vestuário, às artes, aos cargos públicos e a todas as atividades ligadas com a água, com os líquidos em geral e com o mar. O canceriano é empreendedor, ativo e enérgico no trabalho. Inicia cedo uma carreira e tem poucas dúvidas sobre o caminho a seguir. Há pouca estratégia planejada em suas atitudes. As situações serão encaminhadas ou resolvidas conforme forem surgindo. Sua sensibilidade está sempre ligada ao momento presente. E dessa característica nasce uma de suas deficiências na atividade profissional: as grandes oscilações que apresenta ao lidar com as situações. Conforme seu estado de humor, conduzirá as coisas de um modo ou de outro. Para ele não existe o sentido do cumprimento de uma meta material definida.

Leão

Sua vocação está ligada à produção material, às finanças ou às atividades artísticas. Apesar de seu principal interesse profissional ser a produção material e o ganho financeiro, o leonino pode dedicar-se às artes plásticas, à propaganda, aos meios de comunicação e à divulgação: pode ser um ator, diretor, o cenógrafo em teatro ou cinema, ou ainda um empresário nessas áreas. A principal deficiência do leonino é não saber lidar com situações de emergência, ele tende a se confundir, resolvendo as coisas apressadamente, deixando de lado sua intuição, criatividade e bom senso. Nessas situações, tende a aumentar os problemas já existentes. Outra de suas deficiências é a teimosia.

Virgem

As principais vocações para a pessoa do signo de Virgem são o comércio, as atividades relacionadas com comunicação e o transporte, com todos os trabalhos burocráticos, desde a contabilidade até a advocacia, e todas as funções de assessoria para pessoas que idealizaram um grande empreendimento e precisam de alguém que cuide dos detalhes práticos. A principal habilidade deste signo é unir as partes de um todo, para que este se relacione internamente com o mínimo de gasto e com a maior precisão possível. As deficiências profissionais do virginiano são a pouca capacidade para liderar e a franqueza excessiva. Ele costuma irritar-se diante de situações muito complexas ou que exijam certo tipo de falsa diplomacia. Nesses caos, tende a perder o controle das suas ações, agindo erraticamente, como se abandonasse o negócio à deriva.

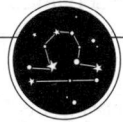

Libra

As principais vocações da pessoa de Libra são a arquitetura, os trabalhos associados à arte (decoração, antiguidades etc.), à agricultura e à pecuária, à exportação de matérias-primas e de produtos alimentícios, e qualquer atividade ligada ao mar. Sendo dono do seu próprio negócio, o libriano não atuará segundo uma perspectiva puramente produtiva e material. Ele dirigirá seu negócio de maneira instintiva e apaixonada. Toda a ponderação mental, típica de seu temperamento, poderá ser esquecida diante da possibilidade de uma grande transação comercial. É aqui que residem suas maiores deficiências, como sua enorme indecisão, o excesso de diplomacia e a tendência a negligenciar a realização prática de seus projetos mentais, bem como a negligência com os aspectos práticos do trabalho.

Escorpião

Todos os cargos de comando, de autoridade e responsabilidade fazem parte da vocação profissional da pessoa de Escorpião. Trabalhos com objetos de luxo, arte, bancos, negócios que movimentem grandes somas, que destaquem o indivíduo mais que seu trabalho e todo cargo público, especialmente o de presidente ou chefe maior, lhe são recomendados. Uma das armas mais poderosas do profissional de Escorpião é o segredo que faz de seus planos, de seus atos, de modo que, embora saiba exatamente o que está acontecendo à sua volta, os outros não sabem o que lhe vai pela mente. As duas principais deficiências dos nativos de Escorpião são a desconfiança e a falta de definição de objetivos.

Sagitário

A vocação de Sagitário está voltada para as profissões ligadas à área da medicina, das finanças, das leis e da indústria têxtil. Em geral, seu campo de atuação é muito diversificado, podendo ocupar mais de uma função ou dedicar-se a mais de uma atividade. É um bom negociante e um excelente relações-públicas. Sua principal habilidade é a de gerenciar seu próprio negócio deixando que os outros produzam, reservando para si o controle da qualidade do que está sendo produzido e a função de redinamizar a atividade de produção, conforme seja necessário através de readaptações. Sua deficiência ocorre com relação às suas próprias obrigações: o sagitariano tende a desincumbir-se delas transferindo-as para alguém. Isso fragiliza sua atuação de comando, pois, enquanto cuida de exercer controle sobre a produção alheia, perde o controle sobre aquilo que ele próprio deveria estar fazendo.

Capricórnio

Capricórnio é o signo do trabalho concreto, da ambição e da perseverança em direção a uma meta. Trabalhar, assumir responsabilidades e encargos materiais, viver uma existência metódica, sujeitar-se às limitações inerentes às circunstâncias são atitudes próprias deste signo. Traça naturalmente sua meta e nela investe disciplinarmente todo o seu esforço. Tende inclusive a esquecer-se de outros aspectos da vida, quando a meta profissional está num momento de grande evidência. Sabe que é capaz de realizações maiores que os outros tipos de pessoa e teme malbaratar esse potencial, gerando em sua personalidade um misto de insegurança por não saber se está realizando tudo aquilo de que é capaz e dispondo de extrema autoconfiança na capacidade de empreender com perfeição tudo o que diga respeito à vida material.

Aquário

As vocações relativas ao signo de Aquário sempre estão ligadas a atividades mentais e a uma intensa participação social. A pesquisa científica, as invenções de alta tecnologia, o desenvolvimento de aparelhos elétricos, a psicanálise e todas as profissões novas e incomuns têm afinidade com este signo. Por outro lado, quando participa de grandes empreendimentos, particulares ou ligados ao governo, suas preferências recaem sobre o planejamento a longo prazo e a introdução de novas metodologias de organização. Entre suas deficiências destacam-se a falta de compatibilidade com cargos que necessitem de senso prático, a não percepção de que as outras pessoas funcionam num ritmo diferente do seu e a pouca atenção que devota a seus superiores.

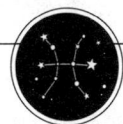

Peixes

O trabalho profissional precisa estar em total acordo com sua vocação para que tenha sucesso. Possui grandes qualificações para a área de propaganda, de vendas, de publicidade, de relações públicas e para trabalhar junto aos meios de comunicação, tais como televisão, rádio e revistas. Todas as atividades que envolvam viagens constantes, de preferência a outros países, ou ainda a exportação de produtos e o agenciamento de viagens, também fazem parte de suas atividades preferidas. Entre suas deficiências que não são poucas, a principal é a ausência de sentido prático ao elaborar planos e ao tentar executar algo com as próprias mãos. O pisciano não tem noção dos limites da realidade. Com relação às finanças, essa deficiência é especialmente perigosa. Apesar de saber ganhar dinheiro, não sabe como administrá-lo.

Tábua planetária para 2019

Segue abaixo a posição dos planetas em cada signo do zodíaco à zero hora de Greenwich do dia 1º de cada mês. A posição está indicada por graus (°) e minutos ('), bem como qualquer mudança que houver para outro signo no decorrer do mês. Note ainda que está indicado também o início do movimento retrógrado, assinalado pela letra (R), ou a retomada do movimento direto, indicada pela letra (D).

JANEIRO

MERCÚRIO: 23°51' de Sagitário; no dia 6, a 1°16' de Capricórnio; no dia 25, a 1°15' de Aquário
VÊNUS: 23°29' de Escorpião; no dia 8, a 0°32' de Sagitário
MARTE: 29°56' de Peixes; no dia 2, a 0°36' de Áries

JÚPITER: 11°46' de Sagitário
SATURNO: 11°22' de Capricórnio
URANO: 28°36' de Áries (R); no dia 6, a 28°36' de Áries (D)
NETUNO: 14°4' de Peixes
PLUTÃO: 20°35' de Capricórnio

FEVEREIRO

MERCÚRIO: 13°9' de Aquário; no dia 11, a 0°59' de Peixes
VÊNUS: 26°39' de Sagitário; no dia 4, a 0°4' de Capricórnio
MARTE: 20°53' de Áries; no dia 15, a 0°22' de Touro

JÚPITER: 17°46' de Sagitário
SATURNO: 14°57' de Capricórnio
URANO: 28°52' de Áries
NETUNO: 14°55' de Peixes
PLUTÃO: 21°37' de Capricórnio

MARÇO

MERCÚRIO: 27°53' de Peixes; no dia 5, a 29°36' de Peixes (R); no dia 28, a 16°6' de Peixes (D)
VÊNUS: 29°10' de Capricórnio; no dia 2, a 0°21' de Aquário; no dia 27, a 0°12' de Peixes
MARTE: 9°48' de Touro

JÚPITER: 21°52' de Sagitário
SATURNO: 17°44' de Capricórnio
URANO: 29°46' de Áries; no dia 7, a 0°1' de Touro
NETUNO: 15°56' de Peixes
PLUTÃO: 22°26' de Capricórnio

◈ ABRIL ◈

MERCÚRIO: 16°37' de Peixes; no dia 18, a 0°55' de Áries
VÊNUS: 6°14' de Peixes; no dia 21, a 0°23' de Áries
MARTE: 0°29' de Gêmeos
JÚPITER: 24°12' de Sagitário; no dia 10, a 24°21' de Sagitário (R)
SATURNO: 19°50' de Capricórnio; no dia 29, a 20°31' de Capricórnio (R)
URANO: 1°17' de Touro
NETUNO: 17°5' de Peixes
PLUTÃO: 23°0' de Capricórnio; no dia 24, a 23°9' de Capricórnio (R)

◈ MAIO ◈

MERCÚRIO: 19°54' de Áries; no dia 7, a 0°25' de Touro; no dia 22, a 1°11' de Gêmeos
VÊNUS: 12°30' de Áries; no dia 16, a 0°43' de Touro
MARTE: 20°11' de Gêmeos; no dia 17, a 0°33' de Câncer
JÚPITER: 23°43' de Sagitário (R)
SATURNO: 20°31' de Capricórnio (R)
URANO: 2°59' de Touro
NETUNO: 18°1' de Peixes
PLUTÃO: 23°8' de Capricórnio (R)

◈ JUNHO ◈

MERCÚRIO: 22°33' de Gêmeos; no dia 5, a 0°18' de Câncer; no dia 28, a 0°44' de Leão
VÊNUS: 20°10' de Touro; no dia 10, a 1°8' de Gêmeos
MARTE: 10°13' de Câncer
JÚPITER: 20°41' de Sagitário (R)
SATURNO: 19°43' de Capricórnio (R)
URANO: 4°39' de Touro
NETUNO: 18°36' de Peixes; no dia 21, a 18°43' de Peixes (R)
PLUTÃO: 22°50' de Capricórnio (R)

◈ JULHO ◈

MERCÚRIO: 2°36' de Leão; no dia 7, a 4°25 de Leão (R); no dia 20, a 29°31 de Câncer (R)
VÊNUS: 26°46' de Gêmeos; no dia 4, a 0°26' de Câncer; no dia 29, a 1°8' de Leão
MARTE: 29°22' de Câncer; no dia 2, a 0°1, de Leão
JÚPITER: 17°0' de Sagitário (R)
SATURNO: 17°51' de Capricórnio (R)
URANO: 5°54' de Touro
NETUNO: 18°42' de Peixes (R)
PLUTÃO: 22°13' de Capricórnio (R)

◇ AGOSTO ◇

MERCÚRIO: 23°56' de Câncer (R); no dia 2, a 23°59' de Câncer (D); no dia 12, a 0°12, de Leão; no dia 30, a 1°20' de Virgem
VÊNUS: 4°49' de Leão; no dia 22, a 0°46' de Virgem
MARTE: 19°4' de Leão; no dia 19, a 0°29' de Virgem
JÚPITER: 14°40' de Sagitário (R); no dia 11, a 14°30' de Sagitário (D)
SATURNO: 15°38' de Capricórnio (R)
URANO: 6°33' de Touro; no dia 11, a 6°36' de Touro (R)
NETUNO: 18°18' de Peixes (R)
PLUTÃO: 21°28' de Capricórnio (R)

◇ SETEMBRO ◇

MERCÚRIO: 5°17' de Virgem; no dia 15, a 1°12' de Libra
VÊNUS: 13°9' de Virgem; no dia 15, a 0°31' de Libra
MARTE: 8°45' de Virgem
JÚPITER: 15°8' de Sagitário
SATURNO: 14°9' de Capricórnio (R); no dia 18, a 13°54' de Capricórnio (D)
URANO: 6°27' de Touro (R)
NETUNO: 17°33' de Peixes (R)
PLUTÃO: 20°52' de Capricórnio (R)

◇ OUTUBRO ◇

MERCÚRIO: 26°37' de Libra; no dia 4, a 0°55' de Escorpião; no dia 31, a 27°36' de Escorpião (R)
VÊNUS: 20°24' de Libra; no dia 9, a 0°21' de Escorpião
MARTE: 27°57' de Virgem; no dia 5, a 0°31' de Libra
JÚPITER: 18°10' de Sagitário
SATURNO: 14°2' de Capricórnio
URANO: 5°40' de Touro (R)
NETUNO: 16°45' de Peixes (R)
PLUTÃO: 20°38' de Capricórnio (R); no dia 3, a 20°38' de Capricórnio (D)

◇ NOVEMBRO ◇

MERCÚRIO: 27°37' de Escorpião (R); no dia 20, a 11°38' de Escorpião (D)
VÊNUS: 28°56' de Escorpião; no dia 2, a 0°11' de Sagitário; no dia 27, a 1°12' de Capricórnio
MARTE: 18°0' de Libra; no dia 20, a 0°26' de Escorpião
JÚPITER: 23°21' de Sagitário
SATURNO: 15°25' de Capricórnio
URANO: 4°27' de Touro (R)
NETUNO: 16°7' de Peixes (R); no dia 27, a 15°55' de Peixes (D)
PLUTÃO: 20°50' de Capricórnio

DEZEMBRO

MERCÚRIO: 18°45' de Escorpião; no dia 10, a 0°51' de Sagitário; no dia 30, a 1°14' de Capricórnio
VÊNUS: 6°10' de Capricórnio; no dia 21, a 0°53' de Aquário
MARTE: 7°42' de Escorpião
JÚPITER: 29°36' de Sagitário; no dia 3, a 0°3' de Capricórnio
SATURNO: 17°59' de Capricórnio
URANO: 3°20' de Touro (R)
NETUNO: 15°55' de Peixes
PLUTÃO: 21°27' de Capricórnio

A ASTROLOGIA E VOCÊ

A astrologia usa combinações do sistema solar, de pontos de energia, das estrelas, dos planetas, das luas, da sua hora, local e data de nascimento para identificar seu lugar no universo. A astrologia se aprofunda muito mais do que os signos zodiacais que muitos de nós lemos nas revistas de fofocas e nos jornais.

Se você é uma daquelas pessoas que têm uma afinidade por observar as estrelas, que constatam que ficam mais emotivas durante a lua cheia ou que, de um modo geral, gostam de adivinhar o signo das pessoas, você está prestes a entrar em contato com um nível de conhecimento astrológico inteiramente novo!

Ao observar as estrelas, há ocasiões em que o olho humano só consegue avistar um punhado de luzes cintilantes no céu noturno, especialmente quando estamos nas grandes cidades ou nos bairros. Em outras ocasiões e em diferentes locais – geralmente quando nos encontramos num lugar mais tranquilo na natureza, sem tantas luzes –, a complexidade das constelações pode manter nossos olhos inquietos e ocupados durante horas, localizando estrelas cadentes, planetas e outros corpos celestes.

A astrologia é complexa e leva em consideração que sua alma atravessa diferentes trânsitos e pontos de energia ao longo da sua vida. A astrologia é uma excelente ferramenta para revelar as complexidades da alma e um bom lembrete de como somos influenciadas pelos movimentos no nosso sistema solar. Afinal de contas, vivemos em função do céu todos os dias, mesmo que estejamos presos num recinto fechado trabalhando, ou ocupados demais para ao menos dar uma espiada nas estrelas. Mesmo que não acreditemos nas influências das estrelas, da lua e do sol, ainda podemos escolher como usar suas informações. Você pode usar o sol para saber que horas são... ou pode usar todo o sistema solar para contar sua vida.

– Extraído de *O Despertar da Deusa*,
Emma Mildon, Ed. Pensamento.

Tábua solar 2019

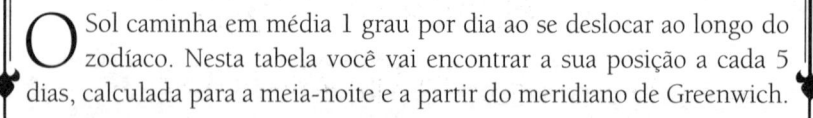

O Sol caminha em média 1 grau por dia ao se deslocar ao longo do zodíaco. Nesta tabela você vai encontrar a sua posição a cada 5 dias, calculada para a meia-noite e a partir do meridiano de Greenwich.

\multicolumn{3}{c}{JANEIRO}			\multicolumn{3}{c}{FEVEREIRO}			\multicolumn{3}{c}{MARÇO}	
Dia	Posição	Signo	Dia	Posição	Signo	Dia	Posição	Signo
1º	10°15'	Capricórnio	1º	11°49'	Aquário	1º	10°6'	Peixes
5	14°20'	Capricórnio	5	15°52'	Aquário	5	14°6'	Peixes
10	19°25'	Capricórnio	10	20°56'	Aquário	10	19°7'	Peixes
15	24°31'	Capricórnio	15	26°0'	Aquário	15	24°6'	Peixes
20	29°37'	Capricórnio	20	1°2'	Peixes	20	29°5'	Peixes
25	4°42'	Aquário	25	6°4'	Peixes	25	4°3'	Áries
31	10°48'	Aquário	28	9°5'	Peixes	31	9°59'	Áries

\multicolumn{3}{c}{ABRIL}			\multicolumn{3}{c}{MAIO}			\multicolumn{3}{c}{JUNHO}	
Dia	Posição	Signo	Dia	Posição	Signo	Dia	Posição	Signo
1º	10°58'	Áries	1º	10°20'	Touro	1º	10°14'	Gêmeos
5	14°55'	Áries	5	14°13'	Touro	5	14°4'	Gêmeos
10	19°50'	Áries	10	19°4'	Touro	10	18°51'	Gêmeos
15	24°44'	Áries	15	23°54'	Touro	15	23°38'	Gêmeos
20	29°38'	Áries	20	28°43'	Touro	20	28°24'	Gêmeos
25	4°30'	Touro	25	3°31'	Gêmeos	25	3°10'	Câncer
30	9°22'	Touro	31	9°17'	Gêmeos	30	7°57'	Câncer

\multicolumn{3}{c}{JULHO}			\multicolumn{3}{c}{AGOSTO}			\multicolumn{3}{c}{SETEMBRO}	
Dia	Posição	Signo	Dia	Posição	Signo	Dia	Posição	Signo
1º	8°54'	Câncer	1º	8°29'	Leão	1º	8°17'	Virgem
5	12°43'	Câncer	5	12°18'	Leão	5	12°9'	Virgem
10	17°29'	Câncer	10	17°6'	Leão	10	17°0'	Virgem
15	22°15'	Câncer	15	21°54'	Leão	15	21°52'	Virgem
20	27°1'	Câncer	20	26°42'	Leão	20	26°44'	Virgem
25	1°47'	Leão	25	1°31'	Virgem	25	1°38'	Libra
31	7°31'	Leão	31	7°19'	Virgem	30	6°32'	Libra

\multicolumn{3}{c}{OUTUBRO}			\multicolumn{3}{c}{NOVEMBRO}			\multicolumn{3}{c}{DEZEMBRO}	
Dia	Posição	Signo	Dia	Posição	Signo	Dia	Posição	Signo
1º	7°31'	Libra	1º	8°15'	Escorpião	1º	8°28'	Sagitário
5	11°27'	Libra	5	12°16'	Escorpião	5	12°32'	Sagitário
10	16°23'	Libra	10	17°16'	Escorpião	10	17°36'	Sagitário
15	21°20'	Libra	15	22°18'	Escorpião	15	22°41'	Sagitário
20	26°17'	Libra	20	27°20'	Escorpião	20	27°46'	Sagitário
25	1°16'	Escorpião	25	2°24'	Sagitario	25	2°52'	Capricórnio
31	7°15'	Escorpião	30	7°27'	Sagitário	31	8°59'	Capricórnio

Entrada do Sol nos signos do zodíaco

SIGNO	DATA	HORÁRIO DE INGRESSO
AQUÁRIO	20 de janeiro	6h01
PEIXES	18 de fevereiro	20h05
ÁRIES	20 de março	19h00
TOURO	20 de abril	5h56
GÊMEOS	21 de maio	5h00
CÂNCER	21 de junho	12h55
LEÃO	22 de julho	23h52
VIRGEM	23 de agosto	7h03
LIBRA	23 de setembro	4h51
ESCORPIÃO	23 de outubro	14h21
SAGITÁRIO	22 de novembro	12h00
CAPRICÓRNIO	22 de dezembro	1h21

ATITUDE PREDILETA DE CADA SIGNO DO ZODÍACO

Áries: Atirar primeiro e perguntar depois.

Touro: Dar sua opinião na hora do jantar.

Gêmeos: Tirar a conclusão errada.

Câncer: Lamuriar-se.

Leão: Dar ordens.

Virgem: Se preocupar.

Libra: Sorrir maliciosamente.

Escorpião: Tramar o próximo movimento.

Sagitário: Abrir a boca antes de usar o cérebro.

Capricórnio: Agir com superioridade.

Aquário: Enfrentar alguém. Desafiar.

Peixes: Misturar medicamentos de venda livre para testar seus efeitos alucinógenos.

Horas planetárias

O método mais prático para você aproveitar a influência das horas planetárias na sua vida diária é sincronizar as suas atividades mais importantes com os dias e horas mais favoráveis. Você obterá a informação quanto aos dias mais e menos propícios ao início dos seus empreendimentos no *Guia Astral*. As influências e as características da hora associada a cada planeta são dadas a seguir, a fim de que você possa usá-las em combinação com o dia mais favorável, de modo a conseguir um grande sucesso. Consulte também a seção "Cálculo das Horas Planetárias", p. 35.

Lua

Influência mais acentuada à noite. Sua hora é boa para fazer viagens e mudanças não definitivas, e para estipular comissões e todas as coisas de natureza provisória ou variável. É também uma boa hora para fazer as pessoas mudarem de opinião ou alterarem seus planos. Facilita negociações rápidas e o comércio varejista.

Os negócios tratados nessa hora precisam ser concluídos logo; caso contrário, correm o risco de sofrer mudanças ou ser cancelados.

Devemos ter cautela com os arranjos feitos nessa hora porque todas as coisas correm o risco de ficar incertas e serão passageiras.

Mercúrio

A influência de sua hora é sempre duvidosa e variável, pois gera oscilações e tem um caráter secundário.

É uma hora favorável para a redação de cartas, estudos de toda natureza, teorias, escrituras, documentos e textos literários. Boa para a troca de correspondência, compra de livros e trabalho com impressoras. A compreensão e a percepção são rápidas devido à fertilidade de ideias. Favorece os profissionais de vendas, os professores e todos os que se ocupam de atividades intelectuais. Também favorece os joalheiros que fabricam objetos de precisão.

Na hora de Mercúrio, geralmente encontramos pessoas volúveis e inconstantes, que dificilmente sustentam a palavra dada ou levam adiante seus projetos.

A hora de Mercúrio é sempre seguida pela da Lua e pela de Saturno, de modo que é melhor chegar logo a uma conclusão ou adiar os negócios para uma ocasião mais propícia.

Vênus

A hora de Vênus é favorável à recreação, à diversão, ao canto, à música, à dança e a todas as áreas relativas ao vestuário, ornamentos e luxo.

É boa para a compra de objetos artísticos, de roupas, de perfumes e de outros itens do gênero. Favorece o amor e a galanteria, bem como o estudo das belas-artes. Favorece a restauração de objetos artísticos.

Essa hora governa o lado doméstico e feminino da vida e tudo o que é relativo aos sentimentos; facilita a dissolução do ódio e dos rancores; amplia os assuntos ligados à construção de formas (arquitetura, manipulação de projetos).

É a hora em que existe o perigo do excesso e da extravagância.

Favorece a maledicência de que são alvo aqueles que só vivem para o presente.

Sol

A hora do Sol favorece as relações com pessoas que ocupam posição de destaque – autoridades, juízes, altos funcionários do governo, homens de Estado.

Esta hora é própria para solicitar favores e proteção dos maiorais; favorável a projetos que ativam a consciência das atividades no planeta Terra.

As melhores horas solares são as que vêm antes do meio-dia. Elas reeducam ou retiram o sentimento de usura, de avareza e usurpação.

Marte

A hora de Marte é propícia a todos os empreendimentos ousados. Há forças suplementares nas situações difíceis e tensas. É geralmente nessa hora que aumenta a incidência de acidentes, disputas e desentendimentos.

Ela favorece os impulsos, o domínio da força e tende a produzir contestações e argumentações, enfrentando-se concorrentes profissionais sem agressões, além de fazer aflorar a decisão firme com bases sólidas.

Nesta hora é preciso fazer tudo para não provocar a cólera alheia. Não se deve começar novas amizades durante esta hora, nem transitar por lugares reconhecidamente perigosos. É boa hora para nos ocuparmos de coisas práticas, referentes à mecânica, às minas, aos metais e aos materiais de natureza explosiva e inflamável, como o carvão, o petróleo etc. É prudente não assumir compromissos nesta hora, nem tomar atitudes com respeito a situações sérias e graves. É a hora em que convém nos precavermos contra roubos e assaltos, pois é considerada uma das mais perigosas do dia.

Júpiter

De todas as horas planetárias, a mais favorável é a de Júpiter, durante a qual se pode iniciar novos empreendimentos de qualquer tipo.

Favorece toda espécie de assuntos financeiros e é boa para as questões legais e religiosas.

É a hora mais fecunda de todas; as coisas que forem executadas pela "primeira vez" nesta hora devem ser repetidas até que o sucesso recompense a iniciativa.

Todas as coisas de valor, seja de caráter objetivo ou subjetivo, podem ser tratadas na hora de Júpiter. Ela faz aflorar a sabedoria, proporcionando confiança sem fanatismo.

Saturno

A influência deste planeta é lenta e pesada. As coisas começadas nesta hora caminham devagar, porém a passos firmes.

Saturno confere determinação, simplicidade, prudência e maturidade. Governa a terra de onde o homem tira seu sustento e a casa que lhe serve de abrigo; por isso Saturno rege os negócios imobiliários e a agricultura. Influencia os estudos avançados e de compreensão lenta. Tendência a ponderar como sair da vida diária criando, modelando, construindo novas vivências. Trata-se da experiência sábia dos idosos. É o planeta da destruição e da reconstrução.

Urano

Este planeta governa todas as atividades do mundo moderno e a tecnologia avançada; a eletricidade, a eletrônica, a aeronáutica, a indústria automobilística etc. Sua influência é imprevisível, e os negócios iniciados em sua hora podem ter os mesmos resultados duvidosos ou variáveis induzidos por Mercúrio, pois a hora de Urano é a mesma de Mercúrio. Tendência à renovação e à originalidade.

Netuno

Este planeta governa a inspiração artística e todas as faculdades extrassensoriais: intuição, clarividência etc. Sua hora favorece os assuntos artísticos, o amor desinteressado e os atos de benevolência. A hora de Netuno é a mesma de Vênus. É a inspiração da vida, que modifica o modo de agir e de pensar em todas as atividades do cotidiano.

Plutão ainda é um enigma para a maioria dos astrólogos. Ele representa uma força estranha, um tanto destrutiva e em parte desconhecida. Está relacionado com o poder atômico, favorecendo mudanças drásticas, descobertas de cunho técnico e exigindo que se saiba lidar com essa energia planetária para que não cause danos. Plutão atua destruindo para que se possa reconstruir. Favorece as ações que requerem entusiasmo e uma nova visão dos fatos. A hora de Plutão é a mesma de Marte. Plutão nos impulsiona a transformações profundas.

Cálculo das horas planetárias

Depois de conhecer as características da hora de cada planeta na seção "Horas Planetárias", aprenda a calcular essa hora, a fim de poder usar essas características de forma benéfica e proveitosa.

As 12 horas planetárias diurnas e as 12 noturnas às vezes têm mais de 60 minutos, às vezes têm menos, dependendo do horário do nascimento ou do ocaso do Sol. Por isso, é preciso calcular em primeiro lugar o momento exato em que começa e termina a primeira hora do dia que lhe interessa. Para tanto, use a "Tábua do Nascimento e Ocaso do Sol" e verifique o horário em que esse astro nasce e se põe. Por exemplo, consultando essa tabela, você saberá que em Brasília, no dia 1º de janeiro, o Sol nasceu às 5h44min e se pôs às 18h47min. Se subtrairmos 5h44min de 18h47min, saberemos que o dia durou 13 horas e 3 minutos. Transforme as 13 horas em minutos (780 min), acrescente os 3 minutos restantes (783 min) e divida o resultado por 12. Você saberá, então, que cada hora desse dia terá 65 minutos e 3 segundos, ou 1 hora e 3 minutos – podendo-se deixar de lado os segundos.

Portanto, a primeira hora do dia 1º de janeiro de 2019 começará, em Brasília, às 5h44min e terminará às 6h47min; a segunda hora começará às 6h48min e assim por diante. (O período noturno deve ser calculado da mesma forma.)

Consulte, a seguir, a tabela "Horário da Semana de acordo com a Regência Planetária". Com ela você saberá que, em 1º de janeiro de 2019, uma terça-feira, Marte rege a 1ª hora diurna, o Sol rege a 2ª hora etc. Portanto, o melhor momento do dia para tratar dos assuntos regidos por Marte, será ao longo da 1ª hora, que vai das 5h44min às 6h47min. Quanto aos assuntos relacionados com o Sol, o melhor é esperar até a 2ª hora do dia.

Com base nessas informações, você poderá organizar as atividades desse dia, levando em conta o horário em que elas serão mais favorecidas!

Tábua do nascimento e ocaso do Sol
(hora legal de Brasília)

DATA	BRASÍLIA		RIO DE JANEIRO		SÃO PAULO	
	Nasc.(hora)	Ocaso (hora)	Nasc. (hora)	Ocaso (hora)	Nasc. (hora)	Ocaso (hora)
1º de janeiro	05:44	18:47	05:11	18:42	05:24	18:57
11 de janeiro	05:50	18:50	05:18	18:44	05:31	18:59
21 de janeiro	05:56	18:51	05:25	18:44	05:38	18:58
1º de fevereiro	06:02	18:49	05:33	18:40	05:46	18:55
11 de fevereiro	06:07	18:46	05:39	18:35	05:52	18:50
21 de fevereiro	06:10	18:41	05:45	18:28	05:58	18:43
1º de março	06:12	18:36	05:49	18:22	06:02	18:36
11 de março	06:15	18:30	05:53	18:13	06:07	18:27
21 de março	06:16	18:22	05:57	18:03	06:11	18:17
1º de abril	06:18	18:14	06:01	17:53	06:15	18:06
11 de abril	06:19	18:07	06:05	17:44	06:19	17:57
21 de abril	06:21	18:01	06:09	17:35	06:23	17:48
1º de maio	06:23	17:55	06:13	17:28	06:27	17:41
11 de maio	06:26	17:51	06:17	17:22	06:32	17:35
21 de maio	06:29	17:49	06:22	17:18	06:37	17:31
1º de junho	06:33	17:47	06:26	17:16	06:41	17:28
11 de junho	06:36	17:48	06:30	17:15	06:45	17:28
21 de junho	06:38	17:50	06:33	17:17	06:48	17:29
1º de julho	06:40	17:52	06:35	17:20	06:50	17:32
11 de julho	06:40	17:55	06:34	17:23	06:49	17:36
21 de julho	06:39	17:58	06:32	17:27	06:47	17:40
1º de agosto	06:36	18:01	06:27	17:32	06:42	17:45
11 de agosto	06:32	18:03	06:21	17:36	06:36	17:49
21 de agosto	06:26	18:05	06:14	17:40	06:28	17:53
1º de setembro	06:18	18:06	06:04	17:43	06:18	17:56
11 de setembro	06:11	18:07	05:54	17:46	06:08	18:00
21 de setembro	06:03	18:08	05:44	17:49	05:58	18:03
1º de outubro	05:55	18:09	05:34	17:52	05:48	18:06
11 de outubro	05:48	18:11	05:25	17:56	05:38	18:10
21 de outubro	05:41	18:13	05:16	18:00	05:29	18:14
1º de novembro	05:36	18:16	05:08	18:06	05:21	18:20
11 de novembro	05:32	18:20	05:03	18:12	05:16	18:27
21 de novembro	05:31	18:25	05:00	18:18	05:13	18:33
1º de dezembro	05:31	18:31	04:59	18:25	05:12	18:40
11 de dezembro	05:34	18:37	05:01	18:32	05:13	18:47
21 de dezembro	05:38	18:42	05:05	18:38	05:17	18:53

Como a variação do horário é mínima, apresentamos apenas o nascimento e ocaso do Sol dos dias 1º, 11 e 21 de cada mês.

Dados cedidos pelo Departamento de Astronomia do Instituto Astronômico e Geofísico da Universidade de São Paulo (IAG-USP). Agradecemos ao Dr. João Luiz Kohl Moreira.

Horário da semana
De acordo com a regência planetária

Convém lembrar que a hora astrológica de alguns planetas coincide: os assuntos regidos por Urano devem ser tratados na hora de Mercúrio, e o mesmo acontece com Netuno e Plutão, cujos assuntos devem ser tratados nas horas de Vênus e Marte, respectivamente.

Use esta tabela para concluir o cálculo das Horas Planetárias e saber quais são as horas mais propícias para tratar dos seus empreendimentos.

Horas	Domingo	Segunda	Terça	Quarta	Quinta	Sexta	Sábado
1ª do dia	Sol	Lua	Marte	Mercúrio	Júpiter	Vênus	Saturno
2ª do dia	Vênus	Saturno	Sol	Lua	Marte	Mercúrio	Júpiter
3ª do dia	Mercúrio	Júpiter	Vênus	Saturno	Sol	Lua	Marte
4ª do dia	Lua	Marte	Mercúrio	Júpiter	Vênus	Saturno	Sol
5ª do dia	Saturno	Sol	Lua	Marte	Mercúrio	Júpiter	Vênus
6ª do dia	Júpiter	Vênus	Saturno	Sol	Lua	Marte	Mercúrio
7ª do dia	Marte	Mercúrio	Júpiter	Vênus	Saturno	Sol	Lua
8ª do dia	Sol	Lua	Marte	Mercúrio	Júpiter	Vênus	Saturno
9ª do dia	Vênus	Saturno	Sol	Lua	Marte	Mercúrio	Júpiter
10ª do dia	Mercúrio	Júpiter	Vênus	Saturno	Sol	Lua	Marte
11ª do dia	Lua	Marte	Mercúrio	Júpiter	Vênus	Saturno	Sol
12ª do dia	Saturno	Sol	Lua	Marte	Mercúrio	Júpiter	Vênus
1ª da noite	Júpiter	Vênus	Saturno	Sol	Lua	Marte	Mercúrio
2ª da noite	Marte	Mercúrio	Júpiter	Vênus	Saturno	Sol	Lua
3ª da noite	Sol	Lua	Marte	Mercúrio	Júpiter	Vênus	Saturno
4ª da noite	Vênus	Saturno	Sol	Lua	Marte	Mercúrio	Júpiter
5ª da noite	Mercúrio	Júpiter	Vênus	Saturno	Sol	Lua	Marte
6ª da noite	Lua	Marte	Mercúrio	Júpiter	Vênus	Saturno	Sol
7ª da noite	Saturno	Sol	Lua	Marte	Mercúrio	Júpiter	Vênus
8ª da noite	Júpiter	Vênus	Saturno	Sol	Lua	Marte	Mercúrio
9ª da noite	Marte	Mercúrio	Júpiter	Vênus	Saturno	Sol	Lua
10ª da noite	Sol	Lua	Marte	Mercúrio	Júpiter	Vênus	Saturno
11ª da noite	Vênus	Saturno	Sol	Lua	Marte	Mercúrio	Júpiter
12ª da noite	Mercúrio	Júpiter	Vênus	Saturno	Sol	Lua	Marte

Regências planetárias

Aqui, relacionamos os planetas e as áreas e assuntos regidos por cada um deles. Com esses dados em mãos, o leitor poderá escolher as melhores datas para praticar suas atividades do dia a dia, de acordo com as previsões do *Guia Astral*.

☽ LUA: Rege as viagens; as mudanças temporárias; a água e os líquidos em geral, bem como seu respectivo comércio; o comércio varejista; os artigos de primeira necessidade; a pesca; os assuntos domésticos; a saúde; as comissões e o cotidiano.

☿ MERCÚRIO: Influencia os contratos; os assuntos relacionados com cartas, papéis e escritos; a literatura; os transportes; o correio; o fax; viagens curtas e excursões; mudanças de residência; estudos e o raciocínio com relação a questões práticas.

♀ VÊNUS: Rege as artes em geral, tais como a música, o teatro e o cinema, a moda. Influencia também os amores, as amizades, o casamento, as diversões, as plantações, os tratamentos de beleza, a decoração dos ambientes e os assuntos domésticos e sociais.

☉ SOL: Favorece o trabalho profissional, a publicidade, as honrarias, os favores e as melhorias. Os seus bons aspectos são positivos quando se solicita emprego ou aumento de salário, bem como quando se trata com autoridades ou superiores em geral.

♂ MARTE: Atua sobre operações cirúrgicas, consultas a médicos e dentistas, lutas, negócios arriscados, assuntos militares e tudo o que se refere ao ferro ou às armas, os esportes, a iniciativa em empreendimentos.

♃ JÚPITER: Governa os assuntos financeiros, jurídicos, religiosos e filosóficos, o comércio, os empréstimos, a expansão, a vida cultural, o estrangeiro, as viagens longas, os estudos superiores.

♄ SATURNO: Rege o trabalho em geral, os negócios relativos a terras, casas, minas e construções, a agricultura, os estudos e as coisas antigas. Também favorece os que tratam com pessoas famosas ou idosas.

♅ URANO: Influencia mudanças repentinas, assuntos e negócios relativos à eletricidade e ao magnetismo, drogas medicinais, novos empreendimentos, alta tecnologia, novas ideias e astrologia.

♆ NETUNO: Tem sob sua atuação questões psíquicas, tais como clarividência, clariaudiência, telepatia e intuição, o misticismo, as manifestações coletivas e os assuntos marítimos.

♇ PLUTÃO: Atua sobre tudo aquilo que exige energia e entusiasmo, as ideias originais, o pioneirismo, os assuntos relacionados à energia nuclear e as transformações radicais.

Guia astral 2019

As informações a seguir se referem aos aspectos que o Sol, a Lua e os planetas formam entre si diariamente. Para melhor aproveitamento dessas informações, verifique na seção "Regências planetárias", na p. 38, a relação de planetas, atividades e assuntos que são regidos por eles.

Aqui são observados e interpretados os trânsitos da Lua, que se move rapidamente, e dos demais planetas em um único dia. Esse fato faz com que as interpretações deste *Guia* e das previsões astrológicas por vezes pareçam contraditórias entre si; no entanto, elas são complementares.

JANEIRO

▶**1º** Marte adentra o signo de Áries, e isso representa um momento de mais dinamismo, ações rápidas e certeiras. Dia ideal para estar em contato com pessoas do sexo feminino e se sentir seguro e protegido ao lado delas. **Favorável para Mercúrio, Lua e Vênus.**

▶**2** Dia excelente para fazer uma reavaliação do que ficou em suspenso no ano que terminou. Agora você está mais energizado e motivado para seguir adiante com seus projetos mais audaciosos e criativos; não procrastine! **Favorável para Marte e Sol.**

▶**3** Não desanime com o excesso de trabalho ou de responsabilidades que tem pela frente. Delegue aos outros aquilo que é possível e mantenha-se firme em seus propósitos. Os frutos chegarão no tempo certo, pode acreditar. **Favorável para Júpiter e Lua.**

▶**4** Hoje é um bom momento para expressar suas ideias com clareza e assertividade. O ambiente de trabalho será muito propício para o aprendizado de coisas inusitadas e estimulantes. Sair da rotina fará bem ao seu espírito. **Favorável para Mercúrio e Urano.**

▶**5** Você vivencia um dia especial para a abertura de sua mente rumo a assuntos mais abstratos ou filosóficos. Trate de usufruir de boas conversas ou leituras. A música e tudo o que é belo serão uma ótima companhia para este momento. **Desfavorável para Lua e Saturno.**

▶**6** Hoje temos a Lua Nova em Capricórnio, período excelente para ficar mais introvertido, escutando os anseios mais íntimos e, possivelmente, ainda sem muita clareza. Peça ao universo pela concretização de seus sonhos. **Desfavorável para Júpiter e Netuno.**

▶7 Vênus está entrando em Sagitário, que é um signo do elemento Fogo, símbolo de força, calor e energia vital. Se está querendo conquistar alguém, esta é a hora. Alguém precisa tomar a iniciativa; por que não você? **Favorável para Sol e Plutão.**

▶8 Você está em um dia de bom humor, de confiança em si mesmo e na vida. Júpiter em bom aspecto com a Lua traz excelentes perspectivas em assuntos jurídicos em geral. Procure compartilhar seu melhor com as pessoas que você ama. **Favorável para Marte e Sol.**

▶9 Mercúrio e Marte em tensão podem significar intolerância ou conflitos na comunicação. Você poderá ser mal interpretado por suas palavras e opiniões, ainda que tenha a melhor das intenções com o propósito de ajudar alguém. **Favorável para Lua e Urano.**

▶10 Hoje as mazelas do dia anterior poderão ser equacionadas de maneira mais positiva; a discórdia vai se dissipando aos poucos. A paciência sempre foi um sinal claro de sabedoria, assim já diziam nossas avós! **Favorável para Mercúrio e Saturno.**

▶11 Momento perfeito para se aprofundar no autoconhecimento com mais clareza e honestidade. Certas situações ou relações adversas têm por finalidade revelar o que temos de melhor e pior. Mas tudo é oportunidade para o crescimento. **Favorável para Netuno e Sol.**

▶12 Júpiter e Netuno estarão em tensão no céu nos próximos dias. É muito importante não assumir compromissos definitivos, pois a atmosfera é de instabilidade e indefinições. Analise as circunstâncias com mais pragmatismo e pés no chão. **Favorável para Lua e Vênus.**

▶13 Este dia pode ser marcado por reviravoltas ou atrasos em relação àquilo que você tinha planejado havia tempos. Não desanime, pois a providência divina por vezes se manifesta de maneira aparentemente oposta aos nossos desejos; mantenha a calma. **Desfavorável para Saturno e Marte.**

▶14 Agora é tempo de abrir as gavetas da mente e tirar de lá projetos esquecidos. É possível que novas oportunidades cheguem, e assim você já fica preparado para viabilizar seus talentos latentes. **Favorável para Urano e Vênus.**

▶15 Marte e Vênus estão em harmonia no céu, simbolizando um bom clima para romances, encontros e juras de amor. Está mais do que na hora de aceitar um convite, seja ele esperado ou não, afinal não há nada a perder; mexa-se! **Favorável para Saturno e Mercúrio.**

▶16 Dia favorável para cuidar da saúde física e psíquica, e também da alimentação. Deixe de lado a desculpa da falta de tempo e organize melhor sua dieta. Faça mais exercícios e veja menos televisão em nome de seu bem-estar. **Favorável para Sol, Saturno e Lua.**

▶17 Hoje você está mais enérgico e confiante para decidir coisas significativas em sua rotina de trabalho. Poderá exercer uma liderança natural, inspirando mais confiança em seus colegas ou colaboradores. Ações dizem mais que simples palavras. **Desfavorável para Vênus.**

▶18 É preciso que fique cada vez mais claro para você que ninguém faz nada sozinho. Todos somos interdependentes, por isso, trate de se comunicar melhor e se engajar mais em suas atividades. Os resultados logo aparecerão. **Desfavorável para Júpiter e Netuno.**

▶19 Saturno e Marte estão em ângulo difícil, o que representa atraso ou paralisação em seus projetos de vida – uma frustração inesperada. O antídoto para essa situação é humildade e jogo de cintura – e, se possível, uma dose razoável de bom humor. **Favorável para Lua e Urano.**

▶20 A Lua está pressionada por aspectos difíceis com Mercúrio, Plutão e Marte. Evite atitudes extremadas, exigências descabidas e críticas em excesso. Respire fundo antes de verbalizar seus sentimentos para não jogar mais gasolina na fogueira. **Favorável para Netuno.**

▶21 Certo resquício de confusão ou intriga pode ainda contaminar sua mente, deixando-o mais vulnerável a notícias ou acontecimentos ruins. Tente se proteger do excesso de informações, que acumulam tensão em sua vida. **Desfavorável para Lua e Mercúrio.**

▶22 Hoje, ideias, sentimentos e palavras fluem com naturalidade surpreendente. Vênus, em harmonia com Lua e Júpiter, vai ampliar seu desejo por bem-estar e harmonia. Dizem os mestres que entre ter razão e ser feliz, a segunda opção sempre é a melhor! **Favorável para todos os planetas.**

▶23 A pressa e a ansiedade pelo amanhã tendem a precipitar acontecimentos de forma inadequada. Com calma, você vai poder ouvir sua intuição, permitindo que os caminhos se abram mais de acordo com suas necessidades. **Favorável para Júpiter e Vênus.**

▶24 Neste momento, você é capaz de aliar pragmatismo a criatividade e sensibilidade. Suas decisões podem influir positivamente na vida alheia, e isso ocorrerá com naturalidade, de modo equilibrado e sem nenhum grande esforço. **Favorável para Lua e Plutão.**

▶25 Júpiter e Marte em harmonia podem pôr em evidência seu magnetismo e presença de espírito. Invista mais em seus valores ou ideias humanitários. É tempo de ser generoso, agindo de maneira mais magnânima e desapegada. **Desfavorável para Vênus.**

▶26 Alguns atropelos e atrasos nos compromissos podem alterar sua rotina e deixá-lo estressado. Vai depender só de você exercitar seu jogo de cintura para driblar as circunstâncias com mais inteligência. Faça uma coisa de cada vez. **Desfavorável para Saturno e Marte.**

▶ **27** Eis um dia excelente para o descanso; respeite seu corpo, aproveitando para fazer só aquilo que realmente tem vontade. Permita-se sair da rotina, alterar seus horários habituais, desligar o celular e, sobretudo, esvaziar a mente. **Desfavorável para Mercúrio e Urano.**

▶ **28** Momento oportuno para exercitar a perseverança e a visão mais racional da vida. Monte uma agenda, organize o ano que está iniciando em perspectiva e com a seguinte pergunta: O que você quer ou espera para os próximos meses? **Favorável para Júpiter e Mercúrio.**

▶ **29** Sol e Mercúrio estão juntos no signo de Aquário e sinalizam que sua mente pode estar mais rápida e aberta às novidades. Deixe a intuição guiar seus passos, lembrando sempre que a vida não flui bem com muita atenção voltada ao passado. **Favorável para todos os planetas.**

▶ **30** O movimento em direção a mudanças e ao desapego continua intenso. Que tal fazer uma boa faxina em armários, na cozinha ou no escritório? Qual é o motivo real de ter um número excessivo de roupas, livros e objetos sem nenhuma utilidade? **Favorável para Júpiter, Sol, Vênus e Urano.**

▶ **31** Lua, Urano e Marte estão em harmonia, favorecendo iniciativas acertadas e libertadoras. De tempos em tempos visitamos o passado para fazer um balanço da vida. Mas hoje a visita deve estar focada no presente e nos próximos passos; fique atento. **Favorável para Júpiter e Marte.**

FEVEREIRO

▶ **1º** Momento rico e prazeroso para eventos de natureza artística e cultural. Não fique adiando convites ou oportunidades para incrementar sua vida social. Aproveite mais seu poder de sedução, que está em alta. **Favorável para Netuno e Saturno.**

▶ **2** Há um ditado que diz: "Quem com ferro fere, com ferro será ferido". Neste dia, todo cuidado é pouco com palavras agressivas e a intolerância. Pense bastante antes de julgar ou criticar. Ninguém é perfeito, tampouco você. **Desfavorável para Marte.**

▶ **3** Vênus e Urano em sextil trazem a promessa de mais criatividade para contornar as adversidades do cotidiano. Boas notícias devem levantar seu ânimo; aproveite para ampliar seu *networking*, assim como seus conhecimentos. **Favorável para Mercúrio, Sol e Júpiter.**

▶ **4** Hoje também é um dia benéfico para divulgar suas habilidades e talentos em mídias sociais. Essa interação é essencial para seu trabalho ganhar fôlego e, sobretudo, para inovar seu repertório de possibilidades. **Favorável para Marte, Lua e Mercúrio.**

▶ **5** Bons ventos estão soprando rumo ao entendimento e à boa vontade dentro de sua vida familiar. É interessante abrir mão de opiniões arraigadas que, na verdade, não condizem mais com as mudanças, sejam em sua vida ou na vida dos outros. **Favorável para Lua, Júpiter e Marte.**

▶**6** As novidades tecnológicas podem melhorar seu desempenho profissional ou intelectual. Use essas ferramentas virtuais sempre que possível. Alguma surpresa ou encontro inesperado será muito inspirador para seu espírito. **Favorável para Sol e Urano.**

▶**7** Dia propício para cuidar da saúde, revendo com mais atenção a qualidade de sua alimentação e quais nutrientes estão faltando em seu corpo. Na vida familiar tudo corre bem, sem grandes novidades. **Favorável para Lua, Netuno e Plutão.**

▶**8** Excelente dia para reforçar suas metas e prioridades do momento. Sol e Júpiter em sextil sinalizam confiança e otimismo para continuar avançando, sem se preocupar com obstáculos. A assertividade vai pavimentar seu êxito rapidamente. **Favorável para Mercúrio e Marte.**

▶**9** Uma onda de melancolia pode deixá-lo abatido; talvez você tenha criado expectativas altas demais no dia anterior. Agora é tempo de colocar seus planos dentro de uma perspectiva mais realista e continuar confiando em si mesmo. **Desfavorável para Vênus e Saturno.**

▶**10** Mercúrio e Urano em bom aspecto indicam que este é um bom dia para fazer algo realmente inusitado, e que estimule sua inteligência e seu espírito. A rotina e os horários pouco flexíveis tendem a tirar a graça do dia a dia. **Desfavorável para Plutão e Lua.**

▶**11** A Lua no signo de Touro faz trígono com Vênus e Plutão em Capricórnio, enfatizando a presença do elemento Terra. Momento favorável para enraizar sua relação amorosa, com atitudes que mostrem ao parceiro sua lealdade e dedicação a ele. **Favorável para todos os planetas.**

▶**12** Neste dia há uma tendência a alterações repentinas de humor, que você não vai nem perceber. Não assuma compromissos que estejam além de suas capacidades, os quais futuramente poderão se tornar uma sobrecarga desnecessária. **Favorável para Saturno, Sol e Lua.**

▶**13** Marte e Urano estão juntos nos últimos graus de Áries. Essa configuração pode ser um tanto quanto explosiva. Procure evitar confrontos e discussões acaloradas ou situações em que fique exposto a brigas e conflitos. **Desfavorável para Mercúrio e Lua.**

▶**14** Hoje ainda será necessária cautela com as palavras. Existe um clima de incertezas ou ebulição que não passou totalmente. A reflexão e o silêncio serão uma boa pedida para assimilar os acontecimentos e seguir adiante. **Desfavorável para Júpiter e Netuno.**

▶**15** Hoje você está mais motivado e encorajado a assumir posições que beneficiem todos os que estão ao seu redor. Favorável para investimentos de risco em curto prazo. Não deixe de fazer exercícios, caminhadas ou praticar algum esporte. **Favorável para todos os planetas.**

▶ **16** Caso algum mal-entendido tenha ficado para trás, este é um dia favorável para conversas esclarecedoras com pessoas queridas. Uma interlocução empática é o caminho mais curto para o entendimento. Quem não precisa de atenção ou elogios? **Favorável para Vênus e Netuno.**

▶ **17** O clima afetivo pode ser de mais calmaria e sossego se você acreditar que mesmo certa contrariedade pode ser contornada. Se possível, inclua em sua agenda uma ida ao cinema, boa música ou eventos culturais em geral. **Desfavorável para Lua, Plutão e Urano.**

▶ **18** O sextil entre Urano e Sol aponta para atitudes mais empreendedoras e originais; não há por que temer as novidades. A ousadia sempre fez e fará a diferença em todas as atividades humanas. **Desfavorável para Saturno e Vênus.**

▶ **19** Bom momento para investir em leituras de autoajuda, de natureza mais filosófica ou espiritual. Tudo o que possa esclarecer melhor suas aspirações íntimas ou fazê-lo amadurecer emocionalmente será muito bem-vindo. **Favorável para Saturno, Urano e Lua.**

▶ **20** Saturno está bem aspectado com Vênus e Mercúrio no céu. Você poderá assumir maiores responsabilidades ou então finalizar algo significativo para sua vida. O contato com pessoas de mais idade será bastante gratificante. **Desfavorável para Lua e Netuno.**

▶ **21** Lua e Plutão em trígono indicam um momento auspicioso para o aprimoramento de seus talentos. Poderá fazer uma autocrítica construtiva de tudo o que já conseguiu no passado e que será importante para aquilo que almeja no amanhã. **Favorável para Vênus e Mercúrio.**

▶ **22** Hoje você pode oscilar entre certo desânimo e uma disposição mais otimista, apesar de eventuais contrariedades passageiras. Elimine documentos, roupas e objetos sem uso nem utilidade, para renovar as energias de sua moradia. **Desfavorável para Saturno.**

▶ **23** A vida pessoal e amorosa passa por uma fase intensa. Seus sentimentos mais profundos vêm à tona para que sua relação possa crescer; não reprima aquilo que surgir. Diálogos sinceros são a chave para sua saúde emocional. **Desfavorável para Lua, Urano e Júpiter.**

▶ **24** Sua mente está mais perspicaz, e sua curiosidade vai levá-lo a temas relevantes para seu desenvolvimento profissional. Procure descansar e relaxar – se possível, próximo ao mar e à natureza. **Favorável para Lua, Netuno, Mercúrio e Netuno.**

▶ **25** Bom momento para parcerias produtivas em que todos se beneficiarão mutuamente. Sua eficiência e dedicação agora devem trazer bons resultados, ampliando seu campo de atuação. Cuide mais das atividades físicas e da alimentação. **Favorável para Vênus e Plutão.**

▶**26** Sol e Marte estão contribuindo de maneira efetiva para o aumento de sua eficiência profissional. Hoje você poderá exercer uma liderança natural por meio de atitudes positivas que influenciem seus colegas ou subalternos. **Favorável para todos os planetas.**

▶**27** Não se deixe levar pela atmosfera de fofocas e intrigas que pode surgir por alguma bobagem. Evite tomar partido ou assumir posições que depois vão gerar novos conflitos. Tudo é passageiro; foque no que é realmente importante. **Favorável para Lua e Júpiter.**

▶**28** Saiba dar mais atenção à sua intuição, que surge em lampejos e logo desaparece. Nem tudo pode ser resolvido apenas por lógica ou pragmatismo; outras coisas mais sutis precisam ser levadas em consideração. **Favorável para Sol e Marte.**

MARÇO

▶**1º** Neste dia haverá uma tendência a se tomar decisões precipitadas, quando se age por impulso ou com exagero. Querer ter o controle de tudo não vai levá-lo a situações de equilíbrio, tão necessárias neste momento; seja prudente. **Desfavorável para Plutão e Lua.**

▶**2** É hora de discriminar suas ações e palavras antes de fazer julgamentos rápidos e sem fundamento. Veja as coisas por um ângulo mais panorâmico; esse distanciamento vai suavizar seu ponto de vista ou até mudar suas opiniões. **Favorável para Netuno e Plutão.**

▶**3** Momento positivo para descarregar tensões ou frustrações em atividades ao ar livre, como corridas ou esportes mais dinâmicos ou radicais. A natureza sempre é uma boa opção para dissipar as negatividades e pressões do cotidiano. **Favorável para Vênus e Lua.**

▶**4** A Lua no signo de Aquário está em sextil com Júpiter, e essa configuração vai trazer mais confiança e otimismo. Seu dia tende a ser mais produtivo justamente em função de seu bom humor e descontração. Lembre-se de elogiar alguém! **Favorável para todos os planetas.**

▶**5** Pode haver novidades interessantes que o motivem a querer aperfeiçoar seu trabalho. O importante é não assumir compromissos demais nem assinar documentos de compra e venda se não for realmente indispensável. **Favorável para Lua e Urano.**

▶**6** A Lua Nova está no signo de Peixes, tornando esse dia auspicioso para você projetar e visualizar seus sonhos. Acredite mais no poder de sua imaginação e na vontade genuína de fazer as coisas acontecerem! **Favorável para Marte e Saturno.**

▶7 Continue firme na concentração de seus esforços, com determinação naquilo que considera de fato importante. Comunique seus planos com mais clareza, uma vez que os outros não podem ler seus pensamentos. **Favorável para Mercúrio e Netuno.**

▶8 Lua e Vênus estão em harmonia no céu, promovendo uma atmosfera de mais boa vontade e harmonia entre todos. Compartilhe mais seus conhecimentos, impulsionando os talentos alheios; todos gostam de se sentir valorizados. **Favorável para todos os planetas.**

▶9 Saturno e o Sol no céu indicam um dia excelente para ações ponderadas, e você poderá assumir responsabilidades e realizá-las sem grande esforço. Bom para investimentos de médio e longo prazos. Sua resiliência vai trazer bons resultados. **Favorável para Júpiter e Lua.**

▶10 Dia excelente para espairecer o espírito, ver amigos ou mesmo conhecer pessoas diferentes. Sair da rotina pode ser um pouco difícil, mas não há impedimento nenhum neste momento; portanto, trate de deixar a inércia de lado e se mexer! **Favorável para Sol e Vênus.**

▶11 Marte e Netuno propiciam um dia interessante para você colocar em ação seus sonhos ou anseios; nada de procrastinar ou desanimar. As desculpas de falta de tempo devem ser substituídas por sua energia e determinação; vá em frente. **Favorável para Netuno e Lua.**

▶12 Hoje você pode receber boas notícias no trabalho, e estar motivado a aprender coisas novas que ampliem seu entendimento da vida e das pessoas. A concentração será sua grande aliada para que tenha êxito. **Favorável para Plutão, Saturno e Lua.**

▶13 Sua inteligência e curiosidade estão estimuladas pelo trígono de Lua e Vênus em signos de Ar: Gêmeos e Aquário, respectivamente. O contato pessoal e nas redes sociais pode ser muito prazeroso e produtivo. Saia, namore e se divirta! **Favorável para Sol e Plutão.**

▶14 Mais um dia de eficiência e bons resultados vem confirmar que suas escolhas feitas anteriormente acabaram dando certo. Os desafios e as responsabilidades serão mais estimulantes do que nunca. **Favorável para Marte e Saturno.**

▶15 A Lua entra em fase minguante, e isso indica que talvez precise diminuir um pouco o ritmo de suas atividades. Não se preocupe; tudo é cíclico, e um pouco de reflexão sempre pode trazer *insights* criativos. **Favorável para Sol e Mercúrio.**

▶16 Hoje pode haver uma tendência marcante à dispersão ou a mal-entendidos na comunicação em geral. Evite palavras duras ou enérgicas demais, fazendo uma opção mais inteligente pela tolerância e diplomacia. **Favorável para Lua e Sol.**

▶17 Mercúrio e Plutão sinalizam um clima de entendimento e boa vontade, e tudo pode se esclarecer de maneira mais pacífica e duradoura. Bons diálogos com pessoas queridas tornam a vida muito mais significativa. **Favorável para todos os planetas.**

▶18 Neste dia, iniciativas mais ousadas podem mostrar resultados surpreendentes, ou trazer o reconhecimento em forma de elogios ou oportunidades para novas frentes de trabalho. Confie mais em seus talentos. **Desfavorável para Lua e Vênus.**

▶19 Hoje é um dia benéfico para contatos nas redes sociais, autodivulgação e tudo o que quiser incrementar por meio da tecnologia. Esteja mais disponível para encontros ou situações inusitadas, e acredite na sua intuição. **Favorável para Mercúrio, Urano e Saturno.**

▶20 Assertividade e eficiência no campo profissional estão em destaque hoje. Não deixe para depois o que tiver de enfrentar agora. Suas ações podem repercutir ao longo do tempo. O encontro com pessoas de mais idade e experiência será bem valioso. **Favorável para Marte e Plutão.**

▶21 A Lua Cheia tem o poder de deixar as emoções de todos à flor da pele. Hoje você poderá vivenciar um dia de frustrações na vida amorosa; seus interesses talvez não sejam compatíveis com os do seu companheiro. Tudo é passageiro; mantenha a calma. **Desfavorável para Vênus e Marte.**

▶22 Ainda hoje pode persistir um clima de tensão e conflito em relações pessoais e familiares. É preciso "baixar a bola" e evitar confrontos verbais, que só dificultam as situações. Dar tempo ao tempo e ficar em silêncio são uma boa pedida para este momento. **Desfavorável para Lua e Plutão.**

▶23 Mercúrio ainda está retrógrado no signo de Peixes, o que pode indicar contratempos na comunicação ou em acordos e contatos que pretende fazer. Adie compromissos ou viagens sem urgência e não assine documentos importantes. **Desfavorável para Marte e Urano.**

▶24 Hoje você terá um dia tranquilo, com seu coração apaziguado; a realidade já não o incomoda como antes. A aceitação de algum possível bloqueio ou problema é o primeiro passo para que possa de fato superá-lo; pense nisso. **Favorável para Netuno e Mercúrio.**

▶25 Netuno e Mercúrio estão juntos no céu e assim ficarão por alguns dias. Momento favorável para ampliar seus conhecimentos de natureza filosófica ou espiritual. Ações e organizações humanitárias podem despertar seu interesse. **Favorável para Sol e Lua.**

▶26 Vênus está entrando no signo de Peixes, aumentando sua capacidade de se emocionar e se sensibilizar com a vida alheia. Ótimo ciclo para a vida a dois, e especialmente para perdoar e esquecer mágoas antigas. **Desfavorável para Mercúrio e Netuno.**

▶27 Os bons aspectos entre Lua, Júpiter e Urano deixam seu espírito mais leve, entusiasmado e sintonizado com experiências de liberdade. Agora você irradia mais otimismo e generosidade, vibrando aquilo que tem de melhor. **Favorável para todos os planetas.**

▶28 O dia pode trazer surpresas e alegrias, tanto na vida familiar quanto na amorosa. Aproveite para sair e usufruir a vida artística e cultural, ver coisas belas e satisfazer seus desejos. Quem sabe não surge um convite para um jantar íntimo? **Favorável para Vênus, Lua e Netuno.**

▶29 É possível que reencontre pessoas queridas do seu passado; isso será mais prazeroso do que imagina. Bom dia também para resolver pendências familiares e finalizar coisas importantes em seu trabalho, prospectando projetos de longo prazo. **Favorável para Marte e Saturno.**

▶30 Lua faz trígono com Marte, que agora ocupa o signo de Touro. Dia auspicioso para organizar ou pensar em reformas no escritório ou em casa. Trate de exercitar o desapego, desfazendo-se de roupas, documentos ou objetos sem serventia. **Desfavorável para Lua e Urano.**

▶31 Marte adentra agora o signo de Gêmeos, que se relaciona a movimento, curiosidade e comunicação. Um bom passeio, o encontro com bons amigos ou uma viagem rápida para mudar a paisagem seria algo muito bem-vindo, além de relaxante. **Favorável para todos os planetas.**

ABRIL

▶1º Marte adentra o signo de Gêmeos, símbolo da comunicação e interação social e intelectual. Esse também é um bom dia para cultivar a curiosidade e a leveza de espírito. Ideias e palavras fluem com mais naturalidade em diálogos produtivos e oportunos. Pode haver ganhos materiais. **Favorável para Lua e Júpiter.**

▶2 Lua e Vênus encontram-se no signo de Peixes. Os temas amorosos estão em bom momento, e você poderá experimentar uma sensação de sintonia e cumplicidade bem relevante. Os encontros com amigos de longa data também serão significativos, aproveite! **Favorável para Saturno e Mercúrio.**

▶3 É preciso evitar atitudes ou julgamentos unilaterais que prejudiquem seu desempenho no trabalho. Aquilo que hoje parece um problema sem solução, amanhã já estará resolvido; saiba controlar a pressa e a ansiedade. **Favorável para Lua, Saturno e Plutão.**

▶4 Vá se adaptando aos imprevistos no seu dia a dia sem abandonar as atividades físicas ou os esportes, ainda que não tenha todo o tempo que gostaria para praticá-los. O importante é dar continuidade ao que já começou; a saúde agradece. **Favorável para Marte.**

▶5 Ficar remoendo erros ou tristezas do passado não será de grande utilidade. O melhor é ter mais consciência de suas fragilidades, sem culpar ninguém por elas. Assuma com altivez as responsabilidades que chegam e concentre-se no amanhã. **Desfavorável para Lua e Saturno.**

▶6 É provável que hoje você acorde com uma disposição mais alegre e uma visão mais otimista do mundo, e essa postura fará tudo fluir bem melhor. Continue investindo em estudos que vão abrir horizontes mais amplos em sua carreira. **Favorável para Lua e Urano.**

▶7 Dia favorável para rever amigos de longa data ou parentes queridos. Você vai perceber quanto já caminhou e amadureceu em relação às suas metas pessoais e profissionais. Boas leituras podem elevar seu espírito. **Favorável para Saturno e Mercúrio.**

▶8 Este é um bom dia para organizar sua agenda pessoal, eliminar documentos sem utilidade e agilizar alguns contatos que estava procrastinando. Investimentos em bens imobiliários ou de longo prazo estarão favorecidos. **Favorável para Mercúrio e Plutão.**

▶9 Lua e Marte em conjunção podem deixá-lo mais dinâmico, ágil e assertivo, tanto nas palavras quanto em suas decisões. Sua jovialidade e jogo de cintura farão toda a diferença para que o dia seja produtivo e feliz. **Favorável para Vênus e Mercúrio.**

▶10 A configuração planetária do céu pode indicar expectativas frustradas e certa tendência a fazer julgamentos equivocados e impulsivos. No calor das emoções, palavras duras podem ferir e causar cicatrizes. Perdoe antes de atacar. **Desfavorável para Júpiter e Vênus.**

▶11 É preciso saber dar o tempo certo para que as coisas aconteçam. Hoje pode haver um atraso ou decepção que o deixará frustrado com o mundo. Cancele alguns compromissos e espere uma maré melhor para retomar suas metas. **Desfavorável para Saturno e Sol.**

▶12 É provável que cheguem notícias difíceis, e não há muito a ser feito a respeito disso. Procure contornar as dificuldades com criatividade, lembrando que tudo é passageiro. Um amigo poderá ajudá-lo neste dia. **Desfavorável para Mercúrio, Júpiter e Saturno.**

▶13 Nada como um dia após o outro; as nuvens carregadas do dia anterior já se dissiparam, e hoje você poderá ver tudo com mais clareza e objetividade. Mudanças sempre acontecem e têm sua razão de ser. **Favorável para Lua e Marte.**

▶14 Não se aborreça com as contrariedades na vida pessoal, pois nem tudo vai acontecer do jeito que você gostaria. Exigências descabidas em relação ao comportamento alheio podem mais atrapalhar do que ajudar; cultive a tolerância e a calma. **Desfavorável para Sol e Plutão.**

▶15 Hoje é um dia auspicioso para colocar suas ideias em ação, direcionando seu talento de maneira produtiva e eficiente. Você vive um momento de muita vitalidade, e sua disciplina, junto com a grande perseverança, será uma ótima aliada. **Favorável para Júpiter e Sol.**

▶16 Não se torne refém de um sentimentalismo que só faz aumentar o tamanho das dificuldades. É tempo de desacelerar, pacificar a mente e as emoções, respirar fundo e ouvir com mais atenção a pessoa amada. **Favorável para Lua e Saturno.**

▶17 Este momento exige cautela e parcimônia com as palavras. O mais importante é não se deixar afetar por opiniões e valores muito diferentes dos seus. Cada pessoa tem sua própria história; não cabe a você julgá-las. **Desfavorável para Mercúrio.**

▶18 Nem sempre é possível agradar a todos de uma só vez. Sendo assim, não exagere na autocrítica, percebendo que sua ação é, sobretudo, produtiva e eficaz. Valorize suas capacidades; os obstáculos existem para testá-las. **Favorável para Marte.**

▶19 Hoje é dia de Lua Cheia. Aproveite para investir na vida social, divertir-se, fazer novas amizades. Alguém poderá mexer com seu coração; que tal dar uma chance para o Cupido e aceitar um convite interessante? **Favorável para Júpiter.**

▶20 Dia benéfico para o convívio familiar, que terá um clima prazeroso e a possibilidade de visitas agradáveis. Bom para investimentos financeiros de médio e longo prazos, e tudo o que possa significar segurança para seus entes queridos. **Favorável para Lua e Netuno.**

▶21 Momento favorável para dar mais atenção a seu bem-estar, fazer exercícios e organizar melhor a dieta alimentar. Excelente também para dar uma geral em documentos, contas, roupas – tudo o que estiver ocupando espaço desnecessário em sua casa. **Favorável para Lua e Saturno.**

▶22 Vênus e Lua são planetas que representam as relações, e hoje estão em um ângulo positivo em um signo de Fogo. Você pode usufruir de um encontro animado e caloroso junto aos amigos, mas não descarte o surgimento de um clima de romance. Sendo assim, saia para se divertir e ter prazer. **Favorável para todos os planetas.**

▶23 Sol e Urano juntos promovem um momento em que você deseja mais liberdade para agir e empreender. Seja perseverante e planeje suas metas, pois nem só de criatividade vive o homem. Novidades estão por chegar, fique atento. **Desfavorável para Lua e Netuno.**

▶24 Mercúrio e Vênus estão agora no signo de Áries, e essa configuração deve trazer mais agilidade e coragem para tudo o que quiser realizar. Os vencedores geralmente correm riscos e se lançam em aventuras que podem dar certo; vale tentar. **Favorável para Urano.**

▶**25** Continue firme em seus propósitos e não se compare com ninguém; essa atitude nunca é produtiva ou madura. Seja você mesmo, pense e decida por conta própria, pois cada um tem um caminho específico a ser percorrido. **Favorável para Netuno e Plutão.**

▶**26** Hoje é um dia de superação; alguns conflitos na vida doméstica podem ser resolvidos. É tempo de olhar para a frente e avançar. Ótimo para cuidar do visual e ficar mais atraente. **Favorável para Lua e Vênus.**

▶**27** Marte e Netuno estão em desarmonia no céu planetário. Haverá certa tendência a situações confusas, com direito a mal-entendidos e fofocas. Tente não tomar partido de nada nem ninguém, para se preservar, pois não há nada que você possa fazer a respeito. **Favorável para Marte e Vênus.**

▶**28** Lua e Júpiter reverberam de maneira benéfica em seus projetos pessoais. Você está mais confiante, atraindo oportunidades de trabalho. Se possível, faça um passeio a um lugar desconhecido para revitalizar o espírito e descansar o corpo. **Favorável para todos os planetas.**

▶**29** Muitas vezes, é mais fácil definir aquilo que não queremos para nossa vida. Hoje, porém, a demanda caminha no sentido oposto: o que você realmente deseja para se sentir melhor e mais realizado? Pense mais nessa questão. **Favorável para Urano e Lua.**

▶**30** Sensibilidade e imaginação podem ser somadas a pragmatismo e objetividade neste momento. A vida familiar caminha bem; você vive um momento de mais aceitação e maturidade, que só faz bem a todos. **Favorável para Netuno e Saturno.**

MAIO

▶**1º** Mercúrio, em ângulo difícil com Marte e Saturno, promete um dia em que conflitos na comunicação podem deixá-lo irritado. Procure usar palavras mais positivas, eliminando, ao menos parcialmente, as críticas, para que tudo se resolva bem. **Favorável para Lua e Plutão.**

▶**2** Lua e Vênus estão em Áries, estimulando a franqueza e a espontaneidade em seus relacionamentos. Se estiver interessado em alguém, faça você o movimento de sedução ou conquista, e lembre-se: príncipes e princesas só existem em sua imaginação. **Favorável para todos os planetas.**

▶**3** Não deixe que os padrões negativos de comportamento tornem seu dia mais complicado. Vigie-se para não ficar repassando o "filme" de experiências anteriores, apostando no final que não deu certo. Novas oportunidades podem mostrar que, sim, um final feliz o espera. **Desfavorável para Mercúrio, Saturno e Plutão.**

▶4 Lua Nova em sextil com Urano compõe um dia perfeito para visualizar e pedir ao universo aquilo que ainda está faltando em sua vida. Cuidado com exageros alimentares para evitar mal-estar e o excesso de peso. **Favorável para Netuno e Saturno.**

▶5 Marte e Júpiter em oposição sinalizam um período em que surgem divergências de opinião com pessoas próximas. Essa falta de consenso pode deixá-lo frustrado. Procure ver as coisas com mais neutralidade e distanciamento. **Favorável para Lua, Saturno e Sol.**

▶6 Ainda hoje persiste a dificuldade para o diálogo amistoso, e, dessa forma, o mais aconselhável é bater em retirada, ou seja, evitar confrontos. Princípios e valores éticos são intransferíveis, lembre-se sempre disso. **Favorável para Mercúrio e Vênus.**

▶7 É possível que você receba uma crítica muito dura da pessoa amada. Faça uma reavaliação honesta de suas atitudes recentes e assuma sua negatividade ou baixa autoestima. Afinal, ninguém é perfeito! **Desfavorável para Lua, Vênus e Júpiter.**

▶8 Hoje sua mente está mais clara e você percebe e entende com mais rapidez o que deve pensar ou fazer em relação ao seu trabalho. As novidades tecnológicas podem melhorar seu desempenho; não tenha medo do que é novo. **Favorável para Mercúrio e Sol.**

▶9 Podem surgir alguns obstáculos em seus projetos pessoais; cabe a você superá-los sem jogar a responsabilidade para os outros. Contudo, assuma só aquilo que puder executar de fato, evitando a ansiedade e a pressa em excesso. **Favorável para Saturno e Sol.**

▶10 As mazelas em sua vida amorosa ainda persistem; permita que o tempo vá relativizando seus questionamentos, ao mesmo tempo que exercita a paciência. Bom momento para planejar uma viagem rápida. **Desfavorável para Lua e Urano.**

▶11 As experiências feitas no passado servirão de sustentação para aquilo que tem de realizar no aqui e agora. Você se expressa com mais objetividade e eficiência, e os resultados serão devidamente reconhecidos. **Favorável para Saturno, Sol e Netuno.**

▶12 Dia ótimo para o lazer em geral, visitar ou conhecer algum lugar diferente, saborear comidas interessantes ou conhecer pessoas. O maior prazer poderá ser o não fazer nada, quebrar a rotina, esquecer os horários do cotidiano. **Favorável para Júpiter e Vênus.**

▶13 Os estímulos do dia anterior deixaram você mais animado e curioso por experiências diferentes. Em função do contexto profissional, todos os estímulos intelectuais serão muito bem aproveitados; nada de preguiça. **Favorável para Netuno, Mercúrio e Lua.**

▶**14** Hoje sua mente está livre de interferências negativas, e isso vai deixá-lo mais rápido e produtivo. Faça bom uso de seu pragmatismo, deixando o trabalho em dia e organizando seus contatos e sua agenda para os próximos dias. **Favorável para Lua e Saturno.**

▶**15** Coragem, persistência e empenho são a tônica deste dia favorável à realização de suas metas e sonhos. A competição saudável faz você dar e mostrar o seu melhor. Na vida familiar, tudo corre com tranquilidade. **Favorável para Sol e Plutão.**

▶**16** Netuno e Mercúrio em ângulo deixam sua sensibilidade psíquica mais acentuada. As práticas meditativas poderão ser bastante inspiradoras e relaxantes. Pressa e ansiedade não são sinônimos de eficiência, mas sim de insatisfação. **Favorável para Mercúrio e Netuno.**

▶**17** Mercúrio e Saturno em harmonia sinalizam um dia de muita concentração e objetividade em tudo o que se propuser a realizar. A memória positiva de seu bom desempenho anterior trará agora boas dicas para melhores resultados. **Desfavorável para Urano e Lua.**

▶**18** Seu magnetismo e sua capacidade de atrair o sexo oposto estão em alta. Não tenha receio de expressar suas opiniões e, ao mesmo tempo, procure aprender algo relevante com alguém que admira. Nada melhor do que ser protagonista do próprio roteiro. **Favorável para Urano e Vênus.**

▶**19** Temos no céu planetário a presença de cinco planetas em signos de Terra. Dia perfeito para usufruir melhor dos prazeres do corpo relacionados aos cinco sentidos. Aproveite para ficar próximo da natureza, pisar na terra, respirar ar puro e, claro, se divertir. **Favorável para todos os planetas.**

▶**20** É possível que se sinta frustrado com alguém, sendo uma boa hora para se perguntar: Estou sonhando algo demais? Idealizações exageradas fatalmente o conduzirão ao caminho das decepções; reveja melhor essa tendência. **Desfavorável para Netuno e Lua.**

▶**21** Sua inteligência e habilidade em comunicar-se bem acabarão por motivar pessoas e criar diálogos produtivos e esclarecedores. O encontro com pessoas originais e diferenciadas deverá alterar seus paradigmas intelectuais. **Favorável para Sol, Mercúrio e Urano.**

▶**22** Dizem os mestres que a felicidade não é apenas um acaso do destino, mas uma conquista diária. É possível treinar a mente para ver o que há de bom a sua volta, assim como estar aberto a novidades inesperadas. **Favorável para Urano e Marte.**

▶**23** Você poderá ficar mais dinâmico e energizado com o sextil entre Urano e Marte no céu. De tempos em tempos, é importante sair da rotina e se aventurar mais na vida, ainda que não tenha muitas certezas de aonde quer chegar. Não tenha medo de errar. **Desfavorável para Lua e Plutão.**

▶**24** Procure ficar mais atento às suas decisões. Será que você está agindo ou apenas reagindo às situações que a vida traz? Olhe para si mesmo, definindo aquilo que lhe agrada de verdade, para não inventar uma pessoa que não existe. **Favorável para Lua e Mercúrio.**

▶**25** Assuntos de natureza espiritual ou filosófica devem chamar mais sua atenção. Uma boa leitura ou palestras com esses temas podem trazer as respostas das quais você estava à procura. Continue garimpando suas verdades! **Favorável para Lua e Júpiter.**

▶**26** A vida familiar está pedindo mais de seu tempo e dedicação. Tire o dia para cuidar da casa, fazer arrumações e limpezas em papéis ou armários. Mesmo sendo cansativo, todo esse esforço vai trazer leveza para o corpo e a mente, acredite. **Favorável para Marte.**

▶**27** Se em certos momentos a impaciência ou indignação estiverem norteando seus sentimentos, pare e reflita sobre o que está havendo. Talvez tenha chegado a hora de preencher sua vida com pessoas mais positivas e generosas, e que desejam seu bem-estar. **Favorável para Lua, Saturno e Netuno.**

▶**28** Se precisar dizer *não* para alguém, fale sem se sentir culpado. Essa resposta por vezes é difícil, no entanto traz alívio imediato para os conflitos internos. Saber respeitar os próprios limites é sinal de sabedoria. **Favorável para Lua e Plutão.**

▶**29** O estresse é a resposta que seu corpo mostra para todas as demandas que ele não consegue suportar. Aceite suas fraquezas e procure delegar responsabilidades; não há por que querer carregar o mundo nas costas. **Desfavorável para Marte.**

▶**30** Procure não adiar consultas ou exames médicos de rotina; tire da frente qualquer tipo de preocupação com seu bem-estar. O dia exige de você mais cuidado com palavras que possam ser ditas de modo intolerante ou depreciativo. **Desfavorável para Mercúrio e Netuno.**

▶**31** O contato com pessoas mais velhas e experientes será muito importante e inspirador. Nunca é demais entender que a trajetória humana sempre tem altos e baixos, e que isso vale para todos. O importante é a capacidade de superação de cada um. **Favorável para Vênus, Saturno e Netuno.**

JUNHO

▶**1º** Neste dia, o clima é propício para a vida a dois. Será interessante também para você observar melhor seus anseios e emoções ainda inconscientes. Você está descobrindo recursos ainda não explorados, que o deixarão mais forte. **Favorável para Lua e Plutão.**

▶2 A Lua está em sua fase minguante, o que favorece a introspecção e o silêncio. Será muito fácil ver com mais discernimento e clareza seus conteúdos internos, que estão em pleno processo de transformação positiva e contínua. **Favorável para Saturno e Netuno.**

▶3 Um clima de cumplicidade paira sobre sua vida afetiva. Hoje você poderá consolidar sua relação amorosa, assumindo um compromisso de longa data. Seus sentimentos são mais profundos, e você deverá contar com a reciprocidade e lealdade da pessoa amada. **Favorável para Vênus e Plutão.**

▶4 Pode haver celebrações familiares que o deixem mais seguro e confiante. A Lua em Gêmeos favorece atividades intelectuais, boas leituras e interações benéficas para sua vida profissional. Bom para o contato com pessoas jovens e crianças. **Favorável para Mercúrio.**

▶5 Momento propício para atuar com mais coragem e assertividade dentro do âmbito familiar. Suas sugestões e opiniões terão um efeito estimulante na vida de seus entes queridos, que ficarão animados com mudanças ou ganhos patrimoniais. **Favorável para Urano e Lua.**

▶6 Preocupações de ordem financeira podem deixá-lo estressado, com a percepção de que não há soluções à vista. É preciso treinar a paciência e ver além das dificuldades momentâneas, que logo passarão. **Desfavorável para Lua, Saturno e Plutão.**

▶7 Mercúrio e Urano estão em sextil, deixando sua mente mais rápida e receptiva para outras formas de ver e de se colocar no mundo. Seja mais flexível com seus horários e sua rotina; dê mais chances a si mesmo de ficar feliz, sem grandes expectativas. **Favorável para Lua e Sol.**

▶8 Não se deixe levar por modelos de estética ou beleza que não estão ao seu alcance, seja qual for o motivo. A autoaceitação é um passo essencial para conquistar o bem-estar interior. Evite gastos supérfluos ou impulsivos. **Favorável para Lua e Júpiter.**

▶9 Dia auspicioso para contemplar e namorar a vida, a natureza e as pessoas. Valorizar pequenas coisas do cotidiano ou gestos amorosos significa caminhar rumo a um tipo de felicidade que ninguém pode tirar de você. **Favorável para Sol, Marte e Urano.**

▶10 Neste momento, certa indisposição ou alguma espécie de intoxicação podem atrapalhar seus compromissos pessoais. Se for necessário, consulte um médico, evitando qualquer tipo de automedicação. Não se preocupe, é tudo passageiro. **Desfavorável para Sol e Netuno.**

▶11 Esqueça as notícias ruins. Faça o que puder para que este dia se torne uma oportunidade para usufruir mais daquilo que gosta de fazer. Essa alegria é intransferível e pode ser entendida como vocação – que vem a ser o "chamado do coração". **Favorável para Vênus e Lua.**

▶12 Não jogue a culpa nos outros por coisas que não deram certo em sua vida. É necessário assumir responsabilidades pelos seus atos, pois é assim que as mudanças desejadas podem acontecer. A irritação de nada servirá. **Desfavorável para Lua, Plutão e Saturno.**

▶13 Júpiter e Netuno estão em ângulo desfavorável no céu por esses dias. É provável que se sinta confuso em relação ao que pretende fazer. Por isso mesmo, não tome decisões definitivas, pois o clima é de incertezas; ponha os pés no chão. **Desfavorável para Júpiter e Netuno.**

▶14 Será melhor não se apegar demasiadamente à racionalidade e à lógica das coisas o tempo todo. A capacidade de imaginar e criar são funções que dão forma e estrutura para todo o universo criado. Invista em seus sonhos sem medo de ser feliz. **Favorável para todos os planetas.**

▶15 Este pode ser um dia de muita sobrecarga no trabalho, cujo resultado chama-se estresse. Não queira carregar o mundo nas costas; tente delegar compromissos a seus parceiros profissionais. É preciso relativizar o fardo da vida! **Desfavorável para Vênus, Marte e Saturno.**

▶16 Hoje o clima de preocupações está mais ameno. Colocando as coisas em perspectiva, você vai perceber quanto já conquistou no passado e assim focar no que está por vir. Sua visão mais abrangente de tudo será o antídoto para os sentimentos do dia anterior. **Favorável para Mercúrio e Netuno.**

▶17 A Lua Cheia tende a manter seu ânimo e otimismo, e isso vai reverberando positivamente ao seu redor. A vida tem uma tendência a se curvar às nossas expectativas, e tudo é um eterno aprendizado. Abrace as novidades e as inevitáveis mudanças. **Favorável para Júpiter, Lua e Sol.**

▶18 Neste momento, você pode estar vivenciando uma espécie de conflito entre o que passou e o que ainda é um vir a ser. Se ficar receoso, poderá deixar passar a chance de se qualificar para outra etapa da vida; vá em frente. **Favorável para Lua e Urano.**

▶19 Mercúrio em oposição a Plutão sugere cautela e atenção com palavras que possam gerar ressentimentos. A verdade deve ser dita, mas a maneira de expressá-la não precisa ser necessariamente destrutiva. **Desfavorável para Mercúrio e Plutão.**

▶20 Hoje você ainda está sob pressão externa ou sentindo-se incapaz de resolver aquilo que havia planejado. Alguém poderá agir de maneira inconsciente em relação a você, por isso evite se expor demais ou sem necessidade. **Desfavorável para Sol, Marte e Plutão.**

▶21 Neste ciclo, você está mais tranquilo em relação ao que passou; já é possível respirar sem tanta inquietação interna. A atmosfera planetária em harmonia indica um clima de mais humor e confiança. Ótimo para o lazer, atividades culturais e namorar! **Favorável para Júpiter e Vênus.**

▶22 Inteligência emocional sempre tem a ver com a perspectiva de não ficar estacionado nos conflitos por muito tempo. Agora você tem mais capacidade de atrair o melhor para seu desenvolvimento, levando em conta sua intuição. **Favorável para Sol, Urano e Lua.**

▶23 É provável que hoje você não queira fazer nada de muito especial. Há um tempo para tudo: para a ação e também a não ação – não há por que brigar consigo mesmo. Evite excessos com alimentação e bebidas alcoólicas. **Desfavorável para Júpiter e Vênus.**

▶24 Assuntos místicos ou de natureza espiritual podem chamar sua atenção e ser benéficos para o autoconhecimento. Crie espaços na sua agenda para a meditação, a reflexão ou para ouvir músicas relaxantes ou inspiradoras. **Favorável para Lua, Netuno e Mercúrio.**

▶25 Talvez você seja surpreendido no ambiente de trabalho por um clima de fofocas devido a um mal-entendido. Tente evitar tomar partido ou defender alguém, pois será preciso entender melhor o que de fato aconteceu. **Desfavorável para Vênus e Netuno.**

▶26 Na vida familiar podem surgir preocupações com pessoas de mais idade, que necessitarão da sua ajuda. Não é preciso fazer drama; apenas se ocupe com novos compromissos, um a cada novo dia. **Desfavorável para Saturno.**

▶27 Criatividade é algo imprescindível em numerosas situações da vida. Isso vale sobretudo para as inexoráveis dificuldades do cotidiano, que hoje poderão ser superadas com mais jogo de cintura. Adaptação não é o mesmo que resignação. **Favorável para Sol e Urano.**

▶28 Lua e Sol em sextil indicam que hoje é um momento benéfico para adubar a terra e nela jogar uma semente que tenha a ver com algum novo projeto. É um dia perfeito também para eliminar ressentimentos que estejam vivos em seu coração. **Favorável para Urano.**

▶29 Seja firme e atue de maneira perseverante, dando continuidade ao que já começou, sem pressa de terminar tudo rápido. Os ventos são favoráveis, e o mar está tranquilo; a ansiedade por vezes põe tudo a perder; vá com calma. **Favorável para Saturno, Netuno e Marte.**

▶30 Boas notícias são o estímulo de que está precisando para ter mais confiança em sua capacidade de êxito. Participe de encontros com os amigos; todas as trocas, sejam elas de natureza afetiva ou intelectual, vão deixá-lo mais feliz! **Favorável para Lua e Mercúrio.**

JULHO

▶1º Não se deixe envolver demais com situações confusas ou mal explicadas. Se tomar partido de algum lado, poderá piorar aquilo que já está complicado. Tudo é passageiro e tende a se esclarecer com rapidez. **Favorável para Vênus e Lua**.

▶2 A meditação e as práticas meditativas estão favorecidas pela Lua Nova no signo de Câncer. Um eclipse é um bom momento para você buscar sua luz interior, a consciência de quem você realmente é e o que veio buscar nesta vida. **Favorável para Netuno e Lua**.

▶3 Vênus no signo de Câncer indica um momento auspicioso para estar mais próximo da família e cuidar melhor daqueles que um dia já cuidaram de você. Dê o seu melhor para todos e receberá na mesma medida o que todos querem: amor. **Desfavorável para Saturno e Plutão**.

▶4 Encontros inesperados podem trazer um colorido mais especial ao seu dia. Mantenha-se mais focado em assuntos verdadeiramente relevantes, evitando dispersão e conversas inúteis. Bom para investimentos financeiros. **Favorável para Júpiter**.

▶5 Neste dia, você deve estar mais expansivo e otimista, vendo o lado melhor da vida e das pessoas. Observe a qualidade de seus pensamentos para poder atrair as coisas que deseja. **Favorável para Júpiter**.

▶6 Se a rotina e a mesmice de seu cotidiano estiverem incomodando, cabe a você buscar outras formas de dinamizá-lo. Deixe os medos de lado e vá à luta por aquilo que quer mostrar ao mundo; mexa-se! **Favorável para Vênus e Urano**.

▶7 Hoje, uma notícia difícil poderá deixá-lo um pouco contrariado. O importante é não fazer drama e aceitar tudo como circunstâncias da vida. Ótimo para encontrar pessoas do seu passado que o querem bem! **Desfavorável para Mercúrio**.

▶8 Há um clima de tensão no céu, e ele indica que você terá mais poder de persuasão por meio de palavras. No entanto, o excesso de autoritarismo pode gerar estresse e animosidade ao seu redor; vá com calma. **Desfavorável para Marte e Mercúrio**.

▶9 A tendência do dia anterior ainda permanece, o que vai demandar de você inteligência emocional e diplomacia. Adie decisões e compromissos sem urgência, e procure relevar os assuntos que o deixam contrariado. **Desfavorável para Saturno e Lua**.

▶10 Esse pode ser um dia de sobrecarga de responsabilidades que vêm se acumulando há tempos. Priorize o que é importante e delegue algumas funções para pessoas de sua confiança. Os desafios fortalecerão seu espírito. **Desfavorável para Sol e Saturno**.

▶11 Sol e Netuno estão em aspecto harmonioso no céu. Essa configuração sempre é bastante benéfica para tudo o que necessita de algum tipo de esclarecimento e de visão mais abrangente. Antes de julgar é preciso compreender. **Favorável para Lua e Vênus**.

▶12   A tensão no céu planetário sinaliza que o melhor a fazer é não se irritar com possíveis imprevistos. O controle emocional é sinônimo de sabedoria, e agora existe a oportunidade de exercitar a paciência com tudo e todos. **Desfavorável para Urano.**

▶13   Dia positivo para decisões acertadas. Siga sua intuição e confie na realização de suas metas. O entusiasmo e a confiança são o melhor adubo a ser colocado na terra onde estão as sementes de seus novos projetos; não desanime. **Favorável para Lua e Marte.**

▶14   Momento em que você pode se sentir impotente; podem surgir circunstâncias que se impõem em sua vida contra a sua vontade. Já que terá de conviver com elas, procure transformar sua contrariedade em flexibilidade interior. **Desfavorável para Sol e Plutão.**

▶15   Hoje você poderá tirar grande proveito de recursos tecnológicos, que podem significar mais bem-estar em sua vida. A comunicação também flui de maneira mais produtiva no ambiente de trabalho. **Favorável para Urano.**

▶16   No dia de Lua Cheia há plenitude de emoções humanas; todos ficam mais sensíveis, tudo vem à tona. Esse transbordamento afetivo pode ter natureza positiva, desde que os excessos não tomem a rédea dos acontecimentos. **Desfavorável para Lua e Vênus.**

▶17   Vênus e Saturno tendem a dificultar a compreensão na vida a dois. É provável que não receba o reconhecimento que esperava, e isso vai gerar um clima de insatisfação e ressentimento. Não aumente ainda mais as dificuldades. **Desfavorável para Vênus, Saturno e Mercúrio.**

▶18   A onda de sentimentalismo excessivo já está se dissipando. Permita-se viver o amor de forma mais relaxada e alegre, focando naquilo que é bom e está dando certo. Príncipes e princesas vivem em palácios longínquos e encantados, mas você não! **Desfavorável para Marte.**

▶19   Hoje há ventos benéficos para sua vida amorosa. O dia também favorece atividades altruístas e benevolentes que tragam benefícios a você e a todos. Excelente para ouvir boa música e ficar mais sintonizado com a energia de paz e confiança. **Favorável para Vênus e Netuno.**

▶20   Procure ficar mais sintonizado com suas reais motivações pessoais e agir de acordo com elas. O que se entende por politicamente correto nem sempre reflete sua própria verdade. Fique mais atento à alimentação. **Favorável para Lua e Urano.**

▶21   Não existem transformações sem pressões externas, e as crises têm sua razão de ser. Não tenha receio de enfrentar suas resistências íntimas, pois elas estão prestes a se dissolver. Aprenda, sobretudo, a gostar de si mesmo. **Desfavorável para Vênus e Plutão.**

▶22 Dia oportuno para cuidar da saúde e investir em atividades físicas mais regulares, que vão garantir seu bem-estar e disposição física e mental. No trabalho, as ideias fluem melhor e você poderá contar com o apoio dos colegas. **Favorável para Lua e Sol.**

▶23 Ainda que haja alguns obstáculos em seu caminho, lembre-se de que são eles que promovem seu desenvolvimento. O céu planetário sinaliza mais presença de espírito para usar sua força em prol de suas metas; seja ousado. **Favorável para Lua e Marte.**

▶24 O Sol está no signo de Leão, estimulando o romance, a vida social, sua vontade de brilhar e fazer acontecer. Sendo assim, saia do casulo de sua casa e invista mais energia para conquistar ou seduzir a pessoa de seus sonhos. **Desfavorável para Mercúrio e Plutão.**

▶25 Este é um ciclo em que se evidenciam sua eficiência e assertividade no trabalho. A autoconfiança e a liderança serão essenciais para conseguir o apoio de que precisa para encaminhar seus projetos. A perseverança também é bem-vinda. **Favorável para Júpiter e Marte.**

▶26 Hoje você pode achar o meio-termo adequado entre as responsabilidades do trabalho e as demandas da vida familiar. Você está mais maduro e compenetrado em suas atribuições, e pode finalizá-las da maneira que havia planejado. **Favorável para Lua, Plutão e Saturno.**

▶27 Neste dia, você estará exuberante, com mais alegria de viver e espontaneidade, além de desejar compartilhar coisas boas com todos. Sempre é bom lembrar aquilo que os mestres afirmam: a felicidade é o resultado de atividades criativas. **Favorável para Vênus e Sol.**

▶28 Procure não projetar nos outros uma visão muito idealista e enganosa, que sempre leva a decepções. Mantenha o senso de realidade à frente de suas decisões e, se for necessário, peça ajuda a alguém de sua confiança. **Desfavorável para Netuno e Lua.**

▶29 A lógica não é e nunca será suficiente para explicar todas as reações e desejos das pessoas. Fique igualmente atento às suas intuições, por mais estranhas que pareçam, uma vez que podem dar dicas importantes sobre o caminho a ser seguido. **Favorável para Mercúrio.**

▶30 Urano é o planeta que provoca mudanças e rupturas para que haja uma renovação da vida. Hoje, se deixe levar pelos ventos de liberdade que sua alma está desejando. Permita-se sair da zona conforto e abraçar as novidades. **Desfavorável para Lua e Plutão.**

▶31 Dia excelente para atividades intelectuais, como escrever, estudar e pesquisar temas de seu interesse. A organização e a concentração são muito importantes para que os resultados sejam de qualidade e cheguem rápido. **Desfavorável para Lua e Plutão.**

AGOSTO

▶1º Momento oportuno para encaminhar com segurança assuntos relativos a bens imóveis ou patrimoniais. Suas expectativas financeiras serão alcançadas, sendo essa uma conquista importante para futuros investimentos. **Favorável para Júpiter e Lua.**

▶2 Mercúrio inicia seu movimento direto, e isso traz uma tendência positiva para a comunicação em geral, atividades literárias, publicações, contatos, negócios rápidos, fazer documentos. Propício também para resolver pendências familiares. **Favorável para Lua e Marte.**

▶3 Evite excessos na alimentação ou com bebidas alcoólicas, pois seu corpo está mais vulnerável do que o usual. Já é chegada a hora de vencer a procrastinação, marcar consultas e fazer seus exames de rotina. Prevenir é melhor do que remediar. **Favorável para Urano e Saturno.**

▶4 Excelente dia para fazer um passeio a um lugar desconhecido, descobrir algo ou alguém que possa encantá-lo. Viagens rápidas também são uma boa pedida para quebrar a rotina e oxigenar o espírito. **Favorável para Mercúrio e Plutão.**

▶5 Lua e Vênus em sintonia positiva no céu trazem um clima de bem-estar e segurança ou de conquistas na vida amorosa. Dia benéfico para investir seu tempo em atividades culturais e artísticas, sair com amigos e se sentir querido. **Favorável para todos os planetas.**

▶6 Não esmoreça devido aos contratempos em seu trabalho; há projetos que não avançam de acordo com seus desejos. Se puder, acione o "plano B" e atue com mais perseverança. Nem tudo depende só de você ou dos seus talentos. **Desfavorável para Mercúrio.**

▶7 Hoje você está animado e confiante. Aquilo que parecia estar sendo posto de lado pode ser redimensionado de outra maneira. Permaneça firme em seus propósitos, lembrando que a fé muitas vezes direciona nossa mente rumo ao êxito. **Favorável para Sol e Júpiter.**

▶8 Momento oportuno para todos os estímulos intelectuais, aprender algo novo, fazer um teste de avaliação, uma entrevista de trabalho, uma palestra. Você saberá expor seus pontos de vista com mais clareza e assertividade. **Favorável para Vênus, Lua e Mercúrio.**

▶9 Você poderá se destacar no trabalho em razão de sua inteligência emocional, de suas habilidades diplomáticas e atitudes altruístas. O reconhecimento que esperava por sua dedicação e empenho já está aparecendo. **Favorável para Vênus e Júpiter.**

▶10 Momento de mais receptividade e sensibilidade em relação às pessoas em geral. A sensação de estar sendo bem cuidado e protegido vai deixá-lo muito satisfeito e com vontade de retribuir na mesma moeda. **Favorável para Lua, Marte e Júpiter.**

▶11   Hoje você poderá tomar decisões relevantes em relação ao seu futuro, tendo como base as conquistas feitas anteriormente. Não deixe de encontrar tempo para o lazer, ouvir boa música, fazer exercícios ao ar livre, melhorando assim sua vitalidade. **Favorável para Urano, Lua e Saturno.**

▶12   Um forte *stellium* no signo de Leão sinaliza um ciclo de mais calor humano, criatividade e alegria de viver. O lazer e a vida artística, em especial a dramaturgia, estão favorecidos. Cultive mais o contato com jovens e crianças. **Favorável para Mercúrio e Vênus.**

▶13   Todos querem se apaixonar ou despertar o amor de alguém. No entanto, assim como as rosas têm seus espinhos, o jogo amoroso também tem lá suas dores ou conflitos. Vá atrás de seus desejos, mas mantenha os pés no chão. **Favorável para Vênus e Sol.**

▶14   Hoje há uma atmosfera de mais jovialidade; trate de usufruir das boas coisas da vida. Ótimo para rever amigos queridos e colocar as novidades em dia. A falta de tempo não pode e não deve ser uma desculpa para não ter momentos de alegria. **Desfavorável para Urano e Lua.**

▶15   Nesta Lua Cheia você será capaz de ver as coisas de modo diferente, o que representa a conquista de maturidade psicológica. Se tudo está em constante transformação, por que manter as mesmas opiniões o tempo inteiro? **Favorável para todos os planetas.**

▶16   Não fique carregando ressentimentos dentro do seu coração; expresse com mais clareza aquilo que o aflige à pessoa agora envolvida em seu conflito. A raiva contida é um verdadeiro veneno tanto para a psique quanto para o corpo. **Desfavorável para Mercúrio, Urano e Marte.**

▶17   Hoje o clima está mais ameno e favorável para arejar a área dos relacionamentos afetivos ou familiares. Certo distanciamento e reflexão vão ajudá-lo a contornar as adversidades e relativizar o tamanho dos problemas; saiba perdoar. **Favorável para Netuno e Saturno.**

▶18   Sua vida social está mais interessante e prazerosa. É tempo de aproveitar as boas companhias, satisfazer seus desejos, comer bem e namorar a vida. Muitas vezes, a felicidade está um pouco escondida em pequenas coisas do cotidiano. **Favorável para Sol, Vênus e Plutão.**

▶19   Marte entrando no signo de Virgem deve sinalizar um ciclo de mais eficiência no ambiente de trabalho. Aproveite para organizar papéis, documentos, gavetas, colocar pendências burocráticas em dia. Boas notícias podem surpreendê-lo no final do dia. **Favorável para Lua e Mercúrio.**

▶20   A Lua em aspecto tenso com Plutão sinaliza certa tendência a um descontrole emocional que pode prejudicar as suas decisões. Estresse e ansiedade nunca serão bons conselheiros para ninguém. Faça só aquilo que for possível para este momento. **Desfavorável para Saturno e Lua.**

▶21 Uma boa dose de boa vontade e bom senso serão a justa medida para equacionar as tensões do dia anterior. Nada como um dia após o outro; essa é uma verdade que nunca deve ser menosprezada. **Favorável para Júpiter e Mercúrio.**

▶22 Hoje você pode fazer bom uso de seu poder pessoal e modificar hábitos que atrapalham sua produtividade. A Lua em Touro expressa amor e dedicação ao trabalho; portanto, é hora de arregaçar as mangas e pôr mãos à obra. **Favorável para Saturno e Plutão.**

▶23 A falta de espírito de colaboração entre seus parceiros pode atrasar os resultados almejados. É hora de flexibilizar as metas e repensar as estratégias para realizar aquilo que pretende; trate de não desanimar. **Desfavorável para Sol e Marte.**

▶24 Deixe de lado uma possível crise de autoestima e enfrente os aborrecimentos e as contrariedades da vida com a cabeça erguida. Problemas estão aí o tempo todo e, se não fosse dessa forma, a vida seria bastante monótona. **Desfavorável para Júpiter e Netuno.**

▶25 O Sol no signo de Virgem pode apontar para atitudes mais construtivas em relação à sua saúde e alimentação. O frio do inverno logo vai terminar, e você já pode dar um breque nas comidas mais calóricas e optar por mais saladas e frutas. **Favorável para Mercúrio.**

▶26 O apoio e a proteção que espera dos amigos serão fundamentais para superar este momento que demanda tantas decisões importantes. Sua autoconfiança também é a chave para a abertura de novos caminhos! **Favorável para Urano, Vênus e Marte.**

▶27 Você agora deve prestar mais atenção aos seus sonhos e devaneios, pois o conteúdo deles pode estar projetando seu futuro. As práticas de meditação, yoga e relaxamento também serão de grande valor neste dia. **Favorável para Netuno.**

▶28 Deixe seu espírito aberto a novas maneiras de pensar; leia mais e busque informações sobre os temas de seu interesse profissional. É preciso acompanhar as novidades tecnológicas; não seja preguiçoso. **Favorável para Urano e Marte.**

▶29 Momento ainda auspicioso para fazer experiências inusitadas e se permitir sentir-se mais livre, sem o peso das responsabilidades cotidianas. Nem só de obrigações e horários vive uma pessoa saudável. **Favorável para Lua e Júpiter.**

▶30 Hoje é dia de Lua Nova, propício para perguntar a si próprio se está expressando de fato seus talentos ou vocação. Foque naquilo que realmente o deixa feliz e tenha em mente que disciplina é fundamental. **Favorável para Sol, Urano e Marte.**

▶31 Eis um dia para abraçar novidades e reciclar seus valores. Mais uma vez os aspectos de Urano, devem motivá-lo a romper com algumas barreiras internas. A zona de conforto em geral não é produtiva para ninguém! **Favorável para Lua e Plutão.**

SETEMBRO

▶1º A conjunção de Sol e Marte no céu torna o dia favorável para esportes ou atividades físicas. Deixe a preguiça de lado e saia para caminhar, nadar, pedalar – está valendo tudo. Dê mais atenção à sua saúde, optando por comidas mais naturais, com fibras e sem conservantes. **Favorável para Mercúrio e Urano.**

▶2 A energia vital continua intensa, e sua capacidade produtiva, idem. Dia excelente para organizar gavetas, papéis, livros e arquivos digitais. No amor, pode surgir um clima de desconfiança que não deve ser ignorado; diga aquilo que está sentindo. **Favorável para Sol e Saturno.**

▶3 Não deixe que a ansiedade ou a pressa de finalizar seu trabalho acabe comprometendo o resultado final de todo o seu empenho. Respire fundo, sempre lembrando que ninguém espera de você o perfeccionismo, só o que é possível. **Desfavorável para Marte.**

▶4 O reconhecimento pelo esforço feito anteriormente chegará, sendo um grande estímulo para novas empreitadas. Fofocas ou mal-entendidos podem tumultuar o ambiente de trabalho, mas tudo logo se dissipará. **Desfavorável para Vênus e Netuno.**

▶5 O céu planetário indica um bom ciclo para o aprendizado com troca de ideias e boas leituras; ou seja, propício para investir seu tempo e dinheiro em cultura e informação de qualidade. Cursos não devem ser deixados de lado para quem quer crescer na profissão. **Favorável para Mercúrio e Saturno.**

▶6 Neste dia, você poderá ficar constrangido com a ausência de princípios e valores em atitudes de pessoas próximas a você. O mais adequado para este momento é evitar discussões muito dogmáticas, pois não serão produtivas. **Desfavorável para Júpiter e Mercúrio.**

▶7 É provável que hoje você encontre pessoas que conheceu na infância ou familiares que não vê há tempos. Há uma sensação gratificante em que as trocas afetivas são prazerosas e, sobretudo, muito significativas para seu coração. **Favorável para Sol e Saturno.**

▶8 Sol e Júpiter estão em tensão no céu planetário. Pode haver divergências de interesses e opiniões no âmbito familiar que vão demandar muito jogo de cintura de sua parte. Assuntos relativos às leis devem ser adiados. **Favorável para Marte e Saturno.**

▶9 A capacidade de comunicar bem suas ideias será decisiva em projetos de trabalho no médio e longo prazos. Você agora está colhendo os frutos que semeou antes e tem mais sabedoria do que nunca para avançar! **Favorável para todos os planetas.**

▶**10** Neste momento, você está muito sensível do ponto de vista psíquico. Notícias ruins ou discussões vão deixá-lo cansado e minar sua energia vital. Procure trabalhar menos e não tomar decisões importantes; desligue o celular e descanse a mente. **Desfavorável para Netuno e Sol.**

▶**11** As solicitações do cotidiano estão muito intensas, e a pressão por decisões rápidas pode deixá-lo estressado. Não aja por impulso, mantendo o foco em uma coisa por vez, sem precipitações ou ansiedade. **Favorável para Lua e Júpiter.**

▶**12** Marte e Júpiter estão em tensão neste dia. Fique atento para não fazer gastos desnecessários ou que estejam fora do seu orçamento. Não é hora para fazer investimentos financeiros, sejam eles os mais simples ou os de alto risco. **Favorável para Lua e Urano.**

▶**13** Agora você tem mais controle e poder pessoal para contornar as adversidades e controlar suas emoções. Isso permite que as mudanças necessárias aconteçam de forma mais natural e, desse modo, você possa beneficiar as pessoas que ama. **Favorável para Plutão, Saturno e Sol.**

▶**14** Mercúrio e Vênus estão agora no signo de Libra, que representa o equilíbrio, as parcerias e a vida social. Procure investir seu tempo na companhia de bons amigos, se divertir, ter mais prazer em participar de eventos artísticos. **Favorável para todos os planetas.**

▶**15** Nesta fase de Lua Cheia, você pode estar mais sensível e sentir-se mais afetado por palavras duras ou inadequadas. Não leve nada para o lado pessoal. Evite exageros com alimentação mais condimentada ou bebidas alcoólicas. **Desfavorável para Marte e Netuno.**

▶**16** Lua e Plutão no céu indicam um ciclo em que ressentimentos na vida amorosa podem tomar proporções indesejáveis. Não fique guardando nada; seja sincero em suas emoções para preservar o que é bom em sua relação. **Favorável para Júpiter.**

▶**17** Dia de mais leveza de espírito, em que sua capacidade de superar conflitos se impõe de forma muito madura. Olhar demais para o passado não é uma atitude saudável e você já entendeu isso. Seja positivo! **Favorável para Urano.**

▶**18** Momento oportuno para dar mais atenção ao seu bem-estar físico. A medicina preventiva está em alta, e você pode se beneficiar muito de massagens, acupuntura e exercícios ao ar livre. Uma dieta de desintoxicação à base de chás será excelente. **Favorável para Marte, Netuno e Plutão.**

▶**19** Agora você é capaz de comandar e dirigir sua vida de acordo com suas necessidades e valores. Marte e Plutão em trígono indicam assertividade e magnetismo pessoal, e que sua força criadora está em alta – você acaba atraindo aquilo que deseja. **Favorável para Lua e Sol.**

▶**20** Trate de não perder tempo com conversas fúteis nem o gaste em excesso nas mídias sociais. Bom momento para estudar e ampliar seu horizonte intelectual, o que no futuro vai garantir melhor desempenho no campo social ou profissional. **Favorável para Lua, Mercúrio e Vênus.**

▶**21** O resultado que você vai obter em função dos seus estudos ou trabalho não é aquele que desejava. Agora é hora de treinar a paciência e a humildade e seguir em frente. As frustrações têm sua razão de ser, pois fortalecem o espírito; valorize aquilo que já conquistou. **Desfavorável para Netuno, Júpiter e Marte.**

▶**22** Hoje é um dia favorável para o convívio familiar, ficar mais tempo em casa sem criar grandes expectativas para algum tipo de lazer. Momentos de introspecção são demandas da alma e devem se respeitados. Por que não? **Favorável para Lua e Urano.**

▶**23** A semana se inicia com muitas solicitações, e é possível que haja uma sobrecarga de trabalho, ou então que surjam problemas de comunicação que impeçam o bom fluxo das funções administrativas. Adie aquilo que não for muito urgente. **Desfavorável para Mercúrio e Saturno.**

▶**24** O Sol já está no signo de Libra, marcando o início da primavera. Essa estação sempre traz a promessa de renovação e mais leveza. Vale uma reflexão: você está contente com o que está fazendo? Como melhorar sua vida e suas relações? **Desfavorável para Urano e Lua.**

▶**25** Mercúrio e Júpiter em sextil indicam um dia de mais otimismo e confiança na vida. Sua mente está mais ágil e aberta às novidades; boas notícias podem chegar e acabam trazendo novas ideias e inspirações para seu trabalho. **Favorável para Mercúrio e Júpiter.**

▶**26** Já passou da hora de dizer adeus a objetos, livros e roupas sem nenhuma utilidade. Se estiver querendo uma mudança na vida, comece pelo básico, iniciando por essa atitude inteligente chamada desapego. **Favorável para Urano.**

▶**27** Mercúrio e Plutão em quadratura apontam para tensões e divergências de opinião com pessoas próximas. A mente humana é complexa e de nada valerá sua insistência em querer modificar os valores dos outros. **Favorável para Saturno e Lua.**

▶**28** A Lua Nova acontece no dia do mês em que o Sol e a Lua estão no mesmo grau de um signo, e isso gera uma intensificação da energia criadora e de ação. Mentalize e peça ao universo aquilo que gostaria de ter em sua vida. **Favorável para Marte e Júpiter.**

▶**29** Júpiter em harmonia nos signos de fogo e ar cria um dinamismo especial para acordos, parcerias e a vida amorosa. Nem pense em recusar algum convite para mostrar suas habilidades, ou então para sair e namorar. **Favorável para todos os planetas.**

▶30 O dia deve começar com notícias interessantes que estimulem sua disposição para o trabalho. A curiosidade é a chave para você se adaptar às exigências da vida profissional. É hora de sair da zona de conforto. **Desfavorável para Lua e Urano.**

OUTUBRO

▶1º O dia de hoje é muito auspicioso para a proximidade com a água, seja do rio, do mar ou de uma cachoeira, pois sabemos do potencial purificador desse elemento da natureza. Aproveite para ouvir música, relaxar, curtir seus amigos e familiares. **Favorável para Netuno, Lua, Saturno e Plutão.**

▶2 O universo conspira a favor daqueles que colocam suas ideias em ação, sem ficar duvidando do seu êxito. Lua e Marte em sextil abrem os caminhos para que você possa fazer sua parte, que é dar forma concreta aos seus impulsos. **Desfavorável para Vênus e Plutão.**

▶3 Há possibilidade de que hoje você se interesse por assuntos de natureza física ou espiritual, inspirado pela conjunção de Lua e Júpiter no signo de Sagitário. Você pode se sentir mais animado para conversar sobre temas pouco corriqueiros, mas que serão relevantes para sua alegria. **Desfavorável para Lua e Netuno.**

▶4 Marte entra no signo de Libra, ampliando as condições externas para que você possa atuar mais intensamente na vida social, estimulando e apoiando causas humanitárias. O mundo precisa de pessoas mais ousadas; faça a sua parte! **Favorável para Vênus e Mercúrio.**

▶5 A Lua está em fase crescente, em bons aspectos com Urano e Saturno. Agora você poderá conciliar a realização de seus ideais para o futuro, porém motivado por aquilo que deu certo no passado. Você está mais confiante do que nunca. **Favorável para todos os planetas.**

▶6 É possível que suas expectativas sejam frustradas na vida amorosa. O momento pede lucidez e autocontrole, uma vez que cenas de ciúme não serão bem-aceitas. Não importa o que tenha acontecido, mantenha sua dignidade. **Desfavorável para Vênus, Saturno e Plutão.**

▶7 O planeta Urano está pressionado pela Lua e por Mercúrio. Essa configuração sinaliza um dia de irritabilidade, dispersão e dificuldade com as palavras. É adequado pensar bem antes de expressar seu ponto de vista. **Desfavorável para o Sol.**

▶8 Hoje é um momento de grande insatisfação com as velhas estruturas de poder com as quais você se indispõe seriamente. Seja perseverante, pois algumas mudanças implicam grandes desafios, e tudo tem tempo certo para acontecer. **Desfavorável para Sol e Saturno.**

▶**9** Há dias em que os ventos da bem-aventurança sopram a seu favor. Os aborrecimentos amorosos já não têm mais tanta importância, e você percebe que a paz de espírito é uma conquista valiosa e que ninguém pode tirá-la de seu coração. **Favorável para Lua e Vênus.**

▶**10** Bom ciclo para atividades intelectuais, estudos e pesquisas com temas de seu interesse. Positivo também para divulgar seu trabalho em redes sociais, trocar ideias, receber sugestões importantes, aprimorar seu marketing pessoal. **Favorável para Mercúrio.**

▶**11** A vida amorosa agora é beneficiada por um entendimento mais profundo e uma sintonia forte entre você e seu par amoroso. Sinta-se merecedor de carinho e elogios, que farão bem à sua alma. **Favorável para Netuno e Plutão.**

▶**12** Sua paciência e tolerância podem ser testadas durante este dia, e isso vai gerar raiva ou indignação em sua mente. Não se deixe levar pela negatividade; ponha a razão em primeiro plano para tomar uma decisão satisfatória. **Desfavorável para Marte.**

▶**13** Sol e Júpiter em sextil sinalizam um momento adequado para você impor seus valores diplomáticos, caso tenha assuntos jurídicos para resolver. De qualquer forma, é preciso não ser muito dogmático nem radical, e saber quando recuar para novamente avançar. **Desfavorável para Vênus e Urano.**

▶**14** Plutão e Sol em tensão podem se manifestar em dificuldades com pessoas de autoridade em seu trabalho. Evite rompantes ou brigas, que não contribuirão em nada para a solução dos problemas. A reflexão deve ser a melhor estratégia para este dia. **Favorável para Júpiter.**

▶**15** Controle emocional e diplomacia são seus desafios para hoje. Todo o cuidado é pouco com atitudes vingativas ou palavras que possam ferir ou desqualificar os outros. Por vezes, essa mágoa se torna maior que a capacidade de perdoar. **Desfavorável para Lua, Urano, Vênus e Mercúrio.**

▶**16** O contato com ensinamentos de ordem filosófica ou espiritual elevarão seu espírito. Nada melhor do que ver com mais distanciamento alguns eventos que antes pareciam insolúveis, e que na verdade são eventos ordinários da vida cotidiana. **Favorável para Mercúrio, Netuno e Plutão.**

▶**17** Lua em Gêmeos faz trígono com Marte em Libra, criando bons pressupostos para uma ação mais assertiva e diplomática no mundo. Hoje você tem em suas mãos as rédeas das decisões, exercendo uma liderança natural e construtiva. **Favorável para todos os planetas.**

▶**18** Suas boas intenções podem não ser bem compreendidas. Será preciso contornar adversidades e explicar melhor suas pretensões aos outros. É importante dar mais atenção à sua saúde e alimentação; evite a automedicação. **Desfavorável para Netuno e Júpiter.**

▶**19** Hoje o dia tem um ar mais alegre e descontraído; as nuvens cinzentas do dia anterior já se foram. É hora de mirar no amanhã, atuando de maneira mais lúcida e consciente na realização de seus desejos. Não deixe de ouvir sua intuição. **Favorável para Sol e Urano.**

▶**20** Plutão faz bons aspectos com Mercúrio, o que pode sugerir um bom momento para viajar, ver paisagens diferentes, falar de assuntos que estão fora da rotina. Vênus em sextil com Saturno favorece o contato com amigos de longa data. **Favorável para Vênus e Netuno.**

▶**21** Respire fundo caso esteja ressentido com alguém. É preciso aceitar as limitações e os defeitos dos outros sem fazer drama ou entregar-se à vitimização. Levar tudo para o lado pessoal será também um grande equívoco. **Desfavorável para Sol e Plutão.**

▶**22** Netuno e Vênus em harmonia trazem boas vibrações para que haja cura no plano afetivo, além de perdão e renovação psíquica. O contato com a água do mar será muito benéfico para seu bem-estar, assim como a prática de meditação. **Favorável para Lua e Marte.**

▶**23** Relações sociais e atitudes altruístas estão bastante estimuladas pelo trígono de Júpiter e Lua no céu. Essa posição é auspiciosa para planejar viagens, estudos e projetos que estejam além de seus interesses pessoais. **Favorável para todos os planetas.**

▶**24** O espírito de colaboração é imprescindível para que seus projetos ganhem fôlego. Compartilhe mais aquilo que aprendeu, somando forças para ver seus empreendimentos se realizarem com rapidez e qualidade. **Favorável para Saturno e Plutão.**

▶**25** Sem dúvida, hoje é um dia perfeito para trocas afetivas e exercitar seu senso de solidariedade e amizade. A comunicação flui com mais facilidade, e os diálogos convergem para resultados produtivos em seu trabalho. **Favorável para Vênus, Mercúrio e Plutão.**

▶**26** Neste dia, é possível que tenha a sensação de estar dirigindo um carro com o freio de mão puxado, que não consegue sair do lugar. Por isso, a melhor atitude é deixar as coisas acontecerem, sem ter pressa para sair ou chegar. **Desfavorável para Marte e Saturno.**

▶**27** Não deixe para amanhã o que pode fazer hoje. Dia de trabalho árduo e de possíveis atrasos e obstáculos no caminho. A perseverança será sua grande aliada e, ao final do dia, você ficará feliz com sua determinação e empenho. **Desfavorável para Plutão.**

▶**28** No céu planetário há aspectos tensos entre Marte e Saturno que sugerem a necessidade de romper com estruturas muito rígidas ou envelhecidas. Não é preciso partir para decisões radicais, mas sim buscar o diálogo construtivo. **Desfavorável para Urano e Sol**.

▶**29** Dia gratificante e mais calmo que pode beneficiar sua vida social e intelectual. Procure se aconselhar e trocar ideias com pessoas mais experientes. A flexibilidade e a abertura psíquica auxiliam na resolução de possíveis contrariedades. **Favorável para Lua, Mercúrio e Netuno**.

▶**30** Sol, Mercúrio e Vênus encontram-se no signo de Escorpião, que é do elemento Água. Fase interessante para olhar para dentro de si mesmo, observar a qualidade de seus sentimentos e desejos, e exercitar a intimidade com sua alma. **Favorável para todos os planetas**.

▶**31** Mercúrio inicia hoje um movimento retrógrado. É provável que o ritmo dos acontecimentos em seu cotidiano fique mais lento. Otimize esse tempo acionando contatos antigos, lendo mais ou revendo projetos que possam ser aperfeiçoados. **Favorável para Júpiter e Marte**.

NOVEMBRO

▶**1º** Este é um dia favorável para tomar decisões que beneficiem sua vida. Para isso, preste mais atenção à qualidade de seus pensamentos. Não dê permissão para a negatividade ou críticas exageradas; boas mudanças podem acontecer! **Favorável para Lua e Urano**.

▶**2** A concentração e o foco devem ser a prioridade do dia. Os obstáculos surgem para testar sua capacidade de perseverar, e não para que você desista ou reclame deles. Com calma, você verá os resultados que espera. E trate de aceitar elogios! **Favorável para Saturno, Plutão e Netuno**.

▶**3** Lua e Mercúrio estão em sextil, sinalizando um dia favorável para sair, viajar, encontrar pessoas, trocar ideias. Você pode optar também por não fazer nada, esvaziar a mente e apenas descansar. Está valendo tudo. **Favorável para todos os planetas**.

▶**4** Se os planos que você traçou não estão indo na direção desejada, pare para refletir. Certos imprevistos não dependem de sua vontade, sendo circunstanciais. Portanto, seja mais flexível. Raiva ou ressentimento não vão ajudar em nada. **Desfavorável para Marte e Plutão**.

▶**5** Neste dia ainda podem persistir situações difíceis, e há certa dificuldade com a comunicação em geral. Adie os compromissos que puder, reorganize sua agenda e, sobretudo, exercite a paciência. **Desfavorável para Mercúrio**.

▶**6** Hoje sua sensibilidade pode entrar em choque com a realidade dura do cotidiano. Reduza suas expectativas nas relações pessoais, sem fazer exigências ou julgamentos muito unilaterais, pois ninguém é perfeito. **Desfavorável para Vênus e Lua**.

▶**7** Agora já está mais fácil ver as coisas com certo distanciamento e sabedoria. Antes de qualquer coisa, é preciso compreender o que se passa no íntimo das pessoas que você quer bem. Preste mais atenção à sua alimentação, evitando carboidratos. **Favorável para Lua, Saturno e Netuno.**

▶**8** Hoje, com o coração mais tranquilo, você terá a capacidade de ver a vida em um contexto mais abrangente, o que vai tornar tudo mais fácil. O contato com pessoas de seu passado será muito relevante. **Favorável para Sol, Saturno e Netuno.**

▶**9** Dia para cuidar melhor do visual, investindo em tratamentos de beleza e roupas que valorizem seu corpo. Será importante também cuidar da saúde e da alimentação, preferindo frutas e saladas, pois o verão está chegando! **Favorável para Netuno, Vênus e Saturno.**

▶**10** Aquilo que antes parecia insolúvel ganha agora uma nova dimensão; as soluções vão aparecendo lentamente. Sua atitude confiante com certeza trará soluções mais criativas e pragmáticas para os assuntos familiares. **Favorável para Mercúrio, Plutão e Júpiter.**

▶**11** Será preciso seguir o antigo ditado: "Nada como um dia após o outro". Respeitando sua intuição, você acertará em suas decisões, ainda que pareçam irracionais. Invista em novas amizades. **Favorável para Urano e Lua.**

▶**12** Este é um momento em que se combinam coragem e audácia com fé e otimismo. Não procrastine nenhuma atitude importante, abrindo espaço para oportunidades de expandir seu campo profissional. **Favorável para Marte e Júpiter.**

▶**13** Netuno está recebendo bons aspectos de Saturno e Mercúrio. Essa configuração sinaliza um ciclo de maturidade, foco e inteligência para avançar em suas metas, haja o que houver. É tempo de construir pontes criativas entre os sonhos e a concretização deles. **Favorável para todos os planetas.**

▶**14** Você provavelmente vai se dar conta hoje de que seu poder pessoal será determinante para atrair o que precisa para sua vida. Tenha em mente que a clareza de seus propósitos vai criar a energia favorável para que eles aconteçam! **Favorável para Sol e Plutão.**

▶**15** A Lua em Gêmeos traz jovialidade e jogo de cintura para se adaptar às novidades da vida. Não se deixe levar pela vaidade ou pelo orgulho caso surja alguma contrariedade. Tudo faz parte do jogo da vida. **Desfavorável para Júpiter.**

▶**16** Dia excelente para estudar, aprimorar seus conhecimentos, ler um bom livro, participar de um seminário. A interação em redes sociais pode ser gratificante como catalisadora de novas aventuras. **Favorável para Netuno, Lua e Mercúrio.**

▶ **17** Seu humor pode ser afetado por contrariedades internas que foram se acumulando. Fique mais atento às palavras; não diga nada que também não gostaria de ouvir, em especial das pessoas que você quer bem. **Desfavorável para Plutão e Marte.**

▶ **18** Certa impulsividade ou irritação ainda podem comprometer a qualidade do seu dia. Reflita um pouco para avaliar melhor o que de fato o está incomodando. Apontar as falhas dos outros sempre é a saída mais fácil, mas não resolve. **Desfavorável para Urano e Mercúrio.**

▶ **19** A Lua entra em fase minguante, e o trígono entre ela e Vênus deve pacificar suas emoções e relativizar o peso dos aborrecimentos do coração. O dia promete um diálogo produtivo que promove o entendimento e o perdão. **Favorável para Vênus e Júpiter.**

▶ **20** Mercúrio está voltando ao movimento direto, o que pode facilitar atividades do cotidiano, como pagamentos, reuniões, encontros e a burocracia em geral. Se precisar, arrume seu quarto ou escritório e documentos, liberando novas energias para seu dia a dia. **Favorável para Urano.**

▶ **21** Seu pragmatismo está em alta, favorecendo decisões e iniciativas que vão dinamizar sua rotina. Ótimo para resolver pendências domésticas e fazer pequenos reparos, ou seja, tirar da frente a desordem que se acumula e que você nem percebe. **Favorável para Lua, Plutão e Saturno.**

▶ **22** A Lua faz sextil com o Sol, que vai agora adentrando o signo de Sagitário. Isso significa mais vitalidade, alegria de viver e capacidade de conduzir sua vida para onde realmente deseja. O contato com pessoas mais jovens e crianças será bem-vindo. **Favorável para todos os planetas.**

▶ **23** Nem sempre a realidade se apresenta da forma como gostaríamos, e as decepções podem ser um desafio, tanto para parar quanto para avançar. Não olhe demais para aquilo que já passou e perceba que você já tem capacidade de seguir em frente. **Desfavorável para Plutão e Saturno.**

▶ **24** Hoje o ritmo dos acontecimentos pode se acelerar, ou então pode haver uma ruptura que o deixe estressado. Não tome decisões impulsivas ou sob pressão alheia. Tenha cuidado com aparelhos eletrônicos; evite quebrá-los por impaciência. **Desfavorável para Marte e Urano.**

▶ **25** Vênus e Júpiter estão juntos no signo de Sagitário, indicando um momento de mais harmonia e tolerância, mesmo com o ritmo intenso dos eventos. Você deve estar mais confiante e vendo as coisas por um ângulo mais favorável e otimista. **Favorável para Lua e Saturno.**

▶ **26** Vênus entra no signo de Terra de Capricórnio. Essa posição possibilita atitudes emocionais mais maduras e um senso de responsabilidade pelas pessoas que você ama. Bom momento para planejar seu final de ano. **Favorável para todos os planetas.**

▶27 Neste dia, você pode estar mais sensível e deve evitar lugares de ambiente denso, discussões e notícias tristes. Isso não significa fugir da realidade, mas proteger-se daquilo que intoxica seu espírito. Evite também comidas muito condimentadas. **Desfavorável para Netuno.**

▶28 Momento propício para fazer consultas ou exames de rotina; não adie seu *check-up* médico anual. Dia excelente para uma dieta rápida de desintoxicação à base de chás, frutas e líquidos; o corpo vai agradecer. **Favorável para Júpiter, Netuno e Mercúrio.**

▶29 Há um clima de romance inesperado no ar, e o Cupido pode estar querendo flechar seu coração. Tudo depende de você: ou se lança às novidades ou fica apegado ao passado e àquilo que não deu certo. **Favorável para Urano e Vênus.**

▶30 Hoje você pode encontrar boas soluções para assuntos relativos a bens patrimoniais e fazer bons negócios com terrenos ou imóveis. Os investimentos de médio e longo prazos estão bem recomendados. **Favorável para Saturno e Mercúrio.**

DEZEMBRO

▶1º Vênus e Marte estão em harmonia no céu nos signos de Capricórnio e Escorpião, respectivamente. Se quiser, você poderá dar aquele "empurrãozinho" na sua vida amorosa. Tome a iniciativa; nada de ficar esperando. Faça as coisas acontecerem! **Desfavorável para Urano e Lua.**

▶2 Júpiter está entrando no signo de Capricórnio, símbolo do trabalho, da perseverança e das realizações. Não procrastine suas decisões valorize seus ideais de vida e lute para que possam se materializar. **Desfavorável para Mercúrio.**

▶3 Boas notícias vão deixá-lo animado e mais motivado para divulgar seu trabalho. Será importante receber sugestões ou mesmo críticas, para assim aperfeiçoar seus feitos recentes. Os vencedores preferem trabalhar em equipe! **Favorável para Plutão, Mercúrio e Júpiter.**

▶4 O clima de harmonia e cooperação deve prevalecer neste dia; suas ideias encontram receptividade e serão elogiadas. O céu planetário está bastante propício à prática de esportes e atividades físicas; não descuide de seu corpo. **Favorável para Lua e Marte.**

▶5 Todas as formas de comunicação e interação social estão favorecidas. Você tem hoje mais presença de espírito e lucidez para se adaptar às circunstâncias, e ao mesmo tempo tirar partido das oportunidades que surgem. **Favorável para Mercúrio.**

▶6 Não fique carregando frustrações dentro do seu coração. O amor não funciona como nos contos de fadas, sempre com um final feliz. É preciso tolerância e assertividade para que a relação continue, mesmo com dificuldades. **Desfavorável para Vênus e Lua.**

▶7 Não há mais motivo para ficar engolindo sapos e alimentando ressentimentos no ambiente de trabalho. Use seu bom senso e busque o diálogo como forma de resolução dos problemas. Olhe mais para o amanhã. **Desfavorável para Plutão e Saturno.**

▶8 Clima de harmonia e boas vibrações no céu planetário, deixando você mais emotivo e aberto às boas coisas da vida. Aproveite para sair, ver coisas bonitas, entrar em contato com a natureza, namorar ou ouvir boa música. Tudo isso fará bem para sua alma. **Favorável para Vênus e Netuno.**

▶9 Caso alguém o aborde de modo agressivo, tente não levar para o lado pessoal. Todo mundo tem seus maus momentos; o melhor será não revidar. Quanto ao trabalho, tudo continua fluindo bem; fique firme em seus propósitos. **Desfavorável para Marte e Lua.**

▶10 As solicitações do mundo externo e das mídias sociais estão exigindo muito do seu tempo. Procure ficar mais atento à vida pessoal e familiar, uma vez que hoje as demandas podem ser bem maiores. **Favorável para Plutão e Lua.**

▶11 Suas necessidades emocionais parecem não estar de acordo com o que você recebe da pessoa amada. Será que já não está na hora de propor uma conversa mais sincera e aberta para sinalizar suas frustrações? Pense nisso. **Desfavorável para Vênus e Saturno.**

▶12 Hoje é dia de Lua Cheia, que está em Gêmeos, fazendo oposição ao Sol em Sagitário. Momento de intensidade e empolgação na maneira de expor suas opiniões e discutir seus valores morais. Exercite a arte de ouvir e aceitar o que lhe parece contraditório. **Favorável para Marte e Netuno.**

▶13 Netuno e Marte estão em trígono nos signos de Peixes e Escorpião, respectivamente. Este momento é auspicioso para ações altruístas e desprendidas, que beneficiarão um número significativo de pessoas. **Favorável para todos os planetas.**

▶14 Júpiter e Urano estão em harmonia no céu, favorecendo um ciclo de mais liberdade de espírito e novas aspirações no plano intelectual que possam ser amplamente compartilhadas. Esteja conectado com pessoas que sonham com um mundo melhor! **Desfavorável para Lua, Vênus e Saturno.**

▶15 Trocar ideias e afeto sempre faz bem. Momento perfeito para estar com amigos ou familiares com os quais tenha mais afinidade. O contato com crianças e jovens também será revitalizante; nada como a descontração e o bom humor. **Favorável para Mercúrio.**

▶16 O dia é benéfico para você solicitar uma promoção ou aumento de salário. Suas motivações e argumentos tenderão a ser bem-aceitos e encaminhados. Fase de muita vitalidade, alegria de viver e de mais certeza naquilo que deseja fazer. **Favorável para o Sol.**

▶**17** Este momento será favorável para resolver pendências jurídicas e fazer bons acordos que vão ao encontro de seus interesses atuais. Lua e Urano ativam sua intuição e a vontade de renovar suas relações, motivando-o a encontrar novas amizades. **Favorável para Júpiter.**

▶**18** Marte e Saturno estão em sextil, e esse posicionamento favorece sua eficiência e produtividade no campo profissional. Sua determinação será essencial para que os resultados esperados apareçam no médio e longo prazos. **Favorável para Saturno, Lua e Plutão.**

▶**19** O contato com pessoas mais experientes ou de mais idade poderá incrementar sua *performance* no trabalho. Experiências feitas no passado agora agregarão valor a tudo o que fizer; vá em frente! **Favorável para Vênus.**

▶**20** Vênus está adentrando o signo de Aquário, que representa a vida social, os amigos e os planos para o futuro. Se ainda não o fez, esta é uma boa hora para planejar suas merecidas férias com pessoas queridas. **Favorável para Marte e Saturno.**

▶**21** É preciso dar continuidade à sua agenda de saúde; a prática de exercícios sem regularidade em geral não traz os benefícios esperados. O "faz de conta" da sua dieta também precisa ser encarado com mais seriedade; não se iluda. **Favorável para Sol e Lua.**

▶**22** Contrariedades ou imprevistos no ambiente doméstico podem atrapalhar seus planos para este dia. O jeito é usar a criatividade e apelar para o "plano B". Boas notícias podem chegar no final do dia. **Desfavorável para Vênus e Urano.**

▶**23** Suas altas aspirações podem estar inseridas na vida cotidiana, e isso o deixará muito feliz. É hora de desfrutar do esforço realizado anteriormente e compartilhar seu êxito com as pessoas que caminharam ao seu lado. **Favorável para Plutão e Marte.**

▶**24** Hoje é um dia de alegria junto aos familiares e à pessoa amada; você vai se sentir acolhido por todos. Qualquer forma de lazer ou celebração será bem-vinda. Apenas se entregue ao aqui e agora, sem grandes preocupações! **Favorável para Lua e Vênus.**

▶**25** Dia de astral auspicioso para dinamizar seu espírito, que anseia por novidades e experiências inusitadas. Porque pensar sempre da mesma maneira e ir sempre aos mesmos lugares? Dê a si mesmo a permissão para se entregar à aventura! **Favorável para Sol e Urano.**

▶**26** Hoje é dia de Lua Nova, e Sol e Lua estão juntos no signo de Capricórnio. Ciclos de recolhimento são saudáveis e necessários ao nosso bem-

-estar. Ótimo momento para refletir e esclarecer a si mesmo o que está faltando em sua vida. **Favorável para Lua, Urano e Júpiter.**

▶**27** Há em sua alma um desejo de superação que precisa ser levado em conta. Todas as atividades físicas estão favorecidas, mesmo aquelas que são competitivas. Ficar parado não é uma boa pedida. **Favorável para Lua, Marte e Plutão.**

▶**28** O ano vai terminando de maneira satisfatória, pois você realizou coisas significativas. É importante perceber que a tal da "felicidade" muitas vezes está nas pequenas conquistas ou em eventos corriqueiros do cotidiano. **Favorável para Sol e Júpiter.**

▶**29** Suas intenções de descanso ainda não acontecem neste dia. Lua e Vênus em Aquário estão sinalizando um dia de movimentação na vida social, encontros com amigos, experiências compartilhadas e muita alegria. **Favorável para todos os planetas.**

▶**30** A semana começa com possíveis aborrecimentos ou tensão que podem estar relacionados a aparelhos eletrônicos, como *tablets*, celulares etc. Não se exalte demais; logo chegará uma solução. Não deixe o mau humor estragar seu dia. **Desfavorável para Marte e Urano.**

▶**31** Seu pensamento está bem acelerado, o que pode significar boas intuições e inspirações criativas para o ano que vem chegando. Visualize aquilo que mais deseja e acredite na força do pensamento. A vida pede por renovação! **Favorável para Urano e Mercúrio.**

CRIANDO HARMONIA PARA O SEU BEBÊ

Passe um dia dizendo apenas coisas positivas e construtivas.

Controle seus pensamentos; faça com que eles, bem como suas palavras, sejam positivos e amáveis.

Quando estiver com seu bebê, leia textos inspiradores. Mesmo que ele não entenda as palavras, elas terão uma vibração positiva que o ajudará em sua intuição e inspiração. Nascemos como criaturas espirituais e estamos aqui para desenvolver nosso potencial divino.

Perceba como seu bebê parece pacífico quando você faz isso. É algo que ajudará vocês a criarem uma atmosfera harmoniosa em seu lar. Pode parecer difícil fazer isso em meio ao estresse e à tensão das atividades familiares, mas experimente para ver o que acontece.

– Extraído e adaptado de *O Signo do Bebê*, de Chrissie Blaze, Ed. Pensamento.

Tudo o que você precisa saber sobre a Lua em 2019

Não se pode pensar em previsões sem levar em conta tanto o Sol quanto a Lua. Ambos têm a mesma importância, apenas afetando áreas diferentes de nossa vida. Enquanto o Sol rege os acontecimentos que dizem respeito à razão e afeta comportamentos relacionados à vida prática das pessoas, a Lua rege as emoções que, sem dúvida, afetam nossas decisões e a maneira como os acontecimentos vão se desenrolar.

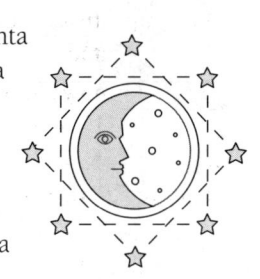

LUA EM ÁRIES: Mantenha o foco ou a concentração na vida prática do dia a dia, evitando envolver-se em problemas sentimentais, tanto seus quanto os dos outros.

LUA EM TOURO: Sua obstinação pode levá-lo a decisões erradas, difíceis de consertar. Mantenha a mente aberta em relação às opiniões dos outros.

LUA EM GÊMEOS: Ficar em cima do muro, sem tomar partido, pode ser confortável no curto prazo. No entanto, no longo prazo, vai acarretar problemas maiores.

LUA EM CÂNCER: O sentimentalismo barato pode afetar suas relações de amizade. Amigos são para sempre; os demais relacionamentos podem mudar rapidamente de direção.

LUA EM LEÃO: Não seja tão arrogante e dê a vez para a ação de outras pessoas. Com certeza, há coisas que você sabe melhor, mas não deve vangloriar-se disso.

LUA EM VIRGEM: Sua vontade de criticar as ações dos outros pode afetar a simpatia que talvez tenham por você. Ninguém quer viver em um clima de constrangimento.

LUA EM LIBRA: É essencial manter o equilíbrio sempre. O principal é agir corretamente, levando em consideração também a opinião alheia.

LUA EM ESCORPIÃO: Entrar em atrito com as pessoas que discordam de você não vai levar a nada. Tome suas decisões e concentre-se nelas para obter os melhores resultados.

LUA EM SAGITÁRIO: Você costuma ter sorte, então aproveite e usufrua os resultados sempre positivos de suas ações. Pare de ser tão egoísta; o mundo não gira ao seu redor.

LUA EM CAPRICÓRNIO: Sua determinação é reconhecida por todos. Certo ou errado, você se atém à própria opinião, e o resultado é sempre positivo.

LUA EM AQUÁRIO: Você não é convencional, e suas ações são sempre surpreendentes. Por incrível que pareça, em geral elas dão certo.

LUA EM PEIXES: Deixe de ser tão sensível e sentimental, para que o resultado dos seus empreendimentos seja muito positivo. Não hesite; mantenha-se firme.

Tabela das Luas Fora de Curso

Último Aspecto		Entrada da Lua num Novo Signo			Último Aspecto		Entrada da Lua num Novo Signo		
Dia	Hora	Dia	Signo	Hora	Dia	Hora	Dia	Signo	Hora
Janeiro de 2019					**Abril de 2019**				
1º	19h27	2	Sagitário	6h00	1º	0h03	1º	Peixes	11h49
4	14h43	4	Capricórnio	15h56	3	12h37	3	Áries	23h58
7	3h21	7	Aquário	3h47	5	23h16	6	Touro	10h07
9	13h54	9	Peixes	16h45	8	5h30	8	Gêmeos	18h16
11	11h26	12	Áries	5h19	10	14h28	11	Câncer	0h32
14	12h57	14	Touro	15h32	12	20h34	13	Leão	4h51
16	15h35	16	Gêmeos	22h01	14	22h40	15	Virgem	7h15
18	22h34	19	Câncer	0h45	17	1h30	17	Libra	8h23
20	22h51	21	Leão	0h56	19	8h13	19	Escorpião	9h42
22	22h21	23	Virgem	0h23	21	1h01	21	Sagitário	13h00
24	10h52	25	Libra	1h04	23	8h45	23	Capricórnio	19h51
27	2h22	27	Escorpião	4h32	25	16h49	26	Aquário	6h29
28	19h40	29	Sagitário	11h34	28	6h45	28	Peixes	19h13
31	19h34	31	Capricórnio	21h48					
Fevereiro de 2019					**Maio de 2019**				
3	7h54	3	Aquário	10h04	30/04	18h58	1º	Áries	7h25
5	21h00	5	Peixes	23h03	3	5h48	3	Touro	17h19
7	19h15	8	Áries	11h35	5	12h11	6	Gêmeos	0h41
10	20h49	10	Touro	22h30	7	20h51	8	Câncer	6h08
12	19h27	13	Gêmeos	6h33	9	23h07	10	Leão	10h15
15	9h50	15	Câncer	11h04	12	9h26	12	Virgem	13h23
17	11h18	17	Leão	12h22	14	14h20	14	Libra	15h52
19	10h52	19	Virgem	11h48	16	6h39	16	Escorpião	18h27
20	22h53	21	Libra	11h18	18	18h13	18	Sagitário	22h22
23	12h12	23	Escorpião	12h57	20	14h06	21	Capricórnio	4h57
25	9h15	25	Sagitário	18h21	23	0h59	23	Aquário	14h50
28	3h18	28	Capricórnio	3h49	25	9h52	26	Peixes	3h09
					28	1h22	28	Áries	15h33
					30	12h09	31	Touro	1h44
Março de 2019					**Junho de 2019**				
2	15h48	2	Aquário	16h07	1º	19h54	2	Gêmeos	8h49
5	5h06	5	Peixes	5h12	4	12h43	4	Câncer	13h18
7	16h09	7	Áries	17h29	6	11h11	6	Leão	16h17
9	14h15	10	Touro	4h11	8	18h24	8	Virgem	18h46
12	6h32	12	Gêmeos	12h49	10	9h03	10	Libra	21h30
14	9h32	14	Câncer	18h50	12	12h16	13	Escorpião	1h04
16	15h04	16	Leão	21h58	14	16h47	15	Sagitário	6h04
18	12h20	18	Virgem	22h42	17	5h32	17	Capricórnio	13h14
20	12h23	20	Libra	22h29	19	8h20	19	Aquário	23h02
22	15h11	22	Escorpião	23h17	21	11h03	22	Peixes	11h03
24	23h25	25	Sagitário	3h07	24	20h11	24	Áries	23h39
26	23h38	27	Capricórnio	11h09	27	4h52	27	Touro	10h33
29	21h06	29	Aquário	22h47	29	15h39	29	Gêmeos	18h10

Último Aspecto		Entrada da Lua num Novo Signo		
Dia	Hora	Dia	Signo	Hora
Julho de 2019				
1º	18h49	1º	Câncer	22h25
3	11h26	4	Leão	0h20
5	3h26	6	Virgem	1h26
7	13h51	8	Libra	3h08
9	16h37	10	Escorpião	6h30
11	21h30	12	Sagitário	12h06
13	22h31	14	Capricórnio	20h06
16	18h39	17	Aquário	6h20
18	12h55	19	Peixes	18h20
22	5h35	22	Áries	7h03
24	11h49	24	Touro	18h43
27	1h29	27	Gêmeos	3h30
28	12h25	29	Câncer	8h32
31	0h34	31	Leão	10h19
Agosto de 2019				
1º	17h49	2	Virgem	10h22
4	1h28	4	Libra	10h31
6	4h37	6	Escorpião	12h33
8	11h59	8	Sagitário	17h36
10	16h52	11	Capricórnio	1h51
12	19h13	13	Aquário	12h37
15	22h03	16	Peixes	0h51
17	19h36	18	Áries	13h34
21	1h08	21	Touro	1h38
22	18h34	23	Gêmeos	11h35
25	4h00	25	Câncer	18h06
27	5h56	27	Leão	20h55
28	21h08	29	Virgem	20h58
31	5h47	31	Libra	20h09
Setembro de 2019				
2	5h35	2	Escorpião	20h36
4	7h59	5	Sagitário	0h09
6	13h04	7	Capricórnio	7h38
9	5h31	9	Aquário	18h25
11	2h24	12	Peixes	6h53
14	1h34	14	Áries	19h34
16	13h04	17	Touro	7h32
19	10h58	19	Gêmeos	17h59
21	23h42	22	Câncer	1h51
23	19h06	24	Leão	6h21
25	13h15	26	Virgem	7h38
28	0h59	28	Libra	7h04
29	23h07	30	Escorpião	6h43

Último Aspecto		Entrada da Lua num Novo Signo		
Dia	Hora	Dia	Signo	Hora
Outubro de 2019				
2	6h47	2	Sagitário	8h45
4	4h35	4	Capricórnio	14h44
6	20h27	7	Aquário	0h43
8	15h28	9	Peixes	13h06
11	6h56	12	Áries	1h47
13	19h00	14	Touro	13h25
16	5h39	16	Gêmeos	23h31
18	23h15	19	Câncer	7h44
21	9h40	21	Leão	13h30
23	6h15	23	Virgem	16h31
25	10h01	25	Libra	17h21
27	5h23	27	Escorpião	17h30
29	14h36	29	Sagitário	19h00
31	11h31	31	Capricórnio	23h39
Novembro de 2019				
3	2h48	3	Aquário	8h21
5	11h38	5	Peixes	20h09
7	22h14	8	Áries	8h50
10	11h02	10	Touro	20h19
12	12h49	13	Gêmeos	5h47
15	8h41	15	Câncer	13h16
17	17h16	17	Leão	18h58
19	18h12	19	Virgem	22h56
22	0h33	22	Libra	1h21
23	23h51	24	Escorpião	2h59
25	14h31	26	Sagitário	5h12
28	7h51	28	Capricórnio	9h34
30	0h58	30	Aquário	17h14
Dezembro de 2019				
2	9h28	3	Peixes	4h12
5	5h16	5	Áries	16h46
7	12h03	8	Touro	4h30
9	22h14	10	Gêmeos	13h48
12	2h13	12	Câncer	20h24
14	12h58	15	Leão	0h57
16	19h11	17	Virgem	4h17
19	5h08	19	Libra	7h06
21	8h47	21	Escorpião	9h58
23	0h28	23	Sagitário	13h35
25	8h19	25	Capricórnio	18h46
27	18h04	28	Aquário	2h22
30	7h25	30	Peixes	12h43

Tábua lunar em 2019

A tabela abaixo foi construída no fuso horário de Brasília.

Janeiro

Sagitário	6h00min do dia 2	Câncer	0h45min do dia 19
Capricórnio	15h56min do dia 4	Leão	0h56min do dia 21
Aquário	3h47min do dia 7	Virgem	0h23min do dia 23
Peixes	16h45min do dia 9	Libra	1h04min do dia 25
Áries	5h19min do dia 12	Escorpião	4h32min do dia 27
Touro	15h32min do dia 14	Sagitário	11h34min do dia 29
Gêmeos	22h01min do dia 16	Capricórnio	21h48min do dia 31

Fevereiro

Aquário	10h04min do dia 3	Leão	12h22min do dia 17
Peixes	23h03min do dia 5	Virgem	11h48min do dia 19
Áries	11h35min do dia 8	Libra	11h18min do dia 21
Touro	22h30min do dia 10	Escorpião	12h57min do dia 23
Gêmeos	6h33min do dia 13	Sagitário	18h21min do dia 25
Câncer	11h04min do dia 15	Capricórnio	3h49min do dia 28

Março

Aquário	16h07min do dia 2	Virgem	22h42min do dia 18
Peixes	5h12min do dia 5	Libra	22h29min do dia 20
Áries	17h29min do dia 7	Escorpião	23h17min do dia 22
Touro	4h11min do dia 10	Sagitário	3h07min do dia 25
Gêmeos	12h49min do dia 12	Capricórnio	11h09min do dia 27
Câncer	18h50min do dia 14	Aquário	22h47min do dia 29
Leão	21h58min do dia 16		

Abril

Peixes	11h49min do dia 1º	Libra	8h23min do dia 17
Áries	23h58min do dia 3	Escorpião	9h42min do dia 19
Touro	10h07min do dia 6	Sagitário	13h00min do dia 21
Gêmeos	18h16min do dia 8	Capricórnio	19h51min do dia 23
Câncer	0h32min do dia 11	Aquário	6h29min do dia 26
Leão	4h51min do dia 13	Peixes	19h13min do dia 28
Virgem	7h15min do dia 15		

Maio

Áries	7h25min do dia 1º	Escorpião	18h27min do dia 16
Touro	17h19min do dia 3	Sagitário	22h22min do dia 18
Gêmeos	0h41min do dia 6	Capricórnio	4h57min do dia 21
Câncer	6h08min do dia 8	Aquário	14h50min do dia 23
Leão	10h15min do dia 10	Peixes	3h09min do dia 26
Virgem	13h23min do dia 12	Áries	15h33min do dia 28
Libra	15h52min do dia 14	Touro	1h44min do dia 31

Junho

Gêmeos	8h49min do dia 2	Capricórnio	13h14min do dia 17
Câncer	13h18min do dia 4	Aquário	23h02min do dia 19
Leão	16h17min do dia 6	Peixes	11h03min do dia 22
Virgem	18h46min do dia 8	Áries	23h39min do dia 24
Libra	21h30min do dia 10	Touro	10h33min do dia 27
Escorpião	1h04min do dia 13	Gêmeos	18h10min do dia 29
Sagitário	6h04min do dia 15		

Julho

Câncer	22h25min do dia 1º	Aquário	6h20min do dia 17
Leão	0h20min do dia 4	Peixes	18h20min do dia 19
Virgem	1h26min do dia 6	Áries	7h03min do dia 22
Libra	3h08min do dia 8	Touro	18h43min do dia 24
Escorpião	6h30min do dia 10	Gêmeos	3h30min do dia 27
Sagitário	12h06min do dia 12	Câncer	8h32min do dia 29
Capricórnio	20h06min do dia 14	Leão	10h19min do dia 31

Agosto

Virgem	10h22min do dia 2	Áries	13h34min do dia 18
Libra	10h31min do dia 4	Touro	1h38min do dia 21
Escorpião	12h33min do dia 6	Gêmeos	11h35min do dia 23
Sagitário	17h36min do dia 8	Câncer	18h06min do dia 25
Capricórnio	1h51min do dia 11	Leão	20h55min do dia 27
Aquário	12h37min do dia 13	Virgem	20h58min do dia 29
Peixes	0h51min do dia 16	Libra	20h09min do dia 31

Setembro

Escorpião	20h36min do dia 2	Gêmeos	17h59min do dia 19
Sagitário	0h09min do dia 5	Câncer	1h51min do dia 22
Capricórnio	7h38min do dia 7	Leão	6h21min do dia 24
Aquário	18h25min do dia 9	Virgem	7h38min do dia 26
Peixes	6h53min do dia 12	Libra	7h04min do dia 28
Áries	19h34min do dia 14	Escorpião	6h43min do dia 30
Touro	7h32min do dia 17		

Outubro

Sagitário	8h45min do dia 2	Câncer	7h44min do dia 19
Capricórnio	14h44min do dia 4	Leão	13h30min do dia 21
Aquário	0h43min do dia 7	Virgem	16h31min do dia 23
Peixes	13h06min do dia 9	Libra	17h21min do dia 25
Áries	1h47min do dia 12	Escorpião	17h30min do dia 27
Touro	13h25min do dia 14	Sagitário	19h00min do dia 29
Gêmeos	23h31min do dia 16	Capricórnio	23h39min do dia 31

Novembro

Aquário	8h21min do dia 3	Virgem	22h56min do dia 19
Peixes	20h09min do dia 5	Libra	1h21min do dia 22
Áries	8h50min do dia 8	Escorpião	2h59min do dia 24
Touro	20h19min do dia 10	Sagitário	5h12min do dia 26
Gêmeos	5h47min do dia 13	Capricórnio	9h34min do dia 28
Câncer	13h16min do dia 15	Aquário	17h14min do dia 30
Leão	18h58min do dia 17		

Dezembro

Peixes	4h12min do dia 3	Libra	7h06min do dia 19
Áries	16h46min do dia 5	Escorpião	9h58min do dia 21
Touro	4h30min do dia 8	Sagitário	13h35min do dia 23
Gêmeos	13h48min do dia 10	Capricórnio	18h46min do dia 25
Câncer	20h24min do dia 12	Aquário	2h22min do dia 28
Leão	0h57min do dia 15	Peixes	12h43min do dia 30
Virgem	4h17min do dia 17		

As lunações e os trânsitos planetários em 2019

O movimento dos cinco planetas lentos (Júpiter, Saturno, Urano, Netuno e Plutão) através do zodíaco indica os ciclos planetários e as tendências das manifestações individuais e coletivas da humanidade. A interpretação astrológica dos trânsitos e dos aspectos dos planetas lentos, junto com a interpretação das lunações mensais, revelam as tendências de processos internos e externos e da mentalidade das pessoas durante o ano de 2019.

O movimento dos planetas lentos durante o ano de 2019

JÚPITER inicia o ano em movimento direto a 11°46' do signo de Sagitário. Entra em movimento retrógrado no dia 10 de abril, a 24°12' desse mesmo signo. No dia 11 de agosto, retoma o movimento direto a 14°30' de Sagitário e segue nesse signo até o dia 3 de dezembro, quando entra no signo de Capricórnio a 0°3'. Segue nele até o dia 31 de dezembro, terminando o ano de 2019 a 6°26' desse mesmo signo.

Júpiter em Sagitário fará quadratura com Netuno em Peixes durante o mês de janeiro. Esse mesmo aspecto se repete a partir do início de junho até a primeira semana de julho. Júpiter, já no início de Capricórnio, também fará trígono com Urano em Touro entre 10 e 22 de dezembro aproximadamente.

SATURNO inicia o ano a 11°22' de Capricórnio em movimento direto. No dia 29 de abril, passa a se movimentar de forma retrógrada a 20°31' do mesmo signo. No dia 18 de setembro, retoma o movimento direto a 13°54' de Capricórnio. Segue nele até o dia 31 de dezembro, terminando o ano a 21°16' desse mesmo signo.

Saturno em Capricórnio fará sextil com Netuno em Peixes em meados de janeiro, o qual se estenderá até o final do mês de fevereiro. O mesmo trânsito voltará na última semana de maio, indo até meados de julho. Voltará mais uma vez no início de outubro e se estenderá até o final do mês de novembro.

URANO inicia o ano a 28°36' de Áries em movimento retrógrado. No dia 6 de janeiro passa a se movimentar em movimento direto, a 28°36' desse signo. Segue nele até o dia 7 de março, quando entra no signo de Touro a 0°1'. Mantém-se nesse signo até o dia 11 de agosto, quando inicia o movimento retrógrado a 6°36' de Touro. Segue em movimento retrógrado até o final do ano, a 2°42' desse signo.

Urano fará trígono com Júpiter em Capricórnio no mês de dezembro.

NETUNO inicia o ano a 14°4' de Peixes em movimento direto. Segue nesse signo até o dia 21 de junho, quando entra em movimento retrógrado a 18°43'. No dia 27 de novembro, volta ao movimento direto a 15°55' desse signo, terminando o ano a 16°14' de Peixes.

Netuno fará quadratura com Júpiter em Sagitário no mês de janeiro, e esse mesmo aspecto voltará em junho, até o início de julho. Netuno fará também sextil com Saturno em Capricórnio em meados de janeiro até o final de fevereiro. Esse mesmo aspecto voltará no final de maio, estendendo-se até meados de julho. Teremos esse sextil mais uma vez no início do mês de outubro, terminando no final de novembro.

PLUTÃO inicia o ano a 20°35' de Capricórnio em movimento direto. Entrará no dia 24 de abril, a 23°9' desse mesmo signo, em movimento retrógrado. No dia 3 de outubro, a 20°38', retoma o movimento direto, terminando o ano a 22°21' de Capricórnio.

Interpretação do trânsito dos planetas lentos em 2019

A quadratura entre Júpiter em Sagitário e Netuno em Peixes indica um ciclo marcado por grandes questionamentos e críticas às ideologias políticas e aos valores religiosos da sociedade em geral. As decepções com os escândalos na vida política e a falta de transparência na administração da coisa pública são o ambiente propício para o surgimento de numerosos "salvadores da pátria", que canalizam os anseios e as altas expectativas da população, mas cujas promessas tendem a não se concretizar. Esse aspecto poderá indicar um recrudescimento do uso de drogas em geral, grandes dificuldades e déficits na saúde pública e no saneamento das cidades, e o possível retorno de epidemias. O

Estado deverá redobrar a atenção com a poluição crescente de rios, oceanos e da atmosfera, que também pode acarretar sérios problemas para a saúde dos cidadãos.

O trânsito positivo entre Saturno em Capricórnio e Netuno em Peixes é um ciclo que pode sinalizar um esforço consciente, racional e mais realista para que os ideais sociais da população sejam estruturados com mais seriedade em prol do cidadão comum. A sociedade civil está mais organizada, discutindo e exigindo ações que levem em conta as demandas reais das classes menos favorecidas. Há um processo de crescente amadurecimento e responsabilidade por parte de todos os que desejam contribuir de forma mais efetiva para o bem-estar comum. As demagogias e utopias típicas do populismo tendem a perder seu encanto e sua força. Esses dois trânsitos com Netuno se alternam durante o ano de 2019.

Júpiter entrará no signo de Capricórnio em dezembro, colocando em evidência a importância da ética e da responsabilidade social. Pode representar um ciclo de valores sociais mais austeros e rígidos, que priorizam o conservadorismo, a hierarquia e a ordem social, assim como a observância e o cumprimento das leis. Ainda nesse mês fará trígono com Urano em Touro, favorecendo o crescimento da economia e do poder aquisitivo da população. Os investimentos em infraestrutura tendem a crescer em vários setores, com a implementação mais acelerada de inovações tecnológicas. Entre elas, temos a robótica, os carros elétricos e as energias solar ou eólica, que apontam para o desejado desenvolvimento sustentável, com menos dependência de energias não renováveis como carvão ou petróleo.

As lunações de 2019 – Calculadas no fuso de Brasília (DF)

1ª LUNAÇÃO A primeira lunação do ano ocorrerá no dia 5 de janeiro, às 22h29, a 15°25' do signo de Capricórnio. Podemos observar um *stellium* marcante nesse mesmo signo, na casa IV da carta celeste. Esse posicionamento trará ênfase a assuntos relativos a bens imóveis e patrimoniais, e ao mercado imobiliário como um todo. Netuno está bem aspectado com o Sol, a Lua e Saturno, fato esse auspicioso para assuntos relacionados a saúde e diagnósticos; nesse contexto, temas relevantes podem ser debatidos e gerar resultados expressivos. A quadratura de Marte e Mercúrio, que é o regente do Ascendente da lunação, pode representar dificuldade com a comunicação, impetuosidade e intolerância nas palavras. Isso pode valer tanto para a vida pessoal quanto para o coletivo, por exemplo, nas redes sociais. Essa tensão é amenizada pelo trígono entre Urano e Mercúrio. Vale dizer que, em paralelo, haverá uma tendência para que se encontre uma conciliação, um senso comum, entre as partes divergentes.

2ª LUNAÇÃO A segunda lunação se dará no dia 4 de fevereiro, às 18h05, a 15°45' do signo de Aquário. Os luminares que estão ao lado de Mercúrio se encontram na casa das relações sociais e dos interesses voltados para o bem comum dos cidadãos. Esses planetas fazem um sextil com Júpiter em Sagitário, propiciando um ciclo de mais movimentação na vida social e artística. Tal tendência é corroborada pelo bom aspecto entre Urano e Vênus, que ocupa a quinta casa, associada às artes. Boas decisões e encaminhamentos jurídicos podem favorecer e impulsionar a área da educação. As produções literárias, os meios de comunicação e as viagens estarão favorecidos. Há nessa carta um aspecto tenso entre Plutão e Marte, que está no próprio signo. Podem surgir tensões diplomáticas ou ameaças, cujo resultado é difícil de prever. As universidades e os institutos de pesquisa devem reivindicar mais verbas e atenção do Estado.

3ª LUNAÇÃO A terceira lunação acontecerá no dia 6 de março, às 13h05, a 15°47' do signo de Peixes. O Sol, a Lua e Netuno, que é o regente da lunação, ocupam a nona casa da carta celeste. Eles fazem um sextil com Saturno em Capricórnio. Os temas do ciclo anterior, relacionados às instituições de ensino, ainda estão em pauta, havendo um grande esforço para que soluções estruturais e duradouras possam surgir. Nesse ciclo, Marte avançou para o signo de Touro e, ocupando a décima primeira casa, faz sextil com os luminares. Essa configuração sinaliza o surgimento de boas iniciativas e propostas dentro do Poder Legislativo para que tragam mais benefícios para a população. A imprensa, os meios de comunicação, o turismo local ou internacional devem ter bastante destaque nesse mês, com Mercúrio na cúspide da décima casa. Vênus e Urano estão em ângulo de tensão, evidenciando a necessidade de discernimento e cuidados maiores com investimentos de alto risco.

4ª LUNAÇÃO A quarta lunação vai ocorrer no dia 5 de abril, às 5h52, a 15°17' do signo de Áries. Temos no céu planetário Plutão e Saturno em Capricórnio, em harmonia com Mercúrio, o que representa a possibilidade de melhores resultados no comércio e boas notícias na área econômica. Excelente também para atividades intelectuais, para as escolas do Fundamental, para publicações literárias, aprendizado e intercâmbio de ideias. Isso tudo é fortalecido pela presença de Marte, que é o regente da lunação no signo de Gêmeos. A imagem do país pode ser projetada de forma mais positiva; todos parecem estar em busca de ações mais corajosas e realistas, tendo em vista a posição dos luminares, que ocupam a primeira casa da carta. Na vida pessoal, Mercúrio e Netuno na décima segunda casa indicam a necessidade de mais consciência e atenção com o excesso de álcool ao dirigir, e também com a automedicação.

5ª LUNAÇÃO No dia 4 de maio, às 19h47, teremos a quinta lunação do ano, a 14°11' do signo de Touro. Júpiter está na primeira casa em conjunção com o Ascendente e faz oposição a Marte. Divergências jurídicas podem ficar em evidência e mostram acentuada dificuldade para acordos que deixem as pessoas satisfeitas. Sem diplomacia nem concessões, não haverá soluções possíveis, e os impasses tendem a perdurar. Netuno e Marte em ângulo tenso indicam um ciclo de insatisfação e confusão em que mal-entendidos ou brigas acabam pautando a vida familiar. Mercúrio em tensão com Plutão está sinalizando dificuldades na vida econômica e financeira, motivadas por fatores externos e muito complexos. Deve-se evitar investimentos de alto risco, especulações e negócios que envolvam os bens patrimoniais. Por outro lado, Mercúrio, que está em Áries, faz um trígono com Júpiter, estimulando o intercâmbio intelectual, o turismo e viagens de longa distância, além de tudo o que possa ampliar o conhecimento e a vida cultural.

6ª LUNAÇÃO Teremos a sexta lunação às 7h03 do dia 3 de junho, a 12°34' do signo de Gêmeos. Vênus está no signo de Touro em bom ângulo com Saturno e Plutão, que estão localizados na oitava casa. Essa configuração pode sugerir melhoras estruturais na economia. Momento auspicioso também para o aumento de reservas ou investimentos no país, assim como para a exploração de minérios, petróleo ou outros recursos naturais. Por outro lado, os luminares estão na casa XII da carta, e essa posição pode indicar situações obscuras e difíceis na segurança e na saúde pública. A corrupção e a falta de transparência podem ser relacionadas a esses eventos planetários. Essa possibilidade também se reflete pelo aspecto tenso entre Netuno em Peixes e Júpiter em Sagitário. No plano individual, Marte no signo de Câncer aponta para maior movimentação dentro da vida familiar, encontros relevantes e iniciativas acertadas que serão úteis e trarão segurança para todos.

7ª LUNAÇÃO A sétima lunação acontecerá no dia 2 de julho, às 16h17, a 10°37' do signo de Câncer. O planeta Júpiter, que está no signo de Sagitário, encontra-se em conjunção com o Ascendente, em aspecto difícil com Netuno. Ainda poderemos nos deparar com notícias que destacam problemas com drogas e corrupção, o que trará muita insegurança à população em geral. Meias-verdades e situações nebulosas podem permear a vida política e o sistema judiciário. Urano está no signo de Touro, em aspectos dissonantes com Marte e Mercúrio em Leão, evidenciando possíveis divergências de opinião que podem incitar rupturas e atitudes violentas entre grupos sociais. Os luminares ocupam a sétima casa da carta, fazendo sextil com o Meio do Céu e sinalizando, por outro lado, a busca por soluções mais moderadas e factíveis para essa atmosfera de polarização social. Saturno e Plutão fazem sextil com Netuno, propiciando um ciclo favorável para investimentos no longo prazo, feitos com mais discernimento e responsabilidade.

8ª LUNAÇÃO Teremos a oitava lunação às 0h13 do dia 1º de agosto, a 8°37' do signo de Leão. O planeta Urano está próximo ao Ascendente da lunação, em ângulo difícil com o Sol, a Lua e Vênus, que, próximos a Marte, compõem um *stellium* nesse mesmo signo. Nesse momento, há uma força que pede mudanças que possam significar alguma forma de renovação no cotidiano das pessoas. No entanto, é possível prever uma grande resistência, devido a um espírito mais conservador que não deseja muitas novidades e, mesmo sob pressão, opta por ficar em sua zona de conforto. No plano individual, é possível observar uma tendência a rompimentos afetivos extremados, pela busca de padrões menos convencionais de relacionamento. Netuno em trígono com Mercúrio em Câncer tende a suavizar esses conflitos, permitindo um olhar mais amplo ou tolerante que contorne as arestas das divergências em geral.

9ª LUNAÇÃO No dia 28 de setembro, às 15h28, teremos a nova lunação do ano, a 5°20' do signo de Libra. Mercúrio, que também está nesse signo, faz um trígono com o Ascendente, representado na carta pelo signo de Aquário. A presença marcante do elemento Ar nessa lunação aponta para um ciclo de forte intercâmbio de ideias e propostas que promovam o conhecimento e a busca de soluções benéficas a toda a sociedade. Nesse sentido, os meios de comunicação e as redes sociais terão muita relevância. Marte na oitava casa, em bom aspecto com o Meio do Céu, pode trazer melhorias no desempenho da economia como um todo. Júpiter e Vênus se encontram em ângulo harmonioso entre si, sinalizando um momento de mais cooperação e boa vontade na diplomacia; bons acordos podem surgir para os setores de exportação e importação. Vênus em Libra privilegia a vida artística e cultural, seja com relação à dança, música, cinema, teatro ou artes plásticas.

10ª LUNAÇÃO A décima lunação ocorrerá no dia 28 de outubro, às 0h40, a 4°25' do signo de Escorpião. Os luminares se encontram em oposição a Urano, que é o regente do Meio do Céu da carta, e isso pode se manifestar em um conflito de interesses entre a população e seus dirigentes. O não cumprimento de reivindicações deixa um clima de revolta no ar. Marte está em ângulo difícil com Saturno na sexta casa, o que revela a ausência de soluções definitivas na área de saúde, assim como a crônica escassez de recursos nessa área. Por outro lado, Saturno faz um trígono com o Meio do Céu da lunação, o que deve significar um ciclo de maior consolidação da vida econômica do país, com destaque para a construção civil e o agronegócio. No plano individual, Mercúrio em conjunção com Vênus na quarta casa evidencia a possibilidade de convivência pacífica e alegre na vida familiar e doméstica.

11ª LUNAÇÃO No dia 26 de novembro teremos a décima primeira lunação, a 4°3' do signo de Sagitário, às 12h07. Sol e Lua ocupam a casa IX da carta, e esse posicionamento sinaliza maior interesse por temas relativos ao ensino superior, ao comércio internacional, ao Judiciário ou ao direito internacional. Urano no signo de Touro faz trígono com Júpiter e Vênus, que estão na casa X da lunação. Esse posicionamento ratifica essa tendência de interesses, uma vez que se relaciona à renovação de acordos na área diplomática. Essas novidades também podem reverberar positivamente nos indicadores da economia. No plano individual, Saturno e Mercúrio em harmonia, respectivamente em signos de Terra e Água, sugerem um momento positivo para o bom uso do pensamento lógico, a concentração de esforços, foco e perseverança naquilo que se pretende realizar, visando resultados de longo prazo.

12ª LUNAÇÃO A décima segunda lunação vai ocorrer a 4°6' do signo de Capricórnio, no dia 26 de dezembro, às 2h14. O Sol, a Lua e Júpiter ocupam a casa II da carta, mostrando a confirmação do ciclo de mais crescimento e produtividade na economia de forma geral. Os três planetas fazem um trígono com Urano, que está na sexta casa, e essa configuração indica um período auspicioso e oportuno para que sejam implementadas reformas mais estruturais na nação. Uma jurisprudência mais adequada às demandas sociais e acesso mais amplo à tecnologia de ponta no setor produtivo serão um passo decisivo para que a sociedade possa se desenvolver e crescer de maneira mais justa e confiante. Marte no signo de Escorpião, em sextil com Plutão em Capricórnio, traz mais energia de ação e o poder de transformar em um novo potencial de vida aquilo que antes estava superado ou estagnado.

ECLIPSES

Os eclipses – totais ou parciais – ocorrem duas vezes ao ano, na Lua nova e na Lua cheia, com 14 dias entre uma e outra. Em raras ocasiões, ocorrem três eclipses, o que nos tempos antigos era sinal de acontecimentos catastróficos. Durante os eclipses, a luz da consciência (o Sol) é bloqueada, permitindo que o subconsciente e as forças coletivas (a Lua) venham à tona, ou a consciência racional (o Sol) sobrepuje a irracional (a Lua). Assim, um eclipse pode ser o momento em que energias reprimidas irrompem com muita força, liberando atitudes arraigadas e karma, pessoal ou coletivo.

Um eclipse em conjunção com um planeta do mapa natal provoca questões e acontecimentos em torno desse planeta. A casa em que o eclipse ocorre também é significativa, assim como qualquer planeta em aspecto com ele e qualquer incidência do eclipse no ponto central entre dois planetas. Devido à distribuição dos eclipses pelos céus, algumas pessoas nunca têm a experiência do seu forte efeito sobre o mapa natal, enquanto outras são regularmente afetadas por ele. No entanto, o efeito coletivo é sentido por todo mundo.

— Extraído de *A Bíblia da Astrologia*, de Judy Hall, Ed. Pensamento.

Previsões para 2019 segundo a Numerologia

Os acontecimentos seguem um ritmo que não podemos influenciar: às vezes são positivos e tudo parece dar certo, às vezes são negativos e perdemos o foco. Mas sempre temos alguma opção para melhorar as coisas.

JANEIRO: A melhor opção é seguir sua intuição. Nem sempre os resultados são imediatos, mas, se se mantiver firme e souber esperar, com certeza os resultados virão.

FEVEREIRO: Continue sempre em frente, lembrando-se de que as melhores atividades são as artísticas, para as quais você tem muito talento. Sucesso na vida profissional e amorosa.

MARÇO: Analise os prós e os contras de qualquer projeto antes de participar dele. Nem sempre os prognósticos favoráveis se realizam, portanto, muita cautela.

ABRIL: Se trabalhar duro, colherá os frutos no longo prazo. Se puder contar com a sorte, o resultado será mais rápido. No entanto, não convém arriscar tudo em uma só cartada. Tenha paciência.

MAIO: Convém ser econômico, mas sem exageros. Se a vida lhe oferecer a oportunidade de uma grande viagem, entregue-se a ela sem se ater aos problemas financeiros. Depois você dará um jeito nisso.

JUNHO: Se tiver sorte, pode haver uma compensação financeira, mas não fique ansioso esperando por ela. Corra atrás de seus objetivos e surpreenda-se. Momentos agradáveis sucedem os difíceis.

JULHO: Não perca a esperança só porque as coisas não estão dando certo. A vida é assim, cheia de altos e baixos. Depois de uma fase ruim, a tendência é melhorar, e você ainda pode ter várias surpresas durante este ano.

AGOSTO: Continue pensando positivamente, mesmo diante das dificuldades. Ao menos sua vida amorosa vai de vento em popa, e esse é o fator que lhe dará fé para continuar em ação. O resultado será muito bem recompensado se mantiver a concentração e a calma.

SETEMBRO: Nem sempre é possível contar com a sorte. É preciso concentrar-se no trabalho e não esmorecer diante de pequenos obstáculos. Se se mantiver firme, os resultados virão.

OUTUBRO: Concentre-se em manter o equilíbrio em suas ações para que eventuais fracassos não interfiram no resultado final. Mantenha a calma e seja muito flexível; tudo ficará bem.

NOVEMBRO: Talvez você possa contar com um pouco de sorte e conseguir algum resultado financeiro. Então é preciso saber investir o que ganhou para fechar o ano com chave de ouro.

DEZEMBRO: É sempre interessante finalizar o ano mantendo viva a expectativa de um futuro melhor. Quem teve sorte em 2019 terá muitas chances de fazer algo positivo em 2020. Para aqueles que não foram tão afortunados, foco no trabalho, e o sucesso virá!

Os signos e a decoração

O local onde uma pessoa mora reflete a sua personalidade, seu gosto e a maneira como ela se sente confortável e segura. Neste artigo vamos ver como as características e tendências de cada um dos 12 signos estão relacionadas à decoração de sua casa.

Áries: A personalidade do ariano é marcada por forte presença de espírito, sinceridade e alegria de viver. Em sua casa, vamos sempre encontrar cores de tons quentes, como vermelho e bordô, tanto na sala de estar quanto no escritório ou nos quartos, pois os arianos gostam de expressar seu dinamismo em todos os ambientes. As tendências competitivas deste signo podem se traduzir na presença de uma mesa para jogos de cartas, de dardos ou mesmo de uma mesa de sinuca, de acordo com o espaço disponível. Eles amam carros em miniatura, isqueiros, canivetes, caixas de ferramentas. Seus móveis e enfeites podem ser feitos de metal ou aço. Dotados de muita energia vital, os nativos deste signo gostam de movimento, e não é surpresa terem uma área para musculação com equipamentos esportivos em sua casa. No jardim, será bem-vindo todo tipo de flor vermelha, como begônias, tulipas, antúrios e gerânios. As eritrinas e a espada-de-são-jorge também combinam com seu estilo direto, guerreiro e assertivo.

Touro: Amante da paz e do sossego, a casa do taurino em geral é acolhedora e bela. Mudanças não são seu forte, motivo pelo qual seu mobiliário é feito de madeira de qualidade, sólido e durável. Tudo é confortável e prático, e as poltronas e seu amado sofá são macios, tendo mesinhas laterais para colocar copos e lanchinhos enquanto assiste à TV. Suas cores preferidas são laranja, terracota e verde. Tecidos de qualidade são fundamentais para este tipo zodiacal, especialmente no quarto. A sala de jantar e a cozinha são seus lugares especiais. Amantes da boa gastronomia e comilões, os taurinos se deliciarão com uma cozinha bem aparelhada, para ali receber amigos, familiares e vizinhos. Apreciam utensílios feitos em cobre, cerâmica, madeira, além de uma geladeira sempre cheia de novidades e guloseimas. Eles amam a natureza e as flores de modo geral, e em seu jardim são comuns as rosas, azaleias e gérberas.

Gêmeos: O geminiano é inquieto e tem forte apreço por novidades. Em sua casa ou escritório muitas vezes encontramos móveis leves, modernos e funcionais, que possam ser movidos de lugar com rapidez e facilidade. Por isso adora cadeiras, aparadores e mesinhas que tenham rodízios. Curiosos e inteligentes, acumulam livros e revistas de todos os assuntos pela casa toda, que deve ter estantes variadas. Lá também estarão lembranças e fotos de suas viagens, além de brinquedos de quando era criança. Não dispensa seus joguinhos, quebra-cabeças, baralhos, revistas de palavras cruzadas e caixa de mágicas – sem falar, claro, nos artefatos eletrônicos, *video games*, *tablets*, celulares coloridos etc. Adora conversar, trocar ideias, ver TV e filmes de ação, romance ou ficção, pois tudo lhe interessa. Geminianos gostam de ambientes arejados e iluminados, com móbiles e luminárias de papel, enfeites de bambu e janelas grandes com cortinas claras. Suas cores preferidas são azul, branco e amarelo. As flores ou plantas que combinam com sua natureza versátil e jovial são orquídeas amarelas, íris, margaridas, alstroemérias, jasmim, as avencas e os bambus.

Câncer: Um canceriano que se preze adora receber amigos e familiares em sua casa, que mais parece um ninho aconchegante. Sua sala de estar deve ser um verdadeiro "colo de mãe", onde vemos sofás e poltronas antigas, almofadas por toda parte e um tapete bem macio. Suas cores prediletas são o rosa, o verde-claro e o prateado, além de todos os tons pastel. Câncer é um signo familiar que reverencia seus antepassados. Assim, estarão na sala, no quarto e no escritório porta-retratos ou álbuns com fotos de seus avós, e objetos que pertenceram às gerações anteriores: louças, vasos, quadros, enfeites etc. Seu sonho é ter uma lareira para acender nas noites frias do inverno, aconchegar-se com entes queridos e um bom vinho.

A iluminação certamente será indireta e lateral, feita por abajures mais clássicos ou tradicionais, que dão um colorido mais feminino ao ambiente. As velas também fazem parte da decoração cotidiana ou de um clima mais romântico para ocasiões especiais. Livros de história, antropologia ou fotografias do passado na sala de estar revelam suas referências estéticas e emocionais. Na casa ou no jardim, os cancerianos apreciam lírios-brancos, jasmins, rosas brancas e copos-de-leite, e, se possível, ao lado de fontes com água corrente, feitas de bambu, conchas e pedrinhas delicadas.

Leão: Para um leonino, que gosta de pompa e circunstância, nada melhor do que ter e decorar uma casa que brilhe tanto quanto ele. Em seu generoso e arrebatado coração, cabe todo mundo. Assim, sua casa, que deverá ser espaçosa e acolhedora, terá antes de tudo estilo, pois a vida sem glamour e festas não combina com sua personalidade fogosa. Seu mobiliário é vistoso ou até espalhafatoso, com mesas, sofás e poltronas grandes e entalhadas. As almofadas têm sempre um quê de realeza, com brilhos ou brocados. Enfeites dourados, brasões, obras de arte exclusivas e assinadas, e espelhos de cristal sofisticados combinam com seu orgulho e vaidade. Belas fotos de artistas de cinema e teatro podem decorar tanto seu quarto quanto o escritório. Não se surpreenda se o seu banheiro tiver um jeito de camarim de artista, repleto de luzes, perfumes e maquiagem, uma vez que é lá que ele tem seu momento "celebridade" quando vai sair para algum evento ou festa. Piscinas em dias ensolarados combinam muito bem com a natureza expansiva e calorosa dos leoninos. Suas flores preferidas são as orquídeas amarelas como a chuva-de-ouro, acácias, amarílis e girassóis.

Virgem: A casa de um virginiano típico é sobretudo funcional e organizada. A questão estética dificilmente vai prevalecer na decoração, uma vez que para ele a beleza está sempre relacionada à ordem e praticidade dos diversos elementos. Ele prefere cores neutras, o algodão, as fibras naturais ou rústicas em tapetes e cortinas, e os móveis são preferencialmente de madeira crua. As estantes são seu ponto fraco, onde ele guarda ou coleciona caixas de todos os tipos e tamanhos, sejam elas de cerâmica, louça ou metal, e que estarão em todos os lugares, inclusive no banheiro e na cozinha. Detalhista ao extremo, tudo em sua casa tem um toque de delicadeza e simplicidade que encanta a todos. Adora coleção de miniaturas, artigos de papelaria, pastas, lápis de cor, linhas e sachês perfumados nas gavetas. A marcenaria, a tapeçaria e o artesanato em geral o encantam. Esse tipo zodiacal sempre terá um cantinho na casa, uma mesa ou gaveta para guardar contas e documentos, tudo certamente muito bem organizado. Virginianos amam a natureza, apreciam plantas e flores e com frequência têm uma horta com ervas aromáticas em sua casa, sítio ou apartamento.

Libra: O famoso senso estético do libriano em geral pode ser observado logo no *hall* de entrada da casa: um aparador com um arranjo floral e um quadro ali estão para agradar os olhos dos visitantes. Esse tipo zodiacal sabe embelezar e harmonizar os diversos elementos de sua casa como ninguém. Em geral, prefere os tons claros de rosa, verde e azul, que estarão presentes na sala, nos quartos, na cozinha ou no banheiro. Sua noção de equilíbrio e bom gosto traduz-se em belas cortinas e almofadas, cadeiras macias, estatuetas, cabides, vasos, que serão um verdadeiro convite ao bem-estar e conforto. O libriano tem preferência por acessórios mais clássicos e delicados que se harmonizam entre si, seja em relação a forma, equilíbrio ou cor. Em sua sala de visitas ou escritório, sempre veremos quadros, fotografias, objetos, ikebanas, ou livros de arte, que representam muito bem a estética libriana. No zodíaco, esse signo simboliza os relacionamentos, as parcerias e a vida a dois de um casal. Essa preferência estará nos detalhes e enfeites dispostos em dupla em sua casa, como candelabros, estatuetas, vasos ou cabides. Librianos gostam de sua varanda ventilada e florida, especialmente quando os passarinhos nela vêm pousar para se alimentar.

Escorpião: O escorpiano não gosta de nada que seja muito óbvio ou racional. Prefere preservar sua intimidade com uma decoração um tanto quanto enigmática, que tem um certo ar de mistério e que possa surpreender a todos. Na sala de estar, móveis e tapetes podem ter tons bordô, púrpura ou preto. As estampas que mais satisfazem seu gosto pelo exótico em geral evocam peles de animais selvagens como onça, zebra ou cobras. As persianas podem ser escuras, de acordo com sua natureza mais introspectiva. Objetos e fotos eróticas e provocativas podem ser encontrados tanto em seu banheiro como no quarto. Os escorpianos nunca vão admitir que têm medo ou são supersticiosos. No entanto, gostam de ter talismãs como olho grego ou cristais espalhados estrategicamente pela casa, para assim atrair sorte ou afastar o mau-olhado. Amam objetos raros e valiosos, mas que não significam ostentação material. Esse tipo zodiacal prefere manter gavetas ou baús trancados, pois é ali que guardam seus segredos inconfessáveis.

Sagitário: A natureza vibrante e generosa do sagitariano sempre encontra paralelo com os espaços amplos e arejados de sua casa. Janelas ou varandas devem ser grandes, pois seu espírito inquieto prefere paisagens, luz e movimento. Amante da cultura e das viagens longas, adora decorar sua casa com objetos refinados de outros países, livros de arte ou de filosofia, CDs e quadros modernos. Se o sagitariano for mais voltado para a vida mística ou espiritual, é provável que tenha uma sala para estudar ou meditar, com imagens sagradas ou lembranças de seus mestres que vivem a longa distância. Este tipo zodiacal adora aventuras e admira os grandes esportistas, não raro colecionando seus prêmios ou fotografias, que decoram seu quarto ou escritório. Bicicletas, *skates*, jogo de dardos, pranchas de surfe e esteiras ergométricas são para ele elementos de decoração, que podem se encontrar no quarto, na sala ou no quintal de casa. O turquesa, o azul-cobalto e o amarelo são as cores que bem definem sua vitalidade e intensidade. As flores deste signo são orquídeas amarelas, íris e gérberas.

Capricórnio: Capricórnio é o signo regido por Saturno, o senhor do tempo, das estruturas sólidas e das realizações. Este tipo zodiacal gosta de tudo o que é seguro e durável, e assim sua personalidade também está presente na maneira como organiza e decora sua casa. As madeiras de lei são suas opções para o mobiliário, ainda que sejam muito caras. Mesmo assim, o capricorniano gosta de garimpar objetos e móveis usados em obras de demolição para depois restaurá-los. As cores presentes em sua casa serão de preferência neutras ou escuras, e o ambiente tende a ser clássico e formal, dada sua natureza mais conservadora. Como não gosta de muita mudança nem de consumo excessivo, vai cuidar muito bem daquilo que lhe pertence. É comum encontrarmos em seu lar porta-guarda-chuvas, óculos ou chapéus antigos, relógios de todos os tipos, livros, poltronas, peças em couro ou metal que foram de seus antepassados. Estantes para livros e escrivaninhas antigas combinam com a natureza pragmática e racional deste signo, que gosta de tudo bem-arrumado e guardado no devido lugar.

Aquário: Na casa de um aquariano típico você pode encontrar um ambiente arejado, futurista e extravagante. Amante de novidades e da tecnologia, ele sempre terá um bom arsenal de *video games*, aparelhos eletrônicos para ouvir música e um *home theater* para se divertir com seus documentários ou filmes prediletos, sejam de ficção, astronomia ou de conquistas espaciais, e de preferência na companhia dos seus vários amigos, pois não gosta de ficar sozinho. Este tipo zodiacal aprecia casas ventiladas com pé-direito alto, cozinhas americanas, escadas e mezaninos. Os móveis devem ser leves para serem mudados de lugar, além de joviais, coloridos e modernos. As luminárias podem ser de vidro, metal ou articuláveis, e os quadros podem estar tanto na sala quanto no banheiro. Objetos antigos se harmonizam com objetos contemporâneos, uma vez que um aquariano não gosta de seguir nenhuma moda ou tendência. Na verdade, ele gosta mesmo é de excentricidades. Como o aquariano gosta de todas as cores, seu modo de decorar é mais livre e criativo; o equilíbrio de formas não é exatamente seu forte.

Peixes: A decoração da casa de um pisciano é feita de elementos que tragam sensações ou fantasias prazerosas. A estabilidade ou a solidez das coisas não são exatamente sua especialidade, e os móveis podem ser reformados ou trocados com muita facilidade. O último signo zodiacal possui uma índole flexível, emotiva e muitas vezes nostálgica, o que o torna sempre interessado em procurar objetos, úteis ou inúteis, em feiras de antiguidades. Portanto, a mobília de sua casa não precisa ser funcional, embora o senso estético do pisciano seja etéreo e delicado. Ele adora cortinas esvoaçantes ou de miçangas multicoloridas, xales jogados sobre o sofá e móbiles de cristal que brilhem à luz do sol. É apaixonado por TV e filmes antigos, o que pode facilmente transformar sua sala de estar ou quarto em um cinema particular. Amante da boa música, pode decorar a casa com instrumentos musicais, como um piano, um violão ou mesmo uma vitrola que não funcione mais. Sua natureza mística aprecia os incensos, cristais de quartzo violeta ou rosa, aromatizadores, imagens sagradas de todas as religiões. Flores de lavanda e as delicadas violetas nunca podem faltar no ambiente ideal dos sonhadores e românticos piscianos.

– Tereza Kawall

COMO USAR OS ÓLEOS ESSENCIAIS PARA A SAÚDE, A BELEZA E O BEM-ESTAR

CAMOMILA-ROMANA
A infusão de camomila é usada desde a Antiguidade para aliviar mal-estares digestivos, erupções de pele, insônia e dores de cabeça.

Propriedades terapêuticas
Analgésico, antialérgico, anti-inflamatório, antiflogístico, antisséptico, antiespasmódico, antiviral, carminativo, colagogo, cicatrizante, digestivo, diurético, emenagogo, febrífugo, hepático, nervino, sedativo, estomáquico, sudorífico e vulnerário.

TANGERINA
O óleo de tangerina é um dos mais seguros e pode ser usado por toda a família. Empregue-o para acalmar a mente hiperativa e promover um sono restaurador.

Propriedades terapêuticas
Antidepressivo, antiespasmódico, anti-inflamatório, antioxidante, antisséptico, calmante, carminativo, colagogo, depurativo, digestivo, diurético, sedativo e tônico.

ALECRIM
O alecrim é uma erva aromática popular e vem sendo amplamente usado na alimentação e na medicina há milhares de anos.

Propriedades terapêuticas
Adstringente, analgésico, antidepressivo, antiespasmódico, antisséptico, carminativo, cefálico, colagogo, digestivo, diurético, emenagogo, estimulante, hepático, hipertensivo, nervino, rubefaciente, sudorífico e tônico.

– Extraído de *O Guia Completo de Óleos Essenciais*, Gill Farrer-Halls, Ed. Pensamento.

A criança e os quatro elementos da Astrologia

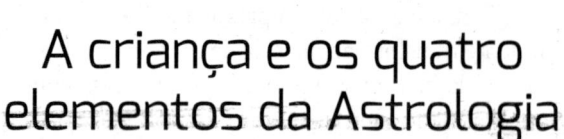

Tudo no Universo é energia. Todos sabemos o que é a energia do amor, de um dia quente e ensolarado, de uma noite bem-dormida. Isso sem falar nas energias solar, eólica, elétrica; na energia proveniente dos alimentos; no *yin* e *yang* da medicina chinesa; e na energia dos sete chakras em nosso corpo. Tudo o que é vivo possui tipos específicos de energia.

Neste artigo, vamos investigar a natureza dos quatro elementos da Astrologia e o que há de particular em cada um deles, sempre lembrando que formam a base de todas as estruturas materiais do Universo criado. São eles: Terra, Fogo, Água e Ar.

A premissa astrológica é de que a criança, ao nascer e respirar pela primeira vez, está em sintonia com a qualidade da energia cósmica presente no céu naquele momento. O céu e a criança comungam a mesma energia. Desta forma, o mapa natal é a fotografia do céu planetário no exato instante em que alguém nasce. O signo solar, o lunar e o Ascendente compõem a estrutura básica desse padrão energético primordial, assim como a posição dos demais planetas e a ênfase maior ou menor dos quatro elementos.

De modo sucinto, o que são os quatro elementos, tanto do ponto de vista simbólico quanto do energético?

Terra: representa o mundo das formas, segurança, controle, cautela, determinação, solidez, praticidade, pragmatismo, confiança, perseverança, paciência, lentidão, retenção, mundo físico, resistência, persistência, os cinco sentidos. Os três signos deste elemento são: Touro, Virgem e Capricórnio.

Fogo: representa a energia vital, calor, alegria de viver, autoafirmação, autoconfiança, aspirações, expansão, ideais, emoções, o futuro, orgulho, desejo de autorreconhecimento, o que é espontâneo, entusiasmo, excessos, vaidade. Os três signos deste elemento são: Áries, Leão e Sagitário.

Água: representa os sentimentos, subjetividade, intimidade, sensibilidade psíquica, o passado, introspecção, fantasia e imaginação, autoproteção, profundidade, vulnerabilidade e empatia. Os três signos deste elemento são: Câncer, Escorpião e Peixes.

Ar: representa o pensamento, a comunicação, o aprendizado, o mundo das ideias e das teorias, a linguagem, a lógica, os movimentos, a leveza, a vida social, a curiosidade, a imparcialidade, a flexibilidade, a adaptação e o mundo abstrato. Os três signos deste elemento são: Gêmeos, Libra e Aquário.

As crianças estão naturalmente em contato com suas necessidades e motivações básicas, ainda que de forma pouco consciente. No entanto, reagem sempre de modo positivo e criativo aos estímulos externos, em especial quando estes são compatíveis com sua "energia" essencial, que podemos observar em sua carta de nascimento. As brincadeiras sempre foram uma forma especial de aprendizado e interação delas com o mundo. Vejamos assim como cada criança, de acordo com o elemento predominante em seu mapa astrológico de nascimento, pode sentir-se mais harmonizada e feliz com atividades lúdicas correspondentes a ele.

As crianças com ênfase no elemento Terra podem e devem ser estimuladas com atividades desse elemento, tais como brincar com terra ou argila, cavar buracos, moldar formas e, assim, liberar sua criatividade. Geralmente apreciam observar pequenos insetos como formigas, abelhas e besouros, bem como andar descalças na grama ou na areia, ou mesmo subir em árvores. Podem gostar de conchas, sementes, cristais, pinhas, pedras, fazer coleções de tudo o que gostam. Apreciam cuidar de animais de estimação. É importante se sentirem responsáveis por si próprias em relação à comida, ao banho etc. A Terra é um elemento que remete à ideia de raiz, de tudo o que é básico, e crianças gostam da rotina e do que já é conhecido. Elas podem também ter gosto por cozinhar, fazer pão, confeccionar artesanato ou desenvolver algum tipo de habilidade manual.

Crianças com ênfase no elemento Fogo gostam de atividades que envolvam ação e desafios, pois esse elemento pressupõe dinamismo, força e extroversão. Dessa forma, as atividades ao ar livre são fundamentais para seu desenvolvimento físico e psíquico. Podem, com orientação e cuidado, brincar com velas e com a sua luz fazer imagens de sombras projetadas nas paredes. Festas juninas com lanternas, jogos, danças, fantasias e fogueiras são especiais para elas. Gostam de apresentações, teatro e palco, de chamar a atenção e, claro, receber elogios pelo seu desempenho. São fantasiosas e dramáticas, apreciam os excessos, e a rotina não é exatamente o forte delas. Dada a sua criatividade, as crianças do elemento Fogo não gostam de ser privadas de sua liberdade, e segurança em demasia não as deixa muito felizes.

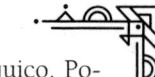

Crianças com ênfase no elemento Água ficam felizes quando podem brincar com seu elemento livremente. Qual o bebê que não aprecia a folia na hora do banho? Em casa, crianças com essa natureza podem ser estimuladas a lavar seus brinquedos em tigelas e bacias, brincar com esguichos, regar as plantas. Um banho de espuma na banheira será seu deleite. O contato com o mar, cachoeiras e rios pode ter efeito bastante salutar, bem como ouvir o barulho deles, observar o vai e vem das ondas, contemplar a correnteza das águas passando pelas pedras. Um banho de chuva, sentir a grama ou a terra molhadas, enfiar os pés ou se lambuzar na lama serão sempre uma festa para elas. A índole dessas crianças é delicada, introspectiva e, por vezes, arredia. É comum precisarem de um pouco de solidão ou silêncio e todo esforço no sentido contrário pode deixá-las muito contrariadas. Crianças com essas características do elemento Água também são empáticas e amorosas, e gostam de ajudar as outras e cuidar de crianças menores, ou então de filhotes de animais.

Crianças com ênfase no elemento Ar adoram se comunicar, aprender e são socialmente as mais adaptáveis. Também se sentem bem ao ar livre, onde podem correr, caminhar, jogar bola, pois os exercícios aeróbicos, como correr e saltar, combinam com sua natureza inquieta. Amam suas bicicletas, patinetes e **skates**; o movimento rápido é sempre um desafio a ser vencido. Encantam-se com bolhas de sabão, que voam de lá para cá, e com pipas e birutas, que precisam do vento para subir. Podem gostar muito de olhar para o céu e fantasiar com as formas das nuvens. Todas as atividades lúdicas que estimulem seu intelecto são prazerosas, como montar quebra-cabeças e jogos de encaixe. Gostam de ler, ouvir histórias em grupo e trocar ideias com todos, pois sua curiosidade parece não ter fim.

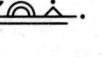

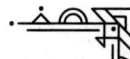

Nossos tempos modernos vêm substituindo as brincadeiras de infância, que agora perdem para *video games*, celulares e brinquedos eletrônicos em geral. Já existem estudos que comprovam que a criança privada da proximidade com a natureza torna-se estressada, hiperativa, ansiosa e menos feliz. Pesquisadores desses sintomas já perceberam que aquilo que é comumente entendido ou diagnosticado como déficit de atenção é, na verdade, um "déficit de natureza".

Estar em contato com os espaços verdes da natureza é sempre pacificador, uma vez que promove a saúde emocional e física da criança, e sua capacidade de fantasiar e participar, com seu próprio corpo de várias atividades prazerosas que estimulam os cinco sentidos e seu desenvolvimento como um todo. Isso sem mencionar a sensível melhora na questão da convivência humana, tanto no âmbito familiar quanto no social.

Já é tempo de as crianças estarem em harmonia consigo mesmas, de vivenciarem mais atividades que são compatíveis com sua individualidade astrológica, e com a energia presente no meio natural. Afinal, a criança é natureza em estado puro!

– **Tereza Kawall**

SPRAY REPELENTE DE INSETOS

Este spray é especialmente eficaz contra pernilongos.

A citronela contribui com uma nota fresca de limão, complementando a pungência do eucalipto. Aplique o spray no corpo, nas vestes e nas roupas de cama. Aplique diretamente sobre a pele (exceto no rosto) e borrife o quarto e a cama à noite, quando os pernilongos estão ativos. Reaplique sempre que necessário.

Você vai precisar de:

• 1 frasco borrifador de vidro escuro de 100 ml • 1 colher (sopa) de álcool para perfumaria • 20 gotas de óleo essencial de eucalipto globulus • 20 gotas de óleo essencial de citronela • 90 ml de hamamélis líquida

1. Meça o álcool para perfumaria e despeje num frasco de vidro. Acrescente os óleos essenciais e mexa bem para dissolver.
2. Despeje no frasco, complete com hamamélis e agite suavemente. Coloque um rótulo no frasco, especificando os ingredientes, as quantidades e a data.

– Extraído de *O Guia Completo de Óleos Essenciais*, de Gill Farrer-Halls, Ed. Pensamento.

Os signos e os cristais

- **Áries:**
  Hematita – circulação sanguínea, purificação.
  Cornalina – ação.

- **Touro:**
  Quartzo-rosa – autoestima, dissolução de mágoas e amor.

- **Gêmeos:**
  Cianita – comunicação.
  Crisocola – expressão da verdade individual.

- **Câncer:**
  Rodocrosita – contato e harmonia das emoções.

- **Leão:**
  Citrino – autoconfiança, energia e atração física.

- **Virgem:**
  Amazonita – aperfeiçoamento da expressão pessoal, organização.

- **Libra:**
  Turmalina rosa – expressão do amor à vida por meio do ato de compartilhar.

- **Escorpião:**
  Quartzo enfumaçado – equilíbrio do espírito na terra.
  Granada – transformação.

- **Sagitário:**
  Sodalita – expansão e compreensão do ser em relação ao universo.

- **Capricórnio:**
  Turmalina verde – favorece o fortalecimento físico.
  Malaquita – responsabilidade e equilíbrio pessoal.

- **Aquário:**
  Água-marinha – expressão das verdades universais.

- **Peixes:**
  Ametista – intuição, meditação e espiritualidade.
  Fluorita – organização da mente para o trabalho intelectual.

O quartzo transparente é um amplificador energético por natureza e excelência. É um poderoso instrumento para a harmonização e a cura, tanto pessoal quanto do ambiente, e pode ser usado como "curinga" para todos os signos. Tenha sempre cuidado com a limpeza, a energização e a programação dos cristais.

Previsões astrológicas por signo em 2019

A seguir você encontrará as características de cada um dos doze signos do Zodíaco e também as previsões astrológicas para cada um deles.

Até a edição de 2015, optamos por usar o cálculo das lunações, que é feito no dia da Lua Nova, quando o Sol e a Lua se encontram no mesmo grau de um mesmo signo. A lunação permite uma visão mais geral do mês, que é justamente um ciclo inteiro da relação entre o Sol e a Lua. A partir de 2016, optamos por fazer as previsões mensais divididas em ciclos de dez em dez dias, o que também permite uma orientação mais detalhada.

Em trinta dias há toda uma movimentação planetária, em especial dos planetas mais rápidos, que será levada em conta para facilitar a compreensão do leitor. Em resumo, as duas técnicas de interpretação, trânsitos e lunações estão sendo analisadas em paralelo, mas a forma de apresentação ficará diferente. Vale salientar que essas precisões são de caráter genérico e que informações de âmbito individual exigem a elaboração de um horóscopo personalizado.

Esse fato faz com que as interpretações aqui expostas e as do *Guia Astral* por vezes pareçam contraditórias entre si; no entanto, elas são complementares.

AQUÁRIO
De 21 de janeiro a 19 de fevereiro
Signo de Ar, regido por Urano e Saturno

CARÁTER: A independência dos aquarianos está intimamente associada ao seu comportamento pouco convencional. Seu arraigado senso de justiça e integridade pode levá-lo a atitudes extremadas, de rebeldia e inconformismo. Idealista ao extremo e altruísta, é considerado por muitos como o "grande" amigo, pois é solidário e prestativo. Por ter uma mente aberta, prefere não julgar ou não interferir na vida alheia, respeitando as opiniões diferentes. Seus ideais visionários estão além de seu tempo, e por vezes se sente solitário ou incompreendido. É considerado um tipo excêntrico, tanto na forma de ser como na de pensar ou agir. Sua independência e imprevisibilidade são suas marcas registradas, adora vestir sua própria moda, não é seguidor dos aspectos convencionais da cultura. PERSONALIDADES DESTE SIGNO: James Dean, Yoko Ono, Christiane Torloni, John Travolta, Fernando Gabeira, Neymar, Djavan, Maitê Proença, Marília Pêra, Oprah Winfrey.

PROFISSÃO: Possui grande interesse pela tecnologia em geral, assim como na pesquisa científica, robótica e invenções futuristas. Tem êxito em ações sociais, e facilmente exerce liderança em grupos, comunidades, o que o leva a buscar atividades em clubes, organizações do terceiro setor. As áreas das ciências sociais, da política e da educação são adequadas ao espírito aquariano. É extremamente preocupado e engajado com as ações solidárias, a economia sustentável, projetos voltados para o futuro, e tudo aquilo que promove o aperfeiçoamento e a evolução humana. PROFISSÕES INDICADAS: astrólogo, astrônomo, crítico literário, piloto de avião, cientista, especialista em tecnologia de informação, filósofo.

AMOR: Sempre reconhecido por sua inteligência e ambições intelectuais, o aquariano é conhecido por sua dificuldade com o mundo da alma e das emoções. Sua sensibilidade está mais voltada para todos os seres humanos, e as demandas das relações íntimas são por vezes ameaçadoras. Tem dificuldade para entrar em contato com seus desejos mais intrínsecos. Mas o aquariano é um amante fiel, que se deixa arrebatar por grandes ou pequenos gestos. Com o passar do tempo ele tende a perceber que seus grandes sonhos humanitários começam dentro de sua própria casa!

SAÚDE: As áreas sensíveis deste signo são os sistemas circulatório e vascular, a coluna vertebral, a panturrilha e os tornozelos. O aquariano é um tipo inquieto e agitado, precisando sempre amenizar o sistema nervoso; práticas de relaxamento e meditativas podem auxiliar muito em suas crises de insônia e ansiedade. Deve ficar mais atento a uma rotina de atividades físicas, e se alimentar com regularidade, pois a disciplina está longe de ser o seu forte.

Previsões para os aquarianos em 2019

De 1º a 10 de janeiro: Este ano começa com um convite à introspecção, durante o qual é oportuno você ficar mais em silêncio ou fazer boas leituras. Naturalmente, isso não significa só solidão, mas sim a companhia de pessoas com quem possa trocar ideias e sentimentos mais íntimos.

De 11 a 20 de janeiro: Neste ciclo, você já pode estar mais extrovertido, e as demandas sociais serão maiores. Vênus em bom aspecto com

Marte em Áries traz à tona seu lado conquistador e romântico; é chegada a hora de aceitar ou fazer um convite a alguém que vem deixando de lado.

De 21 a 31 de janeiro: Júpiter está agora na casa dos amigos. Excelente para prospectar seus planos e ideais coletivos no ano que se inicia. Procure parcerias com pessoas que estejam afinadas com suas ideias. Favorável para viagens rápidas que incluam caminhadas ou aventuras.

De 1º a 10 de fevereiro: Sol e Mercúrio em Aquário expandem sua natureza humanitária e idealista, que gosta de promover o bem-estar coletivo. A interação em redes sociais pode trazer bons retornos em relação ao que deseja divulgar ou vender.

De 11 a 20 de fevereiro: Nada como impulsionar o início do ano com a conjunção entre Marte e Urano, seu regente solar. Sua mente está a mil por hora; você quer abraçar o mundo com seus planos e propósitos mais universais, renovando-se por meio de diálogos inteligentes!

De 21 a 28 de fevereiro: Período favorável para organizar a vida doméstica e financeira. Será interessante dar uma geral em documentos e roupas, atraindo assim uma energia de renovação e prosperidade. Os contatos familiares estão muito favorecidos.

De 1º a 10 de março: É possível que esteja mais predisposto à intolerância e à falta de paciência com aquilo que não está de acordo com seu ritmo pessoal. Vá resolvendo uma coisa por vez, sem atropelar ninguém. Criar uma agenda positiva é bom, mas imprevistos sempre acontecem.

De 11 a 20 de março: Mercúrio faz bons aspectos com Plutão e Marte, o que dinamizará sua comunicação e a capacidade de atuar com mais assertividade. Seu talento empreendedor aparece com força, e os resultados podem ser surpreendentes!

De 21 a 31 de março: O Sol em Áries continuará estimulando sua habilidade de expressão, seja na escrita ou na fala. Use os meios de comunicação, como as redes sociais, para debater suas ideias e valores, se precisar. Ótimo para estudar e viajar.

De 1º a 10 de abril: Netuno e Mercúrio estão em conjunção no signo de Peixes e tendem a deixá-lo mais sensível e fantasioso. As atividades que envolvem a imaginação, como música, fotografia, desenho, artes visuais em geral, estão muito favorecidas!

De 11 a 20 de abril: Neste ciclo há uma forte tendência para divergências de pontos de vista, discursos acalorados sobre ética e juízos de valor. O importante agora não é "ganhar" a discussão, como se estivesse em uma disputa, e sim saber conviver com o que é diferente.

De 21 a 30 de abril: Questões familiares podem se impor com certa urgência, e talvez você precise fazer alguma mudança de imprevisto. A vida está exigindo desapego e renovação; não fique batendo cabeça, tente se adaptar e seguir em frente.

De 1º a 10 de maio: Caso você tenha pendências jurídicas, este não é o melhor momento para decisões ou acordos. Se puder adiar datas, tanto melhor. As contrariedades tendem a minar seu bom humor; o jogo de cintura agora é opcional e bem-vindo.

De 11 a 20 de maio: Pendências ou contratempos familiares estão propensos a ser solucionados de forma mais madura. Seu pragmatismo e sua objetividade serão fundamentais para que ninguém se sinta desconfortável ou desprotegido.

De 21 a 31 de maio: Marte em sextil com Urano avisa que já passou da hora de você começar sua rotina de exercícios físicos. O cansaço crônico, tão comum em nossos dias, pode e deve ser equilibrado com atividades corporais regulares; mexa-se!

De 1º a 10 de junho: Júpiter em quadrante com Netuno no céu sinaliza que é necessário ter cautela com assuntos financeiros. Não é hora de fazer gastos supérfluos e sem necessidade. Decepções ou mal-entendidos com amigos ou colegas precisam ser logo esclarecidos.

De 11 a 20 de junho: Nesta fase pode surgir certa sobrecarga de trabalho que o deixará preocupado ou tenso. Talvez você precise pedir algum tipo de ajuda; nesse caso, deixe o orgulho de lado. Uma dose de humildade nunca fez mal a ninguém, pelo contrário.

De 21 a 30 de junho: Este é um período romântico em que você pode se encantar por alguém. No entanto, será conveniente tomar cuidado com sonhos mirabolantes e irreais. Contos de fadas só existem nos livros e no cinema.

De 1º a 10 de julho: Mercúrio e Marte adentram o signo de Leão, incrementando seus contatos sociais e a vontade de compartilhar experiências pessoais ou intelectuais. Você pode exercer mais poder de atração, mesmo sem perceber!

De 11 a 20 de julho: É provável que tenha sobrado algum resquício de ressentimento na vida amorosa. Esta é a hora de fazer a energia de superação e perdão começar a circular. Conversas honestas vão deixá-lo muito mais leve e confiante; o passado já foi.

De 21 a 31 de julho: Nestes dias, você pode fazer alguns planos já para o final do ano, estabelecendo metas e gastos para realizar o que está sonhando. Sua fé e confiança são a matéria-prima para fazer tudo caminhar muito bem.

De 1º a 10 de agosto: Mercúrio entra em movimento direto. Contatos, notícias e compromissos assumidos vão fluindo cada vez mais sem entraves, só agora se revelando produtivos. O Sol faz trígono com Júpiter, um momento ótimo para pedir ou receber alguma promoção profissional.

De 11 a 20 de agosto: Há uma conjunção de Sol, Mercúrio, Marte e Vênus no signo de Leão estes dias. Esse signo é complementar ao de Aquário, representando confiança, segurança e alegria de viver. Sendo assim, essas características podem surgir em sua vida na figura de sócios ou parcerias; aproveite!

De 21 a 31 de agosto: As inovações na área de tecnologia serão essenciais para seu desenvolvimento profissional. Não adie o uso dessas ferramentas e procure fazer algum curso para ampliar seu repertório e currículo profissional.

De 1º a 10 de setembro: Nestes dias há no céu um *stellium* no signo de Virgem, além de dois planetas, Saturno e Plutão, no signo de Capricórnio. Isso se traduz simbolicamente por uma enorme predisposição à realização e ao trabalho. Aproveite e canalize sua energia criadora!

De 11 a 20 de setembro: O período ainda é auspicioso para sua produtividade; continue focado naquilo que é realmente importante. Mercúrio e Vênus em Libra podem movimentar a sua vida cultural e artística, abrindo espaço para a sensibilidade dos cinco sentidos.

De 21 a 30 de setembro: Momento bastante oportuno para começar a planejar uma viagem para o final do ano com amigos ou familiares, para um lugar ainda desconhecido. Aceite sugestões e não fique na mesmice. Nestes dias, você pode ganhar algo inesperado.

De 1º a 10 de outubro: Sol e Saturno podem indicar baixa imunidade e queda na sua vitalidade, provavelmente em função do excesso de trabalho e das demandas cotidianas. Procure relaxar e descansar mais, buscando uma alimentação mais energética, e evitando bebidas alcoólicas e o açúcar.

De 11 a 20 de outubro: O contato com conhecimentos espirituais ou filosóficos poderá trazer um colorido especial para estes dias em que você precisa se renovar fisicamente. Nem só de trabalho vive o homem. Crie um espaço mental para questões mais abstratas e também importantes.

De 21 a 31 de outubro: Pensamentos mais otimistas vão criando novas paisagens e novos caminhos de realização na vida espiritual. Repense o volume de suas atividades, se elas são relevantes ou não, deixando a rotina mais enxuta e prazerosa.

De 1º a 10 de novembro: Bons aspectos com o planeta Netuno continuam favorecendo seu desenvolvimento espiritual, permitindo-lhe assim vislumbrar outras formas de consciência de si mesmo, da vida e dos relacionamentos. É como ver uma paisagem do cotidiano, só que de outro ângulo.

De 11 a 20 de novembro: Neste ciclo, pode confiar mais na sua intuição, sem se apegar demais só à razão e ao pragmatismo. Aproveite para meditar, caminhar, ouvir boa música, escutar a própria alma – e, de quebra, se dê algo de presente; você merece!

De 21 a 30 de novembro: Vênus e Júpiter transitam na casa dos amigos. As amizades, que você tanto valoriza, sempre serão fundamentais em sua vida, e nestes dias poderá contar com o apoio irrestrito delas. A generosidade só faz bem, não esqueça.

De 1º a 10 de dezembro: Em fase de Lua Crescente, Vênus e Marte fazem um sextil entre si, indicando boa fase no relacionamento com sua cara-metade. Faça bom uso de seu charme e carisma pessoal para aproximar-se de quem você está interessado; nada de timidez!

De 11 a 20 de dezembro: Júpiter, em aspecto favorável, traz um momento ideal para reformar ou fazer melhorias em sua casa, deixando-a mais funcional e bonita. Aproveite para jogar fora tudo o que está velho e sem uso, atraindo energia de renovação para o próximo ano!

De 21 a 31 de dezembro: O ano teve muitos desafios e você não se esquivou das responsabilidades que tinha. Este ciclo é auspicioso para agradecer à vida e às pessoas que caminharam ao seu lado. Uma coisa é certa: com amigos, a vida é bem melhor!

PEIXES

De 20 de fevereiro a 20 de março
Signo de Água, regido por Netuno e Júpiter

CARÁTER: O pisciano é um ser compreensivo, emotivo e influenciável, que oscila facilmente entre momentos de alegria e tristeza. Peixes, sendo o último dos doze signos, é o símbolo da dissolução de todas as formas e a síntese de todas as coisas. Ele é considerado a "esponja psíquica" do Zodíaco, que tudo capta e tudo sente. Seu mundo é o da imaginação, dos sonhos e do misticismo. Seus interesses vão além da lógica e da razão. É inspirado, criativo e pouco prático, percebe as coisas de forma global, buscando sempre o sentido espiritual da existência. PERSONALIDADES DESTE SIGNO: Elis Regina, George Harrison, Elizabeth Taylor, Giovanna Antonelli, Edson Celulari, Steve Jobs, Hebe Camargo.

PROFISSÃO: O pisciano é um tipo empático; identifica-se com todos os que sofrem, é generoso, doador e compassivo. Pode dedicar-se à assistência social, à psicologia, à filantropia, à teologia e ao sacerdócio. Sensível à beleza, tem talentos nas áreas de música, poesia, pintura, cinema, fotografia e astrologia. PROFISSÕES INDICADAS: enfermeiro, músico, psicólogo, cineasta, fotógrafo, oceanógrafo, farmacêutico, marinheiro.

AMOR: O pisciano expressa sua afetividade de maneira intensa, é um amante dócil, mas tímido e inseguro. Não gosta de tomar iniciativa nas conquistas, mas, como todo bom romântico incurável, adora ser conquistado e surpreendido. Quando apaixonado, quer ajudar o seu amado de todas as formas possíveis; idealista ao extremo, é sujeito a grandes desilusões e enganos na vida amorosa.

SAÚDE: Este ser geralmente tem falta de vitalidade, é suscetível a estados melancólicos, ou doenças psíquicas. Muito vulnerável, acaba absorvendo tudo o que está ao seu redor, o que resulta em tendência para somatizações. Sua sensibilidade está nos pés, nos sistemas imunológico e linfático. Tendência ao uso de drogas e ao alcoolismo como forma de escapar da vida real.

Previsões para os piscianos em 2019

De 1º a 10 de janeiro: Sol e Saturno em Capricórnio indicam um ótimo período para ir prospectando metas para o ano que se inicia. Boas intuições podem surgir; dê asas à sua imaginação e ponha fé naquilo que mais deseja.

De 11 a 20 de janeiro: Bons ventos animam a paisagem da vida amorosa, graças a Vênus e Marte em harmonia no céu planetário. Será preciso tomar mais cuidado com a alimentação improvisada, pois seu organismo está mais vulnerável a intoxicações.

De 21 a 31 de janeiro: Vênus e Júpiter iluminam o setor profissional; este é um período auspicioso para atrair oportunidades de receber convites relevantes. Continue atento às suas intuições e também aos sonhos noturnos, que poderão sinalizar novidades.

De 1º a 10 de fevereiro: Boas notícias podem alegrar seu dia e melhorar consideravelmente seu humor. Você passa por uma fase de mais entusiasmo e otimismo em relação à vida, e essa postura pode operar milagres no cotidiano, acredite!

De 11 a 20 de fevereiro: O imprevisto bate à sua porta, trazendo surpresas para sua vida financeira. Você está com muita energia; aproveite para tomar decisões que vem protelando. Não deixe para depois o que pode ser solucionado mais rapidamente.

De 21 a 28 de fevereiro: O Sol agora adentra seu signo solar, fazendo sextil com Marte. Suas iniciativas, somadas à sua assertividade, tendem a dar bons resultados. Excelente para iniciar ou retomar atividades físicas, como esportes ou caminhadas; a saúde agradece!

De 1º a 10 de março: Pode haver algum imprevisto em sua rotina devido a problemas com aparelhos eletrônicos, como computador, celular etc. Mantenha a calma, pois tudo será passageiro; reorganize seus horários e relaxe.

De 11 a 20 de março: Plutão recebe bons aspectos neste período. Essa configuração astral sinaliza mais capacidade de modificar hábitos ou padrões mentais de forma consciente. Boas leituras ou cursos poderão ajudá-lo nesse processo de transformação.

De 21 a 31 de março: Assuntos associados à vida espiritual ou filosófica podem despertar seu interesse. Técnicas de meditação, yoga ou relaxamento podem fazer muito bem ao seu espírito pisciano, sensível e idealista.

De 1º a 10 de abril: Mercúrio e Saturno em harmonia podem favorecer especialmente sua mente racional e pragmática. Ótimo ciclo para organizar a agenda, seus contatos e a vida financeira. Aproveite para estudar algo de seu interesse.

De 11 a 20 de abril: Este é um ciclo em que terá de perseverar caso surjam atrasos ou obstáculos em relação àquilo que havia planejado. Hora de desenvolver a resiliência – a "musculatura" psíquica que fortalece o espírito e a capacidade de seguir adiante.

De 21 a 30 de abril: O Sol está em sua terceira casa, dinamizando a vida intelectual. Excelente para estudos, pesquisas, participar de seminários ou palestras que abram sua mente para novidades. Bom também para viagens rápidas.

De 1º a 10 de maio: Nesta fase, é muito importante não ir para o confronto de ideias de modo radical. O resultado será negativo e não vai deixá-lo nem um pouco feliz. Certos valores pessoais são intransferíveis e todos têm o próprio ponto de vista.

De 11 a 20 de maio: Agora a comunicação e a troca de valores fluem de forma muito mais criativa e inspiradora. Você pode estar mais empenhado em fazer as coisas acontecerem na prática, materializando seus propósitos. A vida amorosa caminha bem.

De 21 a 31 de maio: Vênus em bom aspecto com Netuno, seu regente solar, continua sinalizando um período de harmonia e serenidade na vida amorosa. Contatos com familiares ou pessoas do passado podem ser bastante inspiradores.

De 1º a 10 de junho: Sua sensibilidade psíquica está mais aflorada e assim será oportuno proteger-se de interferências externas ou negativas. Evite pessoas que nada têm a acrescentar ou assistir a noticiários de conteúdo mais denso; preencha sua vida com coisas belas e menos tóxicas.

De 11 a 20 de junho: O céu planetário tem muitas oposições relevantes. Será importante não levar discussões para o lado pessoal, em particular com amigos. A raiva e a agressividade podem ser controladas, e isso significa uma conquista pessoal de maturidade.

De 21 a 30 de junho: O Sol está no signo de Câncer, iluminando a casa do amor e da autoexpressão. As tensões do ciclo anterior já terminaram, e agora você tem mais energia para falar sobre o que deseja, deixando mais claras suas motivações e fazendo o que o deixa realmente feliz!

De 1º a 10 de julho: Sua segurança e determinação devem receber elogios no trabalho. Tudo graças a Mercúrio e Marte em Leão, que sinalizam um ciclo de mais ousadia e liderança, favorecendo a vida profissional. O apoio de colegas será bastante estimulante.

De 11 a 20 de julho: Alguns obstáculos e atrasos podem surgir no andamento de seus planos. Agora é hora de mostrar sua capacidade de perseverar perante as dificuldades cotidianas. Nada de lamentação, pois tudo faz parte do desenvolvimento, seu e dos demais.

De 21 a 31 de julho: Júpiter e Marte estão em harmonia em signos de Fogo, dando-lhe mais talento para conduzir seus ideais de forma otimista e confiante. Mas lembre-se de não subestimar os invejosos; todo cuidado é pouco.

De 1º a 10 de agosto: Mercúrio entra em movimento direto, facilitando a comunicação. Ótimo para marcar encontros ou reuniões que têm sido proteladas. Júpiter em bom aspecto com o Sol traz reconhecimento a seu valor e alegria de viver em seu coração.

De 11 a 20 de agosto: Um belo *stellium* em Leão mostra-se auspicioso para que bons resultados devido a seu desempenho profissional venham à tona. Sol e Vênus, juntos, são a promessa de bons momentos na vida a dois, com direito a clima de romance e um bom jantar à luz de velas!

De 21 a 31 de agosto: Recursos tecnológicos podem ser muito valiosos; atualize seus conhecimentos sempre que puder. Período favorável para mudar sua rotina, viajar, ver novas paisagens, conhecer pessoas interessantes ou diferenciadas.

De 1º a 10 de setembro: Vários planetas no signo de Virgem dinamizam a sétima casa, indicando eficiência em parcerias produtivas. Deixe o ceticismo de lado; seja mais adaptável às circunstâncias ou oportunidades que a vida sempre traz.

De 11 a 20 de setembro: Instabilidades ou decepções podem atrapalhar seu ritmo e produtividade. Não se deixe aborrecer por mal-entendidos, que serão passageiros. Mantenha o foco naquilo que é importante; sua determinação é a bússola que aponta para o êxito.

De 21 a 30 de setembro: Júpiter em Sagitário recebe bons aspectos de Vênus e Mercúrio em Libra. Essa configuração sinaliza resultados favoráveis em assuntos jurídicos; não desista de seus propósitos. Decepções com amigos podem deixá-lo abatido.

De 1º a 10 de outubro: Neste ciclo será preciso adotar uma atitude mais diplomática e tolerante. O pavio curto da impaciência poderá gerar discussões ou rupturas súbitas. Assuntos do passado surgem e precisam ser resolvidos com bom senso.

De 11 a 20 de outubro: Em fase de Lua Cheia, as emoções emergem com mais força, trazendo à tona o que ainda não foi bem elaborado. Na verdade, elas funcionam como lente de aumento sobre os acontecimentos. Respire fundo; não tome decisões por impulso.

De 21 a 31 de outubro: Netuno e Vênus em sextil agora podem dissipar desentendimentos ou ressentimentos antigos, abrindo espaço para um diálogo mais objetivo e inteligente. Caso tenha responsabilidades demais, procure delegar uma parte delas para pessoas de sua confiança.

De 1º a 10 de novembro: Nestes dias, você estará apto a atuar de forma mais eficiente e pragmática em tudo o que realizar. Será capaz de enxergar sua vida de maneira mais harmoniosa e abrangente, sejam as relações, as amizades, a família ou o trabalho.

De 11 a 20 de novembro: Este período é auspicioso para esclarecimentos importantes entre amigos, para superar mágoas e tristezas do passado. Excelente para cuidar da saúde e fazer uma dieta à base de frutas e líquidos. Nada de preguiça, o verão vem aí!

De 21 a 30 de novembro: Vênus e Júpiter unidos em Sagitário promovem um "realce" em suas perspectivas sociais, culturais e amorosas. Sua visão de mundo tende a se expandir, e isso se traduz em atitudes mais generosas e altruístas. Momento de prosperidade!

De 1º a 10 de dezembro: Marte e Vênus eram amantes na mitologia grega. Estão agora em sextil no céu, tornando este momento propício a novas conquistas. Deixe a timidez de lado e mostre sua faceta mais charmosa e sedutora. Invista seu tempo em atividades artísticas, como cinema, teatro ou música.

De 11 a 20 de dezembro: O planeta Júpiter está adentrando Capricórnio, signo do elemento Terra. Em trígono a Urano, pode expandir seu repertório intelectual e aumentar sua curiosidade por assuntos diferentes ou excêntricos. Se puder, faça uma viagem para renovar o espírito.

De 21 a 31 de dezembro: As viagens ainda estão beneficiadas, sejam longas ou rápidas. A vida social está mais intensa, e a cumplicidade com amigos de longa data será muito revigorante. Terminar o ano com a sensação de dever cumprido é uma bênção a ser celebrada!

ÁRIES
De 21 de março a 20 de abril
Signo de Fogo, regido por Marte

CARÁTER: O ariano tem um caráter audacioso, dinâmico e sem rodeios. Gosta de viver aventuras, e os desafios são sua mola propulsora. É um ser de liderança natural, um guerreiro de vitalidade infinita. Identifica-se com a imagem do herói, do vencedor. Vive o momento, não fica lamentando o que passou; prefere olhar para o amanhã. É competitivo, autêntico e quer ser sempre o primeiro em tudo. Destaca-se em situações de emergência, e às vezes prefere delegar aos outros a continuidade daquilo que iniciou. PERSONALIDADES DESTE SIGNO: Diana Ross, Gregory Peck, Ayrton Senna, Cazuza, Antônio Fagundes, Charlie Chaplin, Roberto Carlos, Billie Holiday.

PROFISSÃO: Busca sempre a máxima eficiência, é dotado de autoconfiança, pioneirismo e criatividade. Pode ser um profissional liberal, por seu amor à independência e autonomia. Competitivo, gosta de ações rápidas. PROFISSÕES INDICADAS: atleta, político, dentista, engenheiro, empresário, piloto de corrida, policial ou militar.

AMOR: O ariano é um tipo individualista, mas não solitário. Adora os impulsos da conquista, estando sempre em busca de novas emoções. É sedutor e capaz de grandes gestos quando está apaixonado. A sexualidade para o ariano está diretamente relacionada à necessidade que tem de afirmar-se como indivíduo. Nem sempre leva em consideração os sentimentos alheios, e sua sinceridade pode despertar ressentimentos em sua vida amorosa.

SAÚDE: Os arianos apresentam grande sensibilidade no crânio e na face, tendência a enxaquecas, bruxismo, nevralgias e sinusite. Agitados, podem sofrer de hipertensão ou insônia. Mas são dotados de grande vitalidade e saúde, e se recuperam com rapidez de problemas físicos.

Previsões para os arianos em 2019

De 1º a 10 de janeiro: É importante não ter pressa de retomar suas atividades do dia a dia; planeje os próximos passos com determinação e tranquilidade. Pouco a pouco, os horizontes profissionais vão se delineando de forma mais factível. Fique atento para não se deixar levar por discussões e polêmicas, com os amigos.

De 11 a 20 de janeiro: Vênus e Marte em harmonia propiciam dias favoráveis à vida amorosa; permita que seu lado sedutor entre em ação. Com relação aos empreendimentos profissionais, ainda é tempo de cautela; não dê nenhum passo definitivo e evite assumir responsabilidades que depois não possa cumprir.

De 21 a 31 de janeiro: Sua mente está acelerada, o que gera impaciência e rispidez com as palavras. A diplomacia não é um conceito abstrato; saiba usá-la, e a vida ficará mais fácil para todos. Os contatos com o estrangeiro estão favorecidos; ótimo para viajar, ampliar seus conhecimentos e sua visão de mundo.

De 1º a 10 de fevereiro: Momento auspicioso para o convívio com amigos e conhecer pessoas interessantes. Abra seu espírito para o mundo artístico; isso fará bem à sua alma. A assertividade será fundamental para que possa atrair oportunidades inspiradoras para o seu trabalho!

De 11 a 20 de fevereiro: Marte, que é o regente de seu signo, está ao lado de Urano. Agora você tem mais força vital e ousadia para se lançar à vida, ultrapassando barreiras que pareciam intransponíveis. Já que está suscetível a excessos, avalie também a possibilidade de recuar, caso perceba que essa é a melhor estratégia.

De 21 a 28 de fevereiro: A motivação para agir continua em alta; o importante é direcionar seu potencial criativo e focar naquilo que é mais relevante agora. Mercúrio bem aspectado no céu favorece contatos nas redes sociais; trate de fazer seu marketing pessoal!

De 1º a 10 de março: Você se dará conta de que este é um período benéfico para concretizar seus ideais e projetos de vida, e do quanto é importante não desistir de seus sonhos. Ainda que surjam contratempos, você terá o jogo de cintura necessário para superá-los rapidamente.

De 11 a 20 de março: Os ventos continuam favoráveis para perseverar em direção a seus propósitos. Resiliência e determinação são fundamentais para que comecem a surgir bons resultados de seus esforços. Comunicar-se com mais clareza abrirá caminhos para novos desafios e conquistas.

De 21 a 31 de março: Mercúrio estacionário está em conjunção com Netuno nestes dias. Permita, durante este ciclo, que sua sensibilidade e imaginação aflorem com mais intensidade. Sua intuição poderá indicar estratégias interessantes para soluções criativas. A razão nem sempre pode dar conta de tudo.

De 1º a 10 de abril: O conhecimento é uma construção que se dá através do tempo e das experiências. Agora você não precisa mais de conselhos, pois já interiorizou um precioso aprendizado. Assuma as responsabilidades que chegam, uma vez que está apto a lidar com elas de maneira mais confiante e segura.

De 11 a 20 de abril: Às vezes é melhor tomar alguma atitude do que nenhuma. Ao agir, ainda que de forma equivocada, você sai do lugar e aprende alguma coisa. A paralisia gerada pelo medo não deve prevalecer em sua mente; algumas barreiras estão só na sua imaginação.

De 21 a 30 de abril: Vênus em Áries vai imprimir dinamismo e capacidade de superar os desafios da vida com alegria e descontração. Trate de cuidar do corpo, tanto do ponto de vista estético quanto da saúde. Bom ciclo para criar novas formas de ganhar e poupar dinheiro; fique atento às oportunidades.

De 1º a 10 de maio: Contrariedades ou decepções nos relacionamentos podem deixá-lo ressentido e pesaroso, sem motivação para muita coisa. Está na hora de aceitar aquilo que acontece com mais leveza de espírito. Isso significa não olhar demais para o passado e aceitar as tramas do destino.

De 11 a 20 de maio: Esta fase tende a ser extremamente produtiva. Você terá espaço para mostrar suas habilidades e competência na vida profissional. Uma surpresa agradável na vida amorosa está prestes a acontecer; fique atento.

De 21 a 31 de maio: O Sol ao lado de Mercúrio propicia um período muito fértil em termos intelectuais. A interação social é um convite para que possa alargar sua visão de mundo, mudar de opinião e compreender melhor formas de pensar que sejam diferentes da sua.

De 1º a 10 de junho: O Cupido pode trazer novidades aos assuntos do coração; seu carisma e capacidade de sedução estão em alta. O contato entre Mercúrio e Urano aponta para estímulos mentais positivos que chegam por meio de amigos, estudos ou redes sociais; ponha a mente para funcionar.

De 11 a 20 de junho: Neste período, você está propenso a comunicar-se de maneira mais radical ou intransigente, desconsiderando a situação do próximo. Será preciso controlar a intolerância e a agressividade em função de suas consequências danosas. Esses conflitos podem se estender à vida familiar.

De 21 a 30 de junho: Os assuntos domésticos vão demandar muito de sua atenção e energia emocional. A proteção que recebe daqueles que o amam de modo incondicional será mais relevante do que nunca. A compra de bens imóveis pode ser bem-sucedida nesta fase do ano; aproveite.

De 1º a 10 de julho: A Lua Nova e Vênus no signo de Câncer continuam estimulando sua vida íntima e familiar. É provável que precise de um tempo maior de introspecção, para avaliar seus sentimentos e desejos. Ressentimentos do passado poderão agora se dissipar por completo, deixando seu coração livre.

De 11 a 20 de julho: Os seres humanos já descobriram como dividir o átomo, mas ainda não sabem como conviver de forma pacífica com os semelhantes. Não projete nos outros as próprias expectativas de perfeição e coerência. Saiba aceitar melhor suas fraquezas antes de culpar alguém por conta delas.

De 21 a 31 de julho: Imaginar um futuro melhor para si e para os outros traz mais esperança ao exercício diário do viver. No entanto, isso não deve gerar ansiedade, uma vez que nem tudo sai como havia sido planejado. Faça seu melhor no aqui e agora, e sua alma se manterá sempre tranquila.

De 1º a 10 de agosto: Sol e Júpiter em harmonia são um indício do aumento de confiança na vida e em si mesmo. Você tem agora mais alegria de viver e energia vital para se doar às pessoas de maneira generosa e desapegada. A fé em algo superior sempre traz mais sentido a tudo o que é vivenciado.

De 11 a 20 de agosto: Há muitos planetas no signo de Leão, que pertence ao elemento Fogo, símbolo de calor, paixão e vitalidade. Procure fazer coisas que realmente o deixem feliz: tire férias, desfrute dos bons momentos da vida, pois o lazer é fundamental para o equilíbrio entre mente e corpo.

De 21 a 31 de agosto: Sol e Vênus em Virgem propiciam um ciclo de mais prazer no trabalho, com resultados imediatos e bons elogios. Aproveite para organizar a rotina, seus pertences e documentos, ou doar roupas já fora de uso. Reciclar sempre faz bem, para você e para o planeta.

De 1º a 10 de setembro: Nos próximos dias procure dedicar mais atenção à alimentação e ao propósito de melhorar sua qualidade de vida. O inverno logo vai acabar, e quilos a mais podem incomodá-lo; deixe a desculpa da falta de tempo de lado e pratique exercícios de forma mais regular.

De 11 a 20 de setembro: Certa instabilidade no ambiente de trabalho pede mais discernimento de sua parte. Não se identifique com o problema que surgir nem tome partido de ninguém. Por vezes, ser mais espectador das circunstâncias é sinal de inteligência emocional.

De 21 a 30 de setembro: Júpiter recebe bons aspectos de Vênus e Mercúrio. Essa configuração favorece a assimilação de conhecimentos filosóficos ou espirituais que representam um apoio em prol de uma vida mais feliz. A vida social encontra-se animada; aproveite para sair, ouvir boa música ou ir a uma exposição de arte.

De 1º a 10 de outubro: Mercúrio e Urano em tensão no céu podem levá-lo a ter pensamentos inquietantes, dúvidas e ansiedade exagerada. Lembre-se de que gerenciar a qualidade daquilo que passa pela sua mente abre as portas para soluções mais criativas. Seja você o protagonista de sua vida.

De 11 a 20 de outubro: Sol e Júpiter estimulam sua alegria de viver e a capacidade de olhar a vida por um ângulo mais positivo. Nossas habilidades devem ser exercitadas ao longo da vida. Da mesma maneira, treinar a mente para ser mais feliz e tranquilo é uma preciosa conquista existencial.

De 21 a 31 de outubro: Boas notícias relativas a seu desempenho profissional serão muito estimulantes. Não tenha receio de explorar o desconhecido nem de pensar algo que ninguém ainda pensou. Todo empreendedor comete erros; isso faz parte de seu desenvolvimento. Não desanime.

De 1º a 10 de novembro: Neste ciclo, Mercúrio retrógrado exigirá de você mais atenção aos negócios, a pagamentos, encontros e compromissos em geral. Você poderá repensar estratégias mais inteligentes e efetivas para divulgar seus interesses pessoais e profissionais.

De 11 a 20 de novembro: Nestes dias temos vários planetas com aspectos positivos entre si. Trata-se de um período em que tudo flui de forma harmoniosa; sincronicidades e encontros importantes acontecem, e a informação de que estava precisando inesperadamente aparece à sua frente.

De 21 a 30 de novembro: É possível que haja algum contratempo em seu dia a dia devido ao mau funcionamento de aparatos eletrônicos, tais como celular, *notebook* etc. Por outro lado, Vênus e Júpiter indicam um momento benéfico para a vida amorosa e social; saiba desfrutá-lo!

De 1º a 10 de dezembro: O bem-estar com assuntos do coração ainda permanece no início deste ciclo. Ótimo para ler, estudar e aprofundar conhecimentos em áreas de seu interesse. Procure bons livros ou alguém que possa orientá-lo nessa empreitada tão intelectual.

De 11 a 20 de dezembro: Boa fase para planejar seu final de ano, seja com amigos ou familiares. O encontro com pessoas mais velhas e experientes será muito gratificante, pois você terá muito a aprender com elas. Vênus em Aquário sugere momentos felizes com amigos queridos.

De 21 a 31 de dezembro: Sua pressa em querer resolver várias coisas de uma só vez pode gerar conflitos pessoais. Priorize suas demandas, respire fundo e não culpe ninguém por algo que não deu certo. A cada dia, as peças do xadrez da vida vão se ajeitando; tudo vai dar certo, fique tranquilo.

TOURO

De 21 de abril a 20 de maio
Signo de Terra, regido por Vênus

CARÁTER: Touro é o signo que melhor representa as qualidades do elemento Terra, que em termos astrológicos é sinônimo de estabilidade, segurança, realidade e conservadorismo. No taurino há uma forte tendência a cultivar e proteger tudo aquilo que considere de sua propriedade, por exemplo, objetos, pessoas e hábitos. Tem muita dificuldade para aceitar mudanças e lidar com perdas. Seu amor e produtividade no trabalho são admiráveis. Tem forte oralidade, seus cinco sentidos são muito aguçados. Vênus, seu regente, representa seu senso estético, sensualidade, bem como sua famosa vaidade. PERSONALIDADES DESTE SIGNO: Leonardo da Vinci, Fred Astaire, Rodolfo Valentino, Barbra Streisand, Lulu Santos, Stevie Wonder, Felipe Massa.

PROFISSÃO: Os taurinos trabalham muito para conquistar bases sólidas e consistentes, apreciam imensamente o conforto material. Determinados e pacientes, querem resultados concretos, ainda que venham lentamente. Preferem salários fixos e estabilidade na carreira. Amam a música, são ótimos cantores e dançarinos. PROFISSÕES INDICADAS: pessoas que se destacam nas áreas financeira, gastronômica, estética, em arquitetura, decoração, música, moda, cosmética, joalheria – tudo aquilo que remeta ao belo.

AMOR: O taurino é um tipo sensual, apaixonado pela beleza e pelo romance. Gosta de segurança, é muito carinhoso e possessivo; sofre muito por ciúme. A fidelidade e a lealdade são suas marcas registradas, assim como a facilidade em guardar ressentimentos. Romântico, gosta de demonstrar seu amor com presentes requintados ou com os tradicionais, como flores e perfumes.

SAÚDE: Como vimos, o taurino tende a guardar ressentimentos, o que faz com que somatize seus problemas físicos. Sua constituição física é resistente; seu metabolismo é lento. Suas áreas sensíveis são: pescoço, garganta, faringe, laringe, tireoide, amígdalas e cordas vocais. Sedentário, não é muito dado aos exercícios, e tem tendência à gula, o que facilmente o leva ao sobrepeso.

Previsões para os taurinos em 2019

De 1º a 10 de janeiro: Mercúrio em bom aspecto a Urano é um convite à reflexão: você é capaz de se adaptar às alterações do seu cotidiano? Adaptação é uma espécie de poder daqueles que buscam um estado mental menos rotineiro, aberto aos imprevistos. Em outras palavras, saber fazer do limão uma limonada.

De 11 a 20 de janeiro: Vênus, que é regente do seu signo solar, faz bom contato com Marte. Tire partido de seu charme e trate de conquistar alguém que lhe seja importante. Expresse seus sentimentos com clareza e não deixe o orgulho atrapalhar seus impulsos!

De 21 a 31 de janeiro: Neste período, você tem sua sensibilidade associada ao pragmatismo; somados, ambos podem ajudá-lo na concretização de suas metas. Será interessante prospectá-las no tempo, facilitando assim sua organização, uma vez que o ano está começando.

De 1º a 10 de fevereiro: Momento muito auspicioso para atividades intelectuais e que estejam relacionadas a estudo, informação ou divulgação de seu trabalho. A interação nas redes sociais poderá lhe trazer novos amigos, com quem tenha afinidades interessantes.

De 11 a 20 de fevereiro: Neste ciclo, o planeta Urano é dinamizado pelo Sol e por Marte, que são símbolos de energia, ação, combate e individualidade. Sua assertividade deverá trazer bons frutos. Sugestões de pessoas mais experientes podem e devem ser acatadas.

De 21 a 28 de fevereiro: Você pode experimentar neste período mais profundidade em sua forma de amar, além do desejo de perceber as pessoas queridas muito além das aparências. Aproveite para compreendê-las de forma mais sutil e madura, deixando julgamentos e críticas de lado.

De 1º a 10 de março: Agora você deve estar mais interessado em participar de grupos ou entidades com propósitos sociais ou humanitários. O contato com pessoas altruístas e desapegadas terá grande impacto em sua visão de mundo. Dê o seu melhor!

De 11 a 20 de março: Ciclo de grande aprendizado, que chega por meio de experiências de vida e tendo um papel transformador em sua personalidade. Você pode assumir novas responsabilidades, sejam de estudo ou de trabalho, e levá-las até o fim com segurança, determinação e eficiência.

De 21 a 31 de março: Uma nova percepção desponta para você: não querer convencer os outros de suas opiniões ou pontos de vista. Existem vivências que são subjetivas, ou sutis, e que não podem ser transferidas a ninguém. Tudo tem seu tempo para acontecer!

De 1º a 10 de abril: Não subestime as experiências que já fez, pois tudo é uma construção e você poderá se surpreender com sua bagagem de vida quando assim precisar. Fique atento a gastos desnecessários; não faça compras por impulso. É tempo de poupar.

De 11 a 20 de abril: É chegada a hora de decidir se seus pensamentos serão seus melhores amigos ou piores inimigos. Imagine que sua negatividade é um fio que precisa ser desligado da tomada, pois nela estão suas preocupações sem fim com o futuro. Encontre o prazer de viver no aqui e agora.

De 21 a 30 de abril: Sol e Urano estão lado a lado em seu signo solar. Você pode sentir ímpetos de mais liberdade para pensar e agir, e o desejo de não seguir as regras sociais o tempo todo. A rotina às vezes tem de ser deixada de lado; aproveite melhor as novidades!

De 1º a 10 de maio: Esta é uma fase marcada por forte tensão no céu planetário. Na vida a dois, todo o cuidado com palavras ríspidas é pouco. Os excessos podem gerar ressentimentos insolúveis, e o esforço para remediar os conflitos pode ser em vão.

De 11 a 20 de maio: A comunicação flui com facilidade agora, e você pode mostrar suas ideias com lucidez e dinamismo. Sol, Mercúrio e Vênus estão no signo de Touro, aumentando sua força vital, inteligência e autoestima. Cuide mais do visual.

De 21 a 31 de maio: Marte e Urano em bom aspecto sinalizam um bom momento para investir em conhecimentos na área tecnológica e aprender a dominar ferramentas que vão impulsionar suas atividades profissionais.

De 1º a 10 de junho: Intrigas ou fofocas no ambiente de trabalho podem gerar algum tipo de constrangimento, que acabará afetando a todos. Tente observar as circunstâncias com certo distanciamento para se preservar; o tempo vai esclarecer tudo.

De 11 a 20 de junho: Período que exige cautela em negócios ou investimentos mais arriscados. Diz o provérbio: "Quem tudo quer nada tem". Atitudes imediatistas e apressadas podem ter consequências negativas; não se deixe levar por sugestões equivocadas.

De 21 a 30 de junho: Na vida social e familiar será necessário evitar exigências descabidas ou decisões passionais. Ao levar tudo para o lado pessoal, você aumenta o tamanho do problema, que por vezes nem é tão importante assim. Essas emoções intensas funcionam como lente de aumento.

De 1º a 10 de julho: Marte e Mercúrio ativam o setor da vida familiar, e agora você pode fazer melhorias funcionais em sua casa e também deixá-la mais bonita e aconchegante. De quebra, aproveite para treinar o desapego e jogar fora o que está velho e sem uso.

De 11 a 20 de julho: Ficar remoendo erros ou equívocos do passado não terá nenhuma utilidade em sua vida presente. Aquilo que não deu certo tem sua função didática e geralmente acaba impelindo os vencedores para novos desafios. Você quer se tornar um perdedor ou um vencedor?

De 21 a 31 de julho: O céu planetário está benéfico para que possa alçar voos de natureza filosófica ou espiritual. Marte e Júpiter em trígono ampliam sua visão e o entendimento do mundo. As coisas são como são, e você só poderá modificá-las por meio de ações diferenciadas e otimistas!

De 1º a 10 de agosto: Mercúrio em movimento direto pode trazer boas notícias relativas ao setor financeiro e chances para fazer negócios rápidos ou ter encontros produtivos em seu trabalho. Vênus e Júpiter favorecem a vida amorosa e toda forma de cumplicidade na vida a dois!

De 11 a 20 de agosto: Você conhece a frase que diz: "O sorriso custa menos que a eletricidade e dá mais luz"? Com um forte *stellium* em Leão, é bom lembrar que a alegria de viver abre muitas portas, sendo sempre contagiante. Preste mais atenção em seu próximo.

De 21 a 31 de agosto: Uma viagem a longa distância seria muito prazerosa neste momento. Nada como ampliar seu repertório cultural, conhecer pessoas e lugares novos. A quebra da rotina acabará revelando outras dimensões de sua personalidade; pense nisso.

De 1º a 10 de setembro: Um *stellium* no signo de Virgem está dinamizando temas de trabalho e saúde. Você agora pode exercitar o discernimento entre eficiência e produtividade, excesso e falta de limites. Quando estiver em casa, desligue a mente das pressões do trabalho, que podem vir a adoecer seu corpo.

De 11 a 20 de setembro: Já que o tema é saúde, faça um esforço para não atrasar seus exames anuais ou consultas necessárias. Vênus e Mercúrio em Libra, em dia de Lua Cheia, são símbolos auspiciosos para investir na vida social, rever amigos, sair para dançar e se divertir muito!

De 21 a 30 de setembro: A fase da Lua Nova é sempre o início de um ciclo mensal entre o Sol e a Lua. Agora existe maior concentração de energias para que você possa criar mentalmente as imagens daquilo que sonha para sua vida. O pensamento e a imaginação têm forte poder, vale tentar.

De 1º a 10 de outubro: Neste período será preciso lembrar que a diplomacia é essencial para o convívio social. Urano e Mercúrio estão agora em oposição, tornando difícil a troca de ideias; a comunicação fica comprometida. Que tal ser mais flexível e deixar a vida mais leve?

De 11 a 20 de outubro: Os aspectos planetários sinalizam mais interesse por assuntos ligados a filosofia, espiritualidade e transcendência. Tente agir de maneira mais altruísta e generosa. O foco exclusivo em temas corriqueiros deixa todos estressados.

De 21 a 31 de outubro: Vênus em trígono com Netuno no signo de Peixes ainda está estimulando sua natureza compassiva e solidária. A convivência com pessoas socialmente mais engajadas e preocupadas com o bem-estar alheio será benéfica e inspiradora.

De 1º a 10 de novembro: Sentimentos estranhos, dúvidas e críticas parecem uma névoa que turva a visão mais clara da vida. Nestes dias, essa tendência poderá ser revertida com uma constante atenção à negatividade que pode minar a sua paz de espírito.

De 11 a 20 de novembro: Neste ciclo, você poderá iniciar parcerias que incrementarão sua produtividade no trabalho. Troque ideias e conhecimentos com pessoas que estejam em sua área profissional. Tais atitudes vão aumentar seu poder pessoal e a capacidade de modificar o que achar necessário.

De 21 a 30 de novembro: Vênus e Urano em harmonia vão dinamizar seu cotidiano com encontros interessantes e inesperados. Desfrute da companhia de pessoas criativas, que influenciarão positivamente seu desempenho no trabalho. Planeje uma viagem para renovar o corpo e a mente.

De 1º a 10 de dezembro: Júpiter em Capricórnio indica uma fase de mais resiliência e perseverança em tudo o que está realizando, característica típica dos vencedores. O tempo trará os frutos do seu empenho há tanto esperados. Não descuide da saúde; evite o excesso de carboidratos e açúcar.

De 11 a 20 de dezembro: Urano no setor profissional atua no sentido de provocar um desejo de liberdade e renovação naquilo que você faz. É tempo de se lançar em direção a novas possibilidades e experiências; não se apegue demais ao conhecido. Procure a orientação de alguém capacitado, se achar necessário.

De 21 a 31 de dezembro: Sol e Júpiter em conjunção acentuam seu forte pragmatismo em relação à sobrevivência e habilidade com os bens materiais. Sua visão mais otimista e confiante em tudo e todos trará um colorido muito especial neste final de ano, aproveite bem!

GÊMEOS
De 21 de maio a 20 de junho
Signo de Ar, regido por Mercúrio

CARÁTER: Gêmeos é o mais versátil dos signos de Ar, eternamente jovial, comunicativo, bem informado, está sempre em movimento. A curiosidade é sua marca registrada, assim como a facilidade em se adaptar aos outros. Os geminianos são inquietos, charmosos e dispersivos. Gostam de mudar de opinião, acumular conhecimento de todo tipo, sejam as manchetes do dia, experimentos científicos ou a vida glamorosa das atrizes de cinema. São bons amigos, sempre solicitados por todos. São muito talentosos, mas encontram dificuldades em colocar foco e objetivo em suas realizações. PERSONALIDADES DESTE SIGNO: Johnny Depp, Marília Gabriela, Prince, Angelina Jolie, Marilyn Monroe, Ivete Sangalo, Luiza Brunet, Marco Nanini.

PROFISSÃO: Tem dificuldade para decidir-se na profissão, pois na realidade tem interesses variados. O mensageiro do Zodíaco adora falar, ler, aprender, e gosta mesmo é de variar; muitas vezes tem duas profissões. PROFISSÕES INDICADAS: crítico literário, jornalista, comunicador, áreas de marketing, publicidade, turismo, ensino, comércio em geral – tudo o que lhe dê liberdade de expressão e movimento.

AMOR: Com forte tendência à racionalidade, o geminiano é mestre na arte de se esquivar do amor com brincadeiras, gracejos e eloquência. Sabe amar com a cabeça, questiona seus sentimentos, não sabe fazer escolhas adequadas e gosta muito de se divertir.

SAÚDE: Gêmeos é um tipo nervoso, inquieto, e geralmente tem dificuldade para relaxar e dormir. Possui bastante vitalidade, come pouco e de forma irregular. Este signo rege os pulmões, a traqueia, as mãos e os braços. Pode ter problemas respiratórios, asma, bronquite, alergias e rinites. O ar puro é um elemento fundamental e de regeneração física e psíquica para os geminianos.

Previsões para os geminianos em 2019

De 1º a 10 de janeiro: O ano se inicia com o Sol junto a Saturno, o que representa um ciclo de grandes responsabilidades e decisões a serem tomadas. É possível que você se sinta pressionado por tantos acontecimentos, mas as situações acontecerão com tranquilidade.

De 11 a 20 de janeiro: Aproveite este momento para fazer seu *check-up* anual e marcar as consultas que ainda estão pendentes. A obtenção de diagnósticos corretos o ajudará em decisões futuras. É possível que tenha uma sobrecarga emocional relacionada a pessoas mais velhas próximas a você.

De 21 a 31 de janeiro: Certa instabilidade na vida emocional pode deixá-lo mais sensível e decepcionado; ninguém gosta de ter suas expectativas frustradas. Um bom diálogo pode colocar as coisas no devido lugar. E trate de olhar mais para o futuro; o passado já ficou para trás.

De 1º a 10 de fevereiro: A vida a dois continua se renovando; uma crise passageira também tem sua função esclarecedora. Bom ciclo para aperfeiçoar conhecimentos e dinamizar seus contatos. Uma viagem a longa distância será muito bem-vinda!

De 11 a 20 de fevereiro: Nestes dias, você poderá ter surpresas agradáveis com novos amigos que aparecem; sua presença será estimulante para eles e vice-versa. Ainda é um bom momento para viajar, oxigenar a mente, ver outras paisagens. Invista em conhecimentos tecnológicos.

De 21 a 28 de fevereiro: Nesta fase, você poderá tomar iniciativas mais arrojadas e acertadas em relação a seus planos para o futuro. Sua mente e seu corpo estão a mil por hora, com vontade de abraçar o mundo e também projetos de natureza humanitária.

De 1º a 10 de março: Mercúrio entra em movimento retrógrado, sendo necessário agora desacelerar um pouco e rever uma nova estratégia de ação.

Isso não deixa de ser positivo, pois, quando tudo está rápido demais, os detalhes se perdem e tudo pode se desorganizar.

De 11 a 20 de março: Marte faz trígono com Plutão em Capricórnio, e essa posição vai trazer mais capacidade de realização, assertividade e resiliência para tocar em frente seus impulsos criativos. Você está mais eficiente, e seu pragmatismo vai contagiar as pessoas à sua volta.

De 21 a 31 de março: Neste ciclo, você terá a capacidade de ver as coisas sob um ângulo mais abrangente, e essa visão vai facilitar suas decisões. Vênus e Urano em ângulo favorável estimulam sua intuição e a vontade de fazer as coisas de maneira mais arrojada e inusitada.

De 1º a 10 de abril: Mercúrio entra agora em movimento direto, promovendo contatos positivos, trocas de experiências que dinamizarão seu trabalho. Marte está em seu signo solar, favorecendo todas as formas de comunicação, bem como sua jovialidade e curiosidade.

De 11 a 20 de abril: É importante não assumir muitas responsabilidades de uma só vez; se for preciso, delegue-as a alguém de sua confiança. Também não é bom confiar cegamente em promessas feitas antes; conte com a sua própria capacidade para não se frustrar muito.

De 21 a 30 de abril: Você continua motivado e impulsionado pelo desejo de mudanças que tragam mais estabilidade e segurança a seus negócios. No entanto, as parcerias precisam ser avaliadas com bastante discernimento; não se precipite.

De 1º a 10 de maio: Este período ainda demanda mais tolerância de sua parte, pois há uma tendência a conflitos, discussões e divergências de opinião com todos. Atrasos o aborrecerão mais do que o normal. Sendo assim, relativize os fatos, sabendo que a paciência é sua melhor conselheira.

De 11 a 20 de maio: Nesta fase, o ritmo de suas atividades volta ao normal. Você poderá contar com algum apoio relevante para que seus projetos deslanchem. Bom ciclo para participar de seminários, atualizar seus conhecimentos e fazer contatos motivadores para sua vida.

De 21 a 31 de maio: Sol e Mercúrio estão em Gêmeos, seu signo solar, e essa posição é benéfica para o bem-estar físico e psíquico. Você está com mais energia e inteligência para administrar seu cotidiano. Tudo caminha de forma satisfatória na vida afetiva, aproveite!

De 1º a 10 de junho: Neste período, você deve se concentrar mais em suas virtudes e talentos. Acreditando neles, você se fortalece emocionalmente, podendo contribuir de modo eficaz com tudo e todos que o rodeiam. Evite excessos na alimentação ou de bebidas alcoólicas.

De 11 a 20 de junho: Nesta fase existe uma tendência a perder o foco daquilo que é realmente importante, deixando a mente ziguezaguear em inúmeras direções, como uma folha levada pelo vento. Não tome decisões definitivas e evite discussões inúteis e acaloradas.

De 21 a 30 de junho: Nesta fase de Lua Minguante é possível que você sinta necessidade de mais calma e introspecção para reavaliar seus sentimentos. O momento atual é de muita correria, mas você não precisa identificar-se com isso. Aquietar-se será uma boa pedida.

De 1º a 10 de julho: Estamos em relação o tempo inteiro. Ao lidar com pessoas, é fundamental respeitar cada um exatamente como ele é. Querer influenciar ou modificar atitudes ou valores alheios significa, invariavelmente, entrar em área de conflito; cuide daquilo que é de sua competência.

De 11 a 20 de julho: Saturno e o Sol sugerem um ciclo de contração retraimento. Mesmo que a realidade se mostre muito árdua, sempre haverá outras oportunidades em seu caminho. Quantas e quantas vezes uma criança precisa cair e se levantar até conseguir andar com segurança?

De 21 a 31 de julho: O Sol no setor de comunicação pede uma espécie de revisão em assuntos ligados a essa área, em especial com irmãos, primos, colegas de trabalho. A vida está propondo que você saia de sua zona de conforto e veja as coisas de um ângulo diferente.

De 1º a 10 de agosto: Vênus e o Sol dinamizam Júpiter em Sagitário nestes dias. Relações e parceiras produtivas estão na ordem do dia. Você experimentará a sensação prazerosa do dever cumprido da melhor maneira possível; fique atento a novos e ótimos desafios!

De 11 a 20 de agosto: Alguns planetas estão no signo de Leão, provocando em você o desejo de se apaixonar e encontrar alguém realmente importante. Não esconda seus sentimentos nem dê importância à sua insegurança ou timidez. Um pouco de ousadia nunca fez mal a ninguém!

De 21 a 31 de agosto: Urano está sendo energizado por Marte e o Sol, que estão em Virgem. Mais do que nunca você prezará sua individualidade, seu espaço e sua liberdade no mundo. Você não precisa seguir ninguém; trilhe o próprio caminho, seja ele de erros ou acertos – pelo menos, eles serão todos seus.

De 1º a 10 de setembro: Temos nestes dias um *stellium* no signo de Virgem, que está relacionado a trabalho, pragmatismo e organização. Com certeza você estará apto para administrar seu cotidiano de forma objetiva. Bom para investimentos imobiliários de longo prazo.

De 11 a 20 de setembro: Mercúrio e Vênus em Libra animam sua vida social e afetiva; dê mais atenção a seu parceiro, cônjuge ou mesmo clientes. Esteja mais receptivo e atento às necessidades deles, desfrutando do prazer dessas valiosas alianças. Não há bem maior que um coração feliz.

De 21 a 30 de setembro: Neste momento, você poderá exercer uma liderança natural em seu grupo, ou seja, na família, na comunidade ou entre amigos. Use sua sensibilidade e discernimento para ouvi-los e atender suas reivindicações, dentro do possível.

De 1º a 10 de outubro: Embora você não aprecie discussões ou conflitos, talvez não possa se esquivar deles, tendo de se posicionar de modo mais assertivo e sincero. Sua opinião é importante, uma vez que poderá esclarecer algo que estava mal explicado.

De 11 a 20 de outubro: A Lua Cheia propicia momentos de alegria e encantamento genuínos que poderão ser compartilhados com entes queridos. Assuntos ou pendências jurídicas estão próximos de uma solução definitiva a seu favor. Exija seus direitos e lute até o fim.

De 21 a 31 de outubro: Seus anseios espirituais podem estar em evidência; seria interessante ter um grupo com o qual pudesse compartilhar experiências, leituras ou dúvidas. Vênus no signo de Escorpião o encoraja a observar seus sentimentos mais profundos e desconhecidos, que virão à tona.

De 1º a 10 de novembro: Uma atitude inconsciente ou agressiva por parte de alguém poderá deixá-lo muito ressentido. Evite o impulso de revidar. Logo as coisas serão esclarecidas, e você, ao se colocar no lugar do outro, poderá perdoar e esquecer.

De 11 a 20 de novembro: O fim do ano está chegando. Marte e Júpiter em harmonia vão deixá-lo entusiasmado com a possibilidade de fazer uma viagem a longa distância. Não deixe para a última hora o planejamento de suas férias ou descanso.

De 21 a 30 de novembro: É sempre bom ter as rédeas da vida nas próprias mãos. Vênus e Júpiter em Sagitário o levarão a refletir melhor sobre suas próximas iniciativas, seu papel no mundo e de que forma você pode contribuir para que ele seja melhor e mais justo.

De 1º a 10 de dezembro: Vênus e Marte em sextil trazem uma aura auspiciosa para a vida a dois; o clima de romance está no ar. Não fique esperando pelo príncipe ou pela princesa de seus sonhos. Esqueça as decepções do passado, permitindo-se tentar mais uma vez. Por que não?

De 11 a 20 de dezembro: Júpiter em trígono com Urano estimula sua mente e a vontade de ser mais criativo. Não adie mais nenhum sonho ou talento que queira desenvolver – siga seu coração e sua vocação; a felicidade é seu maior bem.

De 21 a 31 de dezembro: Final de ano é tempo de celebrar a vida que pulsa no coração de cada um. Sol e Júpiter juntos no céu tornam esse momento mais especial, pois significam esperança, otimismo, justiça e solidariedade. Abrace essa energia para brindar a renovação da vida!

CÂNCER
De 21 de junho a 21 de julho
Signo de Água, regido pela Lua

CARÁTER: Câncer é o primeiro signo do elemento Água, que representa o mundo arquetípico das emoções humanas. As motivações do canceriano são de origem afetiva e suas reações são pautadas pelo coração e pela intuição. Gosta de preservar valores e tradições, em especial da família e de seus antepassados. Sua natureza é instável e introvertida. Este signo é regido pela Lua, símbolo da fecundidade, do princípio feminino e dos sonhos; isso imprime no canceriano um caráter maternal e protetor. É um tipo zodiacal que muito se destaca em atividades artísticas e criativas. PERSONALIDADES DESTE SIGNO: Edgar Degas, Hermann Hesse, Franz Kafka, Gilberto Gil, Raul Seixas, Tom Cruise, Gisele Bündchen, Marisa Monte.

PROFISSÃO: Câncer é um signo de Água cardinal, representa simbolicamente a necessidade de criar e inovar por meio da sensibilidade e da criatividade. Por uma questão de segurança alguns cancerianos preferem trabalhar com a família. Bastante interessado pela história dos povos, pode sair-se bem como historiador, museólogo, antropólogo. Excelentes cuidadores, os cancerianos têm êxito nas áreas de enfermagem, nutrição, pedagogia e psicologia. Ligados aos temas domésticos, são bons cozinheiros, decoradores e arquitetos. A relação com a poesia e a música é muito forte para os nativos deste signo. PROFISSÕES INDICADAS: músicos, professores de jardim de infância, parteiras, cozinheiros, floristas, babás.

AMOR: O canceriano é um tipo maternal, protetor e romântico. Dedicado e empático, sabe ouvir e colocar-se no lugar do outro com muita facilidade. Aprecia cuidar e ser cuidado. Quando apaixonado, é capaz de se entregar por inteiro, é um sonhador incorrigível. Magoa-se com facilidade e sofre muito no final dos seus relacionamentos. Música, fotografias, flores, poesias e jantares à luz de vela são sua marca registrada na hora da conquista amorosa.

SAÚDE: O canceriano tem uma saúde delicada e muito influenciada pelo componente emocional, o que caracteriza pessoas com tendência a somatizar suas mazelas psíquicas. Este signo rege o estômago, e também os seios femininos e os ovários. Tendência a desordens alimentares como anorexia ou bulimia, gastrites e úlceras, inchaço e obesidade. Deve sempre evitar comidas pesadas, que tenham fortes condimentos, e beber muito líquido.

Previsões para os cancerianos em 2019

De 1º a 10 de janeiro: Sol, Mercúrio e Vênus estão no signo de Capricórnio, ativando o setor dos relacionamentos e mostrando oportunidades de parcerias que tendem a se solidificar com o passar do tempo. Continue agindo com determinação e pragmatismo.

De 11 a 20 de janeiro: Paciência e perseverança serão suas boas e oportunas conselheiras neste ciclo, em que as responsabilidades se acumulam. Mantenha suas prioridades em foco e delegue os compromissos que não puder realizar no momento.

De 21 a 31 de janeiro: Saturno e Netuno estão em sextil, o que favorece a interação com pessoas mais espiritualizadas. Os ensinamentos filosóficos podem ajudá-lo na percepção de uma dimensão mais profunda da vida e das experiências já vivenciadas.

De 1º a 10 de fevereiro: Nestes dias, a energia de comunicação está fluindo bem e a troca de experiências vai dinamizar seu cotidiano. Mercúrio em Aquário recebe bons estímulos de Sol, Júpiter e Urano, ampliando sua intuição e dando-lhe uma percepção mais abrangente de seu lugar no ambiente de trabalho.

De 11 a 20 de fevereiro: Marte e Urano vão incrementar seu apreço por novidades tecnológicas; aproveite para investir em conhecimentos nessa área. O ritmo dos acontecimentos no trabalho tende a acelerar, gerando um quadro de ansiedade; respire fundo e tranquilize-se.

De 21 a 28 de fevereiro: Vênus está em aspecto positivo com Mercúrio e Plutão. O convívio social permanece vibrante e intenso. Sol e Marte estimulam seu desempenho, sobretudo quanto a iniciativas acertadas e à eficiência em colocá-las em prática.

De 1º a 10 de março: Momento favorável para refazer ou repensar estratégias que havia criado com seus colegas de trabalho e que precisam ser aperfeiçoadas. Parcerias informais com pessoas mais velhas e experientes serão bastante oportunas, pois há muito a aprender com elas.

De 11 a 20 de março: Plutão em Capricórnio recebe bons aspectos de Sol e Marte. Você poderá se surpreender com talentos que ainda não conhecia em si mesmo. Faça o melhor que puder neste ciclo; seu magnetismo pessoal vai impressionar seus superiores.

De 21 a 31 de março: Mercúrio, Vênus e Netuno em Peixes despertam sua consciência para o lado mais sutil da existência; assuntos místicos vão chamar sua atenção. Ótimo para refletir sobre seus desejos mais íntimos e a vida amorosa.

De 1º a 10 de abril: Marte em Gêmeos é um estímulo benéfico à vida intelectual. Sua mente está a mil por hora, querendo saber sobre tudo e todos ao mesmo tempo. Pode ocorrer certa tendência à dispersão, mas você saberá contorná-la com presença de espírito.

De 11 a 20 de abril: Este é o momento em que terá de lutar pelos seus direitos, e causas judiciais pendentes podem não trazer o resultado esperado. Mesmo assim, não desista e persevere por aquilo que está pleiteando. O pensamento positivo remove obstáculos, acredite!

De 21 a 30 de abril: Saia mais de casa; o Sol em Touro está iluminando o setor dos amigos. Marte e Netuno podem afetar seu sistema imunológico e, desta feita, será importante evitar comidas mais condimentadas, automedicação e o excesso de bebidas alcoólicas.

De 1º a 10 de maio: As contrariedades da vida a dois tenderão a deixá-lo abatido e desanimado. É conveniente que se proponha a fazer uma reavaliação honesta de seus sentimentos. Um diálogo sincero é melhor que o silêncio ou o ressentimento.

De 11 a 20 de maio: Sol e Saturno em trígono ampliam sua eficiência e poder de realização. Você está mais confiante e seguro de suas habilidades. Plutão em ângulo positivo dará a você a capacidade de transformar o que estava emperrando o fluir da vida.

De 21 a 31 de maio: Este período de recolhimento e reflexão interior deve recarregar suas baterias; é interessante diminuir o ritmo das atividades. Vênus e Netuno sinalizam uma tendência à boa vontade recíproca e harmonia na vida amorosa.

De 1º a 10 de junho: Sua atividade mental está intensa, e sua originalidade vai criar soluções interessantes para a área profissional. As redes sociais serão muito estimulantes em sua vida fraternal; você poderá fazer novos amigos e descobrir interesses inusitados e prazerosos.

De 11 a 20 de junho: Marte está em tensão com Saturno e Plutão, e esse ângulo pode gerar atitudes intempestivas para com pessoas próximas. Será preciso desenvolver certo senso de diplomacia e tolerância para evitar discussões muito acaloradas.

De 21 a 30 de junho: Júpiter e Netuno ainda podem significar uma atmosfera de confusão ou mal-entendidos. O clima de fofocas sempre acaba por intoxicar a mente das pessoas. Por isso mesmo, não se envolva demais em nenhum assunto; são turbulências passageiras.

De 1º a 10 de julho: O momento pede mais parcimônia e cuidados com gastos excessivos ou feitos por impulso. Vênus e Urano em ângulo positivo animam sua vida social e artística. Seu coração está aberto a novos encontros e romances, e por que não?

De 11 a 20 de julho: Divergências de pontos de vista demandam novas estratégias e mais flexibilidade diante de possíveis conflitos. Não radicalize sua posição e encare os desafios como oportunidades para mudar o que for necessário.

De 21 a 31 de julho: Marte e Júpiter em trígono podem trazer boas notícias em assuntos judiciais, o que vai deixá-lo mais animado. Esse clima positivo se estende também ao trabalho: seu desempenho será reconhecido. Trate de aceitar os elogios!

De 1º a 10 de agosto: O ciclo mais alegre e otimista continua valendo. Oportuno para pedir aumento ou promoção profissional. Fase auspiciosa também para ampliar seus conhecimentos, ler bons livros, participar de seminários, ficar ligado no que está por vir.

De 11 a 20 de agosto: Muitos planetas no signo de Leão devem movimentar positivamente sua vida financeira; você pode fazer investimentos ou comprar coisas que agradam seus olhos. O Cupido poderá dar uma flechada em seu coração quando menos esperar!

De 21 a 31 de agosto: Período enriquecedor no convívio com irmãos, primos e familiares queridos que você não encontra com regularidade. Excelente para programar alguma viagem com a qual venha sonhando há tempos. Afinal, o futuro é logo ali.

De 1º a 10 de setembro: Vários aspectos favoráveis com Saturno apontam para uma fase de empreendedorismo e resiliência, em que os obstáculos são vencidos com rapidez e sua mente está ágil para achar soluções. Faça uma boa faxina e organização em seus documentos e arquivos digitais.

De 11 a 20 de setembro: Os conhecimentos adquiridos e a troca de experiências terão um papel transformador em sua vida. Vão chegar oportunidades para que possa testar aquilo que aprendeu e também para compartilhar tudo isso na vida profissional.

De 21 a 30 de setembro: É possível que esteja bastante motivado com novas e estimulantes parcerias; sempre é bom somar energias para novos desafios. A vida social está mais intensa com a entrada do Sol em Libra. Viagens de lazer serão bem-vindas, e a saúde vai agradecer.

De 1º a 10 de outubro: Mercúrio em Escorpião implica a necessidade de prestar atenção a pensamentos obsessivos e radicais, e à manutenção de crenças que talvez já não estejam funcionando bem. É preciso ouvir com o coração, prestando atenção ao que o outro diz e sente.

De 11 a 20 de outubro: A Lua Cheia acontece no eixo Áries e Libra, agitando a vida familiar e dando ênfase aos seus sentimentos. Não é hora de escondê-los, mas sim de ter o cuidado de não se tornar refém de exageros momentâneos.

De 21 a 31 de outubro: Agora as emoções estão sob controle e você entenderá as coisas de um ponto de vista mais maduro. No trabalho, pode haver sobrecarga de responsabilidades e, por consequência, a chegada do estresse. Vá com calma.

De 1º a 10 de novembro: Você poderá concretizar com êxito seus ideais humanitários e ter a sensação de dever cumprido em relação aos compromissos assumidos durante o ano. Trata-se de uma boa fase para refletir e avaliar quanto amadureceu, vendo isso como uma aquisição relevante.

De 11 a 20 de novembro: Marte e Júpiter sinalizam uma fase de otimismo e generosidade, em que você pode olhar mais para o lado positivo da vida e das pessoas. Isso vai abrir novas oportunidades para ampliar seus talentos de forma não só criativa, mas também pragmática.

De 21 a 30 de novembro: Mercúrio reinicia seu movimento direto, facilitando a comunicação em geral. Invista mais tempo em autoconhecimento, por exemplo, em inteligência emocional. As redes sociais vão envolvê-lo bastante; você está sendo muito prestigiado!

De 1º a 10 de dezembro: Temos agora um forte *stellium* no signo de Capricórnio. Com a entrada de Júpiter nesse mesmo signo, há uma expansão nos relacionamentos, e os frutos de esforços anteriores já vêm surgindo no médio e longo prazo.

De 11 a 20 de dezembro: Agora você poderá iniciar amizades com pessoas que estejam em sintonia com esse seu momento altruísta e dinâmico. Atividades em organizações não governamentais (ONGs) podem trazer muita alegria. Sua visão de mundo está mudando nesse convívio com pessoas mais livres e desapegadas.

De 21 a 31 de dezembro: O ano se encerra com a conjunção de Sol e Júpiter em Capricórnio, que representa o trabalho, a responsabilidade. Certamente essa deve ser a sensação que está em seu coração: a de que o caminho percorrido tem um sentido e um sabor de vitória. Aproveite bem!

LEÃO
De 22 de julho a 22 de agosto
Signo de Fogo, regido pelo Sol

CARÁTER: O leonino é dotado de uma personalidade magnética, atraente e dinâmica. Quer ser admirado, amado e reconhecido por suas qualidades. É regido pelo Sol e, como tal, carrega consigo a luz do bom humor e a alegria de viver. Tem valores morais arraigados e tradicionais, gosta de seguir as tradições da família ou do país. Seu caráter é nobre e altivo, e gosta de ostentar aquilo que possui. Não suporta ter que admitir suas fraquezas. Ambicioso, orgulhoso e ousado, não se deixa dominar jamais pelos outros. É leal, generoso e expansivo; seu estilo de vida exclui a modéstia e a timidez. **PERSONALIDADES DESTE SIGNO:** Alexandre Dumas, Claude Debussy, Yves Saint Laurent, George Bernard Shaw, Mick Jagger, Carl Gustav Jung, Jorge Amado, Caetano Veloso, Barack Obama, Madonna, Rodrigo Santoro, Ney Matogrosso.

PROFISSÃO: Dada a sua necessidade de ser o centro do mundo ou ser admirado, é fácil imaginar o leonino no palco ou na área de entretenimento. Terá destaque nas atividades de ator e diretor, podendo então mostrar seu poder pessoal, carisma e as emoções humanas. Encontramos leoninos em cargos de chefia, na política e em embaixadas. **PROFISSÕES INDICADAS:** maestro, cardiologista, empresário, ator, professor, decorador.

AMOR: Para o leonino, o amor é sempre uma celebração e a oportunidade para exaltar o amor romântico e apaixonado de forma dramática ou exagerada. É um amante exigente, fiel, dedicado e possessivo. Há no leonino uma dualidade marcante: de um lado, depende excessivamente do amor e da aceitação dos outros; ao mesmo tempo, sendo individualista e narcisista, acaba por fazer um mito de si próprio. Isso pode, ao contrário de seus desejos, deixá-lo retraído ou solitário.

SAÚDE: A vitalidade e a resistência são marcantes na saúde física deste signo. Na anatomia zodiacal, rege a circulação sanguínea, o coração, a visão, o baço, as veias e as artérias. É suscetível a desordens cardiovasculares e circulatórias e anginas. Sendo muito emotivo, recomenda-se ao leonino que expresse seus sentimentos, sejam eles positivos ou negativos, pois a não manifestação deles é o que pode fazê-lo adoecer ou abater seu sistema imunológico.

Previsões para os leoninos em 2019

De 1º a 10 de janeiro: Esta fase vai demandar de você muita cautela com palavras ditas de forma intempestiva; nunca é demais lembrar que sinceridade em excesso sempre tem consequências. O ano começa em ritmo lento; vá esboçando suas metas sem pressa.

De 11 a 20 de janeiro: Marte e Vênus estão em signos de Fogo: Sagitário e Áries, respectivamente. Seus anseios e desejos do coração poderão ser alcançados de maneira intensa e apaixonada. Mas vale lembrar que pode ser um amor de verão – emocionante e de pouca duração.

De 21 a 31 de janeiro: Momento positivo para colocar em andamento seus projetos para o ano que se inicia. Pense grande e não tenha receio de imaginar um cenário perfeito para todas as coisas que tenha em mente. Sonhar não paga imposto, e tudo tem origem na mente humana.

De 1º a 10 de fevereiro: O planeta Mercúrio recebe vários aspectos positivos de Júpiter, Marte e Urano neste período. Sua mente está muito acelerada e você quer tudo para ontem. Organize suas ideias; veja o que tem prioridade e que possa ser realizado de modo seguro.

De 11 a 20 de fevereiro: As viagens e o contato com o estrangeiro podem ter um efeito dinamizador e eletrizante em seu espírito. Nada como a interação com outras culturas para ampliar sua visão de mundo, rompendo com preconceitos inúteis e limitados.

De 21 a 28 de fevereiro: Agora é possível direcionar seus impulsos criativos para a vida profissional com muita garra. Não procrastine assuntos relativos à saúde; faça seus exames anuais e mantenha uma alimentação mais leve, adequada ao calor do verão.

De 1º a 10 de março: Vênus e Urano podem apontar divergências na vida afetiva. Mantenha-se firme em relação aos cuidados com saúde e alimentação; este é um ótimo ciclo para dietas de emagrecimento e desintoxicação do organismo.

De 11 a 20 de março: Marte está na décima casa, em trígono com Plutão. Agora é hora de mostrar a todos seu potencial criativo e eficiência no trabalho. Você poderá exercer forte liderança, estimulando todos a participarem de prováveis mudanças significativas.

De 21 a 31 de março: Vênus agora está no signo de Aquário, impulsionando as parcerias, em especial com pessoas criativas e visionárias. Não adie decisões importantes e deixe-se levar mais por intuições momentâneas. Tudo vai bem na vida amorosa!

De 1º a 10 de abril: Mercúrio e Saturno propiciam um bom ciclo para colocar em andamento projetos que priorizem pragmatismo e objetividade. Será interessante também para fazer investimentos de longo prazo ou em bens imóveis.

De 11 a 20 de abril: Processos judiciais podem não ter o resultado que você esperava nestes dias. Se for possível, opte por acordos que sejam mais rápidos e possam beneficiar os dois lados. Evite gastos supérfluos, que prejudicarão seu orçamento mensal.

De 21 a 30 de abril: Bom período para fazer uso da tecnologia e de aparelhos eletrônicos em geral. Fique mais atualizado; as redes sociais vão deixá-lo mais ligado em novidades e em tudo o que acontece no planeta.

De 1º a 10 de maio: Este é o momento oportuno para se libertar de padrões de pensamento rígidos e ultrapassados. A vida anda para a frente e é preciso avançar com mais leveza. Na vida familiar, o melhor é evitar discussões acaloradas e sem nenhuma objetividade.

De 11 a 20 de maio: A rotina de trabalho poderá ser encarada de forma positiva, pois a organização o deixa mais produtivo e eficiente. Saturno recebe bons aspectos do Sol e Mercúrio, que sinalizam mais eficiência e a boa sensação do dever cumprido.

De 21 a 31 de maio: O Sol está iluminando a casa dos amigos e dos planos para o futuro. Você poderá se interessar ou se engajar em atividades e associações humanitárias ou filantrópicas que tenham por objetivo o bem comum da sociedade; vá em frente!

De 1º a 10 de junho: O fortalecimento de seus vínculos pessoais e fraternos está avançando, o que aumenta sua autoestima. O modo confiante de encarar a vida também deriva de fatores afetivos, pois só diplomas e conhecimento não garantem o sucesso.

De 11 a 20 de junho: Júpiter em aspecto tenso com Netuno tende a deixá-lo psiquicamente mais sensível e vulnerável. Evite situações de estresse, noticiários mais carregados e acreditar em tudo o que vê e ouve. Se possível, fique perto do mar, que tem um poder restaurador.

De 21 a 30 de junho: Pode surgir certa instabilidade ou decepção na vida sentimental. Veja isso como um fato transitório e sem grande importância, pois na vida nada é linear, especialmente nos assuntos do coração!

De 1º a 10 de julho: Já é passado o ciclo de indefinições. Agora Mercúrio e Marte estão juntos em Leão e devem indicar mais assertividade e ousadia para fazer as coisas acontecerem. Procure comunicar-se com mais clareza para não dar margem a mal-entendidos.

De 11 a 20 de julho: Sol e Saturno em ângulo de oposição podem diminuir a energia vital, debilitando o sistema imunológico. Procure descansar mais e diminuir o ritmo das atividades cotidianas. A opção por alimentos mais energéticos ou vitaminas será muito bem-vinda.

De 21 a 31 de julho: Marte e Júpiter em trígono em signos de Fogo apontam uma atmosfera de otimismo e superação de obstáculos. Você é capaz de perceber agora que tudo tem sua razão de ser. As dificuldades acabaram fortalecendo seu espírito, tornando-o mais resiliente.

De 1º a 10 de agosto: O começo deste ciclo acontece com a Lua Nova no signo de Leão. Ótimo momento para perguntar-se: O que estou fazendo aqui? Ou: O que estou realizando condiz com meus desejos e minha vocação? Persiga suas metas!

De 11 a 20 de agosto: Sol, Marte e Vênus estão em Leão, que é seu signo solar. Neste período, você deve se sentir especialmente revitalizado e confiante. Seu charme e sua força de atração estão em alta, então, se deseja conquistar alguém, vá à luta!

De 21 a 31 de agosto: Sol e Marte fazem bons aspectos com Urano e sinalizam a importância de autonomia e liberdade em suas ações. Isso não significa individualismo, mas a afirmação do seu eu, ou seja, fazer as coisas do seu jeito, com sua assinatura.

De 1º a 10 de setembro: É sempre importante lembrar que a perfeição não existe, mas serve como inspiração na busca de seus ideais. A natureza humana é complexa e contraditória, e o melhor a fazer é diminuir as expectativas em relação aos outros.

De 11 a 20 de setembro: Neste momento, procure se lembrar das tradições orientais que valorizam a flexibilidade dos bambus. Aparentemente frágeis e delicados, vergam-se com a ação do vento e da chuva, mas são fortes e vigorosos. Contrariedades sempre vão existir!

De 21 a 30 de setembro: O céu planetário tem bons aspectos de Júpiter, que dinamiza o setor amoroso, de lazer e autoexpressão. Dê a si mesmo o prazer de desfrutar das boas coisas da vida, como namorar, dançar, viajar e se divertir com as crianças.

De 1º a 10 de outubro: Com Marte em Libra, você poderá exercer sua liderança natural no ambiente de trabalho. Pode estimular os colegas de forma a conseguir bons resultados em equipe, na qual todos poderão mostrar suas habilidades individuais.

De 11 a 20 de outubro: O Sol está na casa relacionada à família, e as demandas tendem a ser mais intensas e difíceis. A Lua Cheia potencializa as emoções, e os problemas tomam proporções aparentemente maiores. Mantenha a calma; o tempo trará as soluções desejadas.

De 21 a 31 de outubro: Nesta fase, Vênus e Netuno fazem um trígono no céu, e isso se reflete em atitudes tolerantes, em que a compaixão pode se manifestar com mais facilidade. Tudo o que parecia insolúvel ou sem saída vai se harmonizando aos poucos.

De 1º a 10 de novembro: Inquietações no âmbito familiar podem persistir, e as decisões não dependem só de você. O que é passível de mudança é sua forma de ver e se relacionar com o que está à sua volta. Isso se chama maturidade e sabedoria de vida.

De 11 a 20 de novembro: Ótimo período para planejar uma viagem ao estrangeiro, pensar em conhecer novas paisagens e culturas. Júpiter na quinta cria um ambiente bem propício para atividades lúdicas e artísticas que tragam alegria à sua alma.

De 21 a 30 de novembro: Vênus e Júpiter podem trazer uma renovação significativa na vida amorosa, e você vai querer compartilhar isso com todos. Seu desempenho profissional poderá surpreender outras pessoas. A verdade é que você anda muito inspirado!

De 1º a 10 de dezembro: Fase interessante e oportuna para reformar ou melhorar as condições de sua casa, deixando-a mais bonita e aconchegante. É importante ficar mais atento à sua saúde e bem-estar, e fazer exercícios com mais regularidade. Evite o excesso de carboidratos.

De 11 a 20 de dezembro: Este é um bom momento para mudar ou ampliar seus projetos relacionados à carreira. Você pode mudar de cidade, de casa, estudar algo novo, ir para outra área profissional. Sua alma pede por renovação, desejando ir ao encontro do inusitado.

De 21 a 31 de dezembro: Este final de ano é abençoado pela conjunção de Sol e Júpiter em Capricórnio. Tal aspecto é benéfico para projetar mentalmente seus sonhos e ambições. Peça ao universo a materialização deles. É hora de celebrar!

VIRGEM
De 23 de agosto a 22 de setembro
Signo de Terra, regido por Mercúrio

CARÁTER: O pragmatismo tem um papel essencial na natureza do virginiano, que vê a vida sob o prisma da razão e da lógica das coisas. Esse signo possui uma grande capacidade para o trabalho; a eficiência e o perfeccionismo são sua marca registrada. Ele sabe como ninguém coordenar os processos de produção e organização. Seu caráter é tímido e reservado, e sua humildade pode às vezes esconder seus múltiplos talentos. O trabalho pode ser a válvula de escape para as suas dificuldades de lidar com as emoções. Gosta de demonstrar seu afeto sendo útil e prestativo com todos. **PERSONALIDADES DESTE SIGNO:** Tony Ramos, Maurice Chevalier, Beyoncé, Malu Mader, Ana Carolina, Paulo Coelho, Goethe, Gustavo Kuerten.

PROFISSÃO: O virginiano gosta de analisar, disciplinar e organizar. É excelente profissional em áreas de produção, análise de sistemas, computação – tudo o que depende de detalhes, lógica, método e racionalidade. Pode se sair bem nas áreas de saúde, em pesquisas em laboratórios, hospitais. Botânica, biologia e as áreas ambientais o interessam muito, dado seu amor e interesse pela diversidade da natureza. **PROFISSÕES INDICADAS:** veterinário, farmacêutico, massoterapeuta, artesão, nutricionista.

AMOR: O virginiano é um ser contido, tímido e muito exigente consigo mesmo e com os outros, guarda para si suas emoções e desejos. Prefere relacionamentos duráveis e constantes; precisa muito ser amado, mas não demonstra seus desejos de maneira espontânea. O seu amor pelo outro se manifesta em fidelidade, constância e na sua necessidade de ser útil e eficiente nas coisas simples do cotidiano.

SAÚDE: O virginiano é um ser inquieto e irritável; sua ansiedade tende a debilitar os sistemas nervoso e imunológico. Na anatomia zodiacal, os pontos sensíveis são os intestinos e o baço. É sujeito a cólicas intestinais, apendicite e problemas gastrointestinais em geral. Deve se alimentar de forma mais natural e evitar a automedicação.

Previsões para os virginianos em 2019

De 1º a 10 de janeiro: Este momento é positivo para organizar seus pensamentos em função dos projetos que tem para este ano. No entanto, não é favorável ter pressa em executá-los. Quando se faz uma semeadura, é preciso saber esperar pelos frutos, pois eles virão na hora certa.

De 11 a 20 de janeiro: Você está mais suscetível a encontros intensos e paixonites que incendeiem seu coração. Deixe-se levar pelo momento, sem criar expectativas de segurança ou fidelidade. Amores passageiros têm lá seu encanto, tornando-se depois boas lembranças!

De 21 a 31 de janeiro: Sol e Mercúrio em Aquário aceleram seu pensamento; procure direcioná-lo para algo específico, senão poderá desperdiçar boas intuições. Uma dica é escrever no papel tudo o que se passar em sua mente, pois os pensamentos serão momentâneos e fugidios.

De 1º a 10 de fevereiro: Momento auspicioso para tratar de assuntos familiares e domésticos com êxito. Suas considerações serão bem-aceitas e farão deslanchar pendências anteriores. Mercúrio em sextil com Marte vai deixá-lo mais assertivo, apto a tomar decisões importantes.

De 11 a 20 de fevereiro: Você está bastante agitado, querendo resolver dez coisas ao mesmo tempo. Ainda que tenha boas ideias ou palpites, dispõe de um só corpo para executar seus planos; tenha discernimento. Cuidado ao mexer com fogo e objetos cortantes.

De 21 a 28 de fevereiro: Os estudos, a comunicação, boas leituras e todo tipo de atividade cultural estão especialmente favorecidos neste ciclo. Você tem mais clareza e objetividade ao expressar suas convicções pessoais e valores. Lembre que tudo isso pode ser aperfeiçoado.

De 1º a 10 de março: Neste ciclo, suas exigências amorosas podem gerar rupturas. Vênus em Aquário expande o conceito de amor, que não é encarado como posse, mas sim como um exercício de liberdade e respeito pelo próximo e por sua individualidade; lembre-se disso.

De 11 a 20 de março: Você vive um momento de muita energia e disposição. Seu poder pessoal lhe permitirá transformar e regenerar estruturas envelhecidas, seja na vida íntima, seja no trabalho. Foco e determinação são as palavras-chave dessa fase.

De 21 a 31 de março: Conflitos na vida afetiva poderão ser encarados de um modo mais leve e bem-humorado. Momento benéfico para fazer reparos na casa, deixando-a com um aspecto mais jovial e arrojado. Que tal organizar sua bagunça e se desfazer de objetos e roupas sem utilidade?

De 1º a 10 de abril: Mercúrio e Netuno estão juntos no céu planetário. De um lado, sensibilidade psíquica para ver as coisas de um ângulo mais abrangente; de outro, isso pode causar certa fragilidade por conta de ilusões ou situações muito idealizadas. Ponha os pés no chão.

De 11 a 20 de abril: Este é um ciclo possivelmente marcado por escassez de recursos ou desorganização na vida financeira, o que afetará a vida familiar. Não faça empréstimos nem investimentos de risco; a cautela e o pragmatismo serão bons conselheiros.

De 21 a 30 de abril: Urano e o Sol trazem um horizonte favorável para mudanças que julgue necessárias. Fique atento a seu bem-estar físico: faça caminhadas para tomar sol, melhorar a circulação em geral e aliviar as tensões do corpo.

De 1º a 10 de maio: Ainda neste período será necessário adotar medidas restritivas no âmbito financeiro, tendo paciência para poder reestruturar as novidades em seu cotidiano. No trabalho, é aconselhável não abraçar mais responsabilidades além daquelas que você já assumiu.

De 11 a 20 de maio: Os aspectos planetários são muito favoráveis nestes dias, propiciando energia de renovação e leveza. Você se sente mais capaz e confiante em atuar com os próprios recursos e habilidades para superar algum obstáculo.

De 21 a 31 de maio: Sol e Mercúrio estão alinhados no céu e dinamizam as atividades profissionais. Novos contatos, encontros, seminários, palestras e informação de qualidade vão trazer um colorido especial para estes dias!

De 1º a 10 de junho: Atitudes e palavras na vida a dois tendem a ser mais claras e objetivas, e isso cria um clima de mais confiança e alegria entre o casal. Um ótimo ciclo para incluir atividades ou programas mais lúdicos e criativos no cotidiano.

De 11 a 20 de junho: Neste momento, você pode se tornar refém de atitudes agressivas ou preconceituosas, mesmo sem perceber. Antes de procurar por culpados, olhe primeiro para si mesmo. Analise seus sentimentos, veja o que está "pegando" e não julgue os demais.

De 21 a 30 de junho: O Sol em Câncer adentra seu setor de amizades, da vida em grupo ou dos ideais humanitários. O contato com pessoas de outros países ou culturas deverá abrir sua mente para uma visão de mundo diferente.

De 1º a 10 de julho: Este momento continua sendo propício à convivência com pessoas inspiradoras e criativas, com propósitos altruístas em relação à vida como um todo. Sua capacidade de se expressar está em alta; suas opiniões serão prestigiadas.

De 11 a 20 de julho: Talvez seja mais difícil atender às demandas de seus superiores; você está mais questionador, e seus desejos entram em conflito com aquilo que esperam de você. Mantenha-se firme em seus propósitos, mas não radicalize, optando pela diplomacia.

De 21 a 31 de julho: Caso tenha pendências jurídicas em andamento, saiba que agora se abre uma janela para acordos interessantes. Você poderá tratar com êxito assuntos ligados a bens imóveis e patrimônios familiares.

De 1º a 10 de agosto: Divergências de opiniões e valores ainda não estão totalmente esclarecidas, e isso pode deixá-lo estressado. Procure relativizar os problemas e não se deixe levar por emoções negativas, que diminuirão sua autoestima.

De 11 a 20 de agosto: A comunicação com todos agora flui de modo mais harmonioso; você está mais seguro de sua capacidade, e os outros vão valorizar sua criatividade. Sol e Vênus estão juntos no signo de Leão e expandem a capacidade de se apaixonar e se encantar pela vida!

De 21 a 31 de agosto: Sol e Marte estão em trígono com Urano, que está no signo de Touro. Esse aspecto vai fazer com que você fique mais arrojado e se torne mais empreendedor; sua motivação pessoal eliminará todo e qualquer empecilho; vá em frente!

De 1º a 10 de setembro: Um forte *stellium* em Virgem ocupa o setor relacionado à sua saúde, ação e força vital. Em trígono com Saturno, essa configuração potencializa sua capacidade de realização, resiliência e racionalidade para alcançar as próprias metas.

De 11 a 20 de setembro: Seu bom desempenho pode estar incomodando alguém no ambiente de trabalho. O melhor a fazer é não se expor demais ou comentar menos sobre suas ambições. Mercúrio e Vênus estão agora no signo de Libra, dinamizando seus interesses culturais.

De 21 a 30 de setembro: Ciclo bastante auspicioso para viajar, ampliar seus conhecimentos e interagir socialmente. Podem surgir oportunidades ou convites para escrever ou dar uma palestra, falando de tudo o que aprendeu até agora.

De 1º a 10 de outubro: É provável que o excesso de novidades o deixe um pouco cansado, sendo importante neste momento respeitar seus limites físicos. Mercúrio e Urano estão em oposição, o que gera estresse mental ou certa ansiedade. Fique longe das redes sociais por um tempo, para restaurar seu bem-estar.

De 11 a 20 de outubro: Neste ciclo de Lua Cheia, a sensibilidade fica à flor da pele, e você pode exagerar sua resposta emocional por qualquer motivo. Procure refletir antes de tomar alguma decisão intempestiva, pois as chances de se arrepender são grandes!

De 21 a 31 de outubro: Neste momento, Vênus em harmonia com Netuno sinaliza mais clareza e comedimento em sua relação amorosa – a boa vontade e a paciência vão se sobrepor à intolerância. Contratempos com aparelhos eletrônicos podem surgir, mas não será nada sério.

De 1º a 10 de novembro: Mercúrio em movimento retrógrado é favorável para uma faxina em papéis, documentos, contas etc. Eventualmente você poderá achar algo relevante que considerava perdido. Positivo para retomar contatos com pessoas queridas que ficaram distantes.

De 11 a 20 de novembro: Saturno e Netuno estão em sextil e ativam as parcerias informais; podem surgir boas soluções para sonhos que pareciam inviáveis. Momento excelente também para cuidar da alma e do corpo, com massagens relaxantes e dietas depurativas.

De 21 a 30 de novembro: Vênus está ao lado de Júpiter no signo de Sagitário. Excelente fase para receber amigos em sua casa ou para festas familiares. Faça valer sua natureza generosa e altruísta, auxiliando aqueles que precisam de ajuda desinteressada.

De 1º a 10 de dezembro: O clima para encontros e romances está auspicioso e será difícil resistir às tentações do coração. Já dizia o poeta: "O nosso amor a gente inventa", e sendo assim você pode criar fantasias e idealizações, embora sem esperar por compromissos sérios.

De 11 a 20 de dezembro: Momento importante para colocar em prática o que projetou no âmbito profissional. É gratificante encerrar o ano tendo a sensação de que fez o seu melhor. A vida social se renova e vai estar para lá de animada; aproveite!

De 21 a 31 de dezembro: Júpiter e Sol no signo de Capricórnio sinalizam um final de ano alegre e mais confiança em sonhos promissores para o futuro. Mude de ares e de paisagem, procure conhecer lugares inusitados e prazerosos; celebre a vida!

LIBRA

De 23 de setembro a 22 de outubro
Signo de Ar, regido por Vênus

CARÁTER: O libriano é comunicativo, aberto, agradável e charmoso; sua natureza é empática e acolhedora. É nesse setor que o indivíduo se torna consciente do quanto as parcerias são essenciais na vida humana. Este tipo zodiacal não gosta da solidão, tem um caráter social, conciliador e equilibrado. Tem humor fácil e hábitos requintados. Nem sempre valoriza os seus direitos, pois sempre quer agradar a todos. É guiado pelo senso de justiça e beleza. Como um genuíno esteta, adora embelezar tudo o que está à sua volta. Sua maior dificuldade é fazer escolhas, e sua capacidade de ouvir é admirável, entendendo sempre muito bem os dois lados das questões. PERSONALIDADES DESTE SIGNO: Oscar Wilde, John Lennon, Gal Costa, Miguel Falabella, José Mayer, Lobão, Glória Menezes, Marisa Orth, Tiago Abravanel, Fernanda Montenegro, Rodrigo Lombardi.

PROFISSÃO: De modo geral, o libriano, que está sob a regência de Vênus, é um amante do belo. Gosta de harmonizar, embelezar, coordenar, conciliar os interesses de todos. É muito dedicado, justo, criativo, colaborador e participativo no ambiente de trabalho. Sabe ajustar-se bem a situações e sua inteligência emocional o torna um bom parceiro e colega. Não gosta de disputas e sabe dar ordens com assertividade. PROFISSÕES INDICADAS: juiz de direito, diplomata, decorador, crítico de arte, comércio de artes, cabeleireiro, mediador, psicólogo, arquiteto.

AMOR: O libriano está sempre pronto para servir e agradar, e assim acaba por negar as próprias necessidades, em função do bem-estar do outro. Não gosta de tomar iniciativas na vida amorosa, mas, quando apaixonado, se doará por inteiro. Sua afetividade é espontânea, e sabe usar bem de sua simpatia e beleza quando vai conquistar alguém. Adora dar e receber presentes requintados, e jamais esquece as datas importantes nem dos pequenos detalhes românticos do cotidiano. É um ser pacífico que busca relações estáveis e convencionais.

SAÚDE: Este ser zodiacal busca o equilíbrio também na saúde, sabendo dosar bem as questões de alimentação, horas de sono e atividades físicas. Deve evitar o açúcar, frutas ácidas e sal em excesso; deve também tomar muito líquido para depurar o sangue. Seus órgãos de maior sensibilidade são rins, ureteres, glândulas suprarrenais, a região do ventre, os ovários e a região lombar. O libriano tem propensão ao diabetes, cólicas, nefrite e cálculo renal.

Previsões para os librianos em 2019

De 1º a 10 de janeiro: Você começa o ano com o espírito animado, motivado para receber novos estímulos, fazer novos amigos e contatos com pessoas interessantes. Ideal para viajar, oxigenar a mente e mudar sua rotina. Se puder ficar próximo do mar, melhor ainda!

De 11 a 20 de janeiro: Vênus, que é seu planeta regente, está em Sagitário, em bom aspecto com Marte. Excelente ciclo para se apaixonar e entregar-se de coração e cabeça a alguma deliciosa aventura. Só não vale pensar em casamento; é tudo folia mesmo.

De 21 a 31 de janeiro: Vênus e Júpiter estimulam seu lado comunicativo, aquele que adora pessoas e compartilhar experiências. Ótimo para viagens rápidas com amigos ou parentes próximos. Desfrute de um descanso bem merecido.

De 1º a 10 de fevereiro: Mercúrio faz muitos aspectos positivos nestes dias. Esse fato, com certeza, trará oportunidades para o aprendizado em geral, fazer boas parcerias e tomar iniciativas que produzam bons resultados a curto e médio prazos.

De 11 a 20 de fevereiro: A movimentação social continua incessante. Convites inesperados e solicitações de amigos vão tornar este período memorável. O convívio com pessoas originais e diferenciadas terá um impacto positivo na sua forma de ver as coisas.

De 21 a 28 de fevereiro: Neste momento, talvez você precise se ocupar mais com as circunstâncias domésticas ou familiares. O diálogo sincero e a troca de ideias serão essenciais para equacionar alguma mudança, mesmo que ela chegue de forma inesperada.

De 1º a 10 de março: Agora todo cuidado é pouco com gastos excessivos; suas finanças podem estar desorganizadas, fique atento. Aproveite o início do ano para fazer consultas ou exames médicos anuais; não procrastine decisões relativas a seu bem-estar.

De 11 a 20 de março: Sol e Marte fazem bons aspectos com Plutão em Capricórnio. Não tenha receio de assumir riscos ou responsabilidades em relação ao trabalho. Você terá energia e determinação suficientes para executar suas tarefas de maneira realista e produtiva.

De 21 a 31 de março: Não deixe que o sentimentalismo prejudique suas atividades no trabalho. É importante ser compreensivo e diplomático, mas os excessos podem impedir os resultados esperados. A clareza na comunicação será essencial.

De 1º a 10 de abril: Período benéfico para dedicar-se aos familiares, em especial os mais idosos, que necessitam de mais atenção. Mercúrio e Saturno sinalizam movimentos favoráveis para questões patrimoniais ou jurídicas, sejam acordos ou atualização de documentos.

De 11 a 20 de abril: A resposta que você espera sobre seus interesses tende a se atrasar, e isso pode gerar estresse e desânimo. É hora de "fazer do limão uma limonada", prospectar o amanhã sabendo que as preocupações serão resolvidas na hora certa.

De 21 a 30 de abril: A vida lhe pede agora uma postura mais liberal e arrojada, na qual terá de abandonar sua zona de conforto. Não há por que insistir na mesmice, pois você acaba se acostumando até com aquilo de que não gosta; mexa-se!

De 1º a 10 de maio: Marte e Júpiter em oposição podem apontar certa tendência a levar tudo para o lado pessoal. Isso pode gerar conflitos devido a opiniões divergentes. Pense bem antes de iniciar uma discussão, para avaliar se realmente valerá a pena.

De 11 a 20 de maio: Sua capacidade empreendedora está em evidência, assim como a certeza em seu potencial analítico e pragmático. Você poderá fazer investimentos financeiros de médio e longo prazo e ser bem orientado por pessoas experientes.

De 21 a 31 de maio: Sol e Mercúrio juntos no céu sinalizam um momento de muita curiosidade, dispersão e diversidade de interesses. As boas ideias brotam de sua mente com muita rapidez. Anote suas intuições para depois poder aproveitá-las.

De 1º a 10 de junho: Em fase de Lua Nova pode existir uma tendência a menos vitalidade ou interesse em ver pessoas e assumir compromissos. É um bom momento para dispor de seu tempo entrando em contato com seus desejos; peça ao universo a energia adequada para realizá-los.

De 11 a 20 de junho: Neste período surgirão muitas demandas que não estavam programadas e que exigirão bastante garra e disposição para se lidar com elas. Delegue responsabilidades para não se sobrecarregar e também para evitar conflitos familiares.

De 21 a 30 de junho: Momento de muita sensibilidade psíquica e emocional. Você está vulnerável a brigas e desentendimentos em situações confusas. Evite se envolver em discussões e, ainda que tenha boas intenções, opte pelo silêncio.

De 1º a 10 de julho: Vênus está no signo de Câncer, na décima casa, sinalizando um ciclo de predisposição para colaboração, diplomacia e tolerância. Você tende a proteger amigos e familiares, atendendo de forma amorosa as necessidades de quem ama.

De 11 a 20 de julho: É possível que problemas na esfera doméstica venham a afetar seu desempenho no trabalho. O importante é não querer procurar culpados, mas sim examinar com honestidade sua falta de atenção para com os outros.

De 21 a 31 de julho: Resquícios do período anterior ainda permanecem, mas aos poucos as tensões vão diminuindo. Marte em trígono com Júpiter criará condições melhores para que tenha as rédeas da situação nas mãos, atuando com senso de justiça.

De 1º a 10 de agosto: Mercúrio retoma seu movimento direto no signo de Câncer. Ótima fase para organizar documentos, fotos e lembranças do passado, podendo filtrar o que tem valor ou não. Vênus em bom aspecto favorece tratamentos de beleza.

De 11 a 20 de agosto: Um forte *stellium* no signo de Leão ocupa a casa dos amigos e dos interesses sociais. Há uma tendência a sentir que está no lugar certo, na hora certa e com as pessoas certas para este momento. Trocas intelectuais vão reverberar bem em seu espírito.

De 21 a 31 de agosto: O planeta Urano intensifica seu interesse por novidades tecnológicas. Mantendo a mente aberta, você terá agilidade e jogo de cintura para eventuais imprevistos. As mudanças que estão chegando são oportunas, acredite!

De 1º a 10 de setembro: Momento benéfico para fazer uma avaliação das conquistas obtidas anteriormente. Você poderá perceber e se orgulhar de seu esforço e dedicação em fazer o seu melhor perante todo tipo de responsabilidade.

De 11 a 20 de setembro: Seu organismo está mais frágil e suscetível a uma gripe ou problemas intestinais. Procure fazer uma dieta mais rica e variada, evitando açúcar e comidas processadas. Não se preocupe; seu corpo vai se recuperar com rapidez.

De 21 a 30 de setembro: Júpiter em Sagitário recebe bons aspectos de Mercúrio e Vênus em Libra, direcionando suas aspirações para a vida intelectual e cognitiva. Excelente para participar de palestras ou seminários, enriquecendo assim seu repertório cultural.

De 1º a 10 de outubro: Mercúrio e Urano em tensão podem gerar irritação e discussões com pessoas próximas, em especial se quiser impor sua opinião de modo autoritário. Parece que a teimosia que está vendo no outro está mesmo é dentro de você!

De 11 a 20 de outubro: Neste ciclo, as barreiras de comunicação já estão se desfazendo, o que vai gerar um clima de boa vontade e colaboração no trabalho. Você poderá fazer investimentos seguros ou poupar seus rendimentos em bens duráveis.

De 21 a 31 de outubro: Marte e Saturno tendem a mostrar que o excesso de responsabilidade pode estressar seu corpo. Caberá a você ter discernimento para respeitar seus limites. Na vida amorosa, tudo caminha com tranquilidade.

De 1º a 10 de novembro: As condições de trabalho mostram-se favoráveis; não deixe de aproveitar oportunidades para mostrar seus talentos. Você pode aliar imaginação e criatividade a esforço e objetividade para chegar a ótimos resultados.

De 11 a 20 de novembro: Sua originalidade continua em alta; confie em seus potenciais, tendo atitudes colaborativas e atenciosas. Não adie consultas marcadas nem tratamentos de saúde que estejam pendentes. O final do ano agora já está bem pertinho!

De 21 a 30 de novembro: Vênus recebe bons aspectos de Urano e Júpiter. Você poderá modificar seus hábitos e a rotina familiar, reformar a casa ou então receber amigos queridos. Mas lembre-se: para que ocorra uma mudança, é preciso que, antes de qualquer coisa, ocorra o desapego!

De 1º a 10 de dezembro: Nesta fase, boas parcerias estão a caminho, podendo gerar a entrada de mais dinheiro. Vênus e Marte abrem os caminhos para que uma boa flechada do Cupido tire você de sua casa. Ou seja, nada de desculpas se quiser mesmo um amor de verdade!

De 11 a 20 de dezembro: Júpiter e Urano estão em ângulo harmonioso. Você agora tem condições de se libertar de amarras afetivas e deixar que o novo surja de fato em sua vida amorosa. Deixe o passado para trás e pense naquilo que deseja daqui para a frente.

De 21 a 31 de dezembro: A vida sentimental continua estimulada, e você não poderá reclamar de monotonia com Vênus, que é seu regente natal, passando pelo elétrico signo de Aquário. Certamente poderá começar o novo ano com mais leveza e alegria!

ESCORPIÃO

De 23 de outubro a 21 de novembro
Signo de Água, regido por Plutão e Marte

CARÁTER: O nativo deste signo é obstinado e possui poderosa intuição. Exerce um poder ou magnetismo que fascina a todos. Seu famoso olhar penetrante descobre coisas que ninguém percebe. É constante e muito focado em seus objetivos, aos quais se entrega com intensidade. Contestador, não se satisfaz facilmente com modelos de conduta social ou moral, é um ser muito crítico e irônico. O escorpiano é determinado e gosta de ter o controle das situações. Este signo está relacionado a todos os processos de morte e renascimento, aos ciclos naturais da vida, e ao processo evolutivo da alma, que impede a estagnação da vida. **PERSONALIDADES DESTE SIGNO:** Ziraldo, Pelé, Pablo Picasso, Marieta Severo, Leonardo DiCaprio, Reynaldo Gianecchini, Julia Roberts, Milton Nascimento, Lázaro Ramos, Bill Gates.

PROFISSÃO: Este ser é muito rigoroso e aplicado no trabalho. Seu caráter autoritário o impede de se submeter. É contestador, competente naquilo que faz, gosta de ter autonomia e, sobretudo, de exercer poder sobre os outros. Sua densidade emocional é marcante, assim como suas questões existenciais, o que pode levá-lo a profissões como terapeuta ou psicólogo. Adora analisar, investigar, esmiuçar detalhes, e saber os motivos ocultos e inconscientes de tudo e todos. **PROFISSÕES INDICADAS:** médico cirurgião, ginecologista, sexólogo, psiquiatra, pesquisador nuclear, detetive, agente criminal.

AMOR: Este nativo é um ser dedicado, afetuoso e fiel quando envolvido com alguém, embora não goste de expressar claramente seus sentimentos. Não se permite perder o controle das situações afetivas do jogo amoroso. Isso acaba sendo uma estratégia usada para disfarçar seu notório ciúme, que nunca admite ter. Passional, jamais perdoa uma traição, faz o tipo "tudo ou nada". Este ser vive tudo muito intensamente; nada com ele é superficial. Sedutores e misteriosos, são amantes inesquecíveis, pois a seu lado nada será sem graça ou desinteressante; muito pelo contrário.

SAÚDE: Este signo tem uma natureza emocionalmente densa, inquieta e complexa. O nativo de Escorpião é controlador, em geral não fala muito, analisa bastante as coisas, não faz confidências de seus segredos. Na anatomia zodiacal, este signo corresponde aos órgãos excretores e às partes genitais. Poderá ter problemas nos seguintes órgãos: uretra, bexiga, próstata, ânus, como hemorroidas, tumores ou doenças venéreas. Deve evitar o excesso de bebidas alcoólicas ou comidas condimentadas e tomar muito líquido para eliminar as toxinas do sangue.

Previsões para os escorpianos em 2019

De 1º a 10 de janeiro: Mercúrio e Urano em bom aspecto indicam uma atmosfera de liberdade, rebeldia, desejo de inovar e quebrou regras muito convencionais. No entanto, será preciso respeitar os limites do próprio corpo, que pode estar mais cansado.

De 11 a 20 de janeiro: Os solavancos ou decepções na vida sentimental fazem pressão para que você coloque os pés no chão e encare a realidade. As lentes cor-de-rosa do amor podem enganar, pois num primeiro momento não veem os defeitos de ninguém!

De 21 a 31 de janeiro: Passada a fase de mais reflexão sobre o aquilo que não deu certo, agora você já pode se sustentar nas próprias convicções e correr atrás de seus desejos. Os obstáculos estão aí o tempo todo e têm como objetivo o fortalecimento do espírito; não desanime.

De 1º a 10 de fevereiro: Momento auspicioso para prospectar interesses na área intelectual, ampliando conhecimentos. Interessante também para ganhos financeiros e fazer bons investimentos. Sua intuição está forte, por isso trate de ouvi-la.

De 11 a 20 de fevereiro: Sol e Urano estão bem alinhados, dinamizando o setor de saúde e trabalho. Novidades podem aparecer, e você deve analisá-las com atenção, sem receio de assumir compromissos. Com o passar do tempo, vai se surpreender com seu desempenho.

De 21 a 28 de fevereiro: Momento oportuno para fazer melhorias no lar ou mesmo mudar de casa. Você se sente estimulado por coisas diferentes e novos relacionamentos, que alegrarão sua vida. Excelente para viagens rápidas a lugares desconhecidos.

De 1º a 10 de março: Suas parcerias podem não trazer os resultados que esperava; será preciso ter paciência e estudar novas estratégias de divulgação. Seria interessante pedir orientação profissional para evitar perda de tempo em seus objetivos.

De 11 a 20 de março: Marte encontra-se no signo de Touro e faz bom aspecto com Plutão em Capricórnio. Isso representa maior confiança e grande dinamismo em sua capacidade de se relacionar e expressar seus valores pessoais mais profundos.

De 21 a 31 de março: Mercúrio e Netuno estão em conjunção com Peixes, ativando o setor de saúde e bem-estar. Este será um ciclo excelente para fazer uma dieta de desintoxicação, optando por alimentos mais leves, chás, frutas e líquidos.

De 1º a 10 de abril: Momento fértil para leituras enriquecedoras, assimilar conhecimentos e memorizar aquilo que já sabe. É possível que reencontre amigos do passado, e essa experiência mostrará quanto você amadureceu e cresceu nos últimos tempos.

De 11 a 20 de abril: Júpiter inicia um movimento retrógrado, exigindo mais atenção à maneira como você gasta e investe seu dinheiro. A cautela e o bom senso serão importantes. Evite discussões acaloradas e não leve para o lado pessoal as coisas que forem ditas.

De 21 a 30 de abril: Vênus entra no signo de fogo de Áries, deixando-o mais sedutor e confiante para buscar sua cara-metade. Você poderá fazer contatos profissionais interessantes, que ampliem sua criatividade e as perspectivas de êxito nos negócios.

De 1º a 10 de maio: Neste ciclo é possível que surjam conflitos com seus parceiros em função de divergências de pontos de vista. Se quiser impor suas ideias, poderá ser pior ainda. Saiba relativizar a importância dessa situação para não romper com pessoas queridas.

De 11 a 20 de maio: Nesta fase, tudo estará mais tranquilo se você se dedicar a concretizar seus planos, sejam de estudo ou de trabalho. O importante agora é foco e determinação. Os vencedores sempre afirmam que com uma boa dose de perseverança se vai ao longe!

De 21 a 31 de maio: Período bastante auspicioso para investir em conhecimentos na área de tecnologia em geral. Se você já gosta do assunto, ótimo, mas, se não for ocaso, não fique relutante em avançar mais, pois o futuro está no uso dessas ferramentas.

De 1º a 10 de junho: Nesta fase de Lua Nova, você pode ficar mais introspectivo e mesmo mais sonhador. Dê asas à imaginação, mentalizando seus desejos e necessidades, com a convicção de que podem tornar-se realidade; acredite na força do pensamento.

De 11 a 20 de junho: Este período vai exigir de você uma dose redobrada de tolerância e paciência. A execução de seus planos caminha lentamente, e lembre-se de que nem tudo depende de você. Será preciso rever prazos e mudar sua agenda por alguns dias.

De 21 a 30 de junho: Mercúrio e Marte em Câncer impulsionam a vida doméstica e familiar; você poderá ter bons momentos com todos.

Interessante para fazer uma boa limpeza em livros, documentos e roupas sem uso, e em tudo o mais que estiver ocupando espaço.

De 1º a 10 de julho: O setor profissional está mais ativo com a presença de Marte e Mercúrio, que agora estão no signo de Leão. Você tem mais poder pessoal, assertividade e capacidade de persuasão para conseguir o que deseja. Favorável a projetos para o futuro.

De 11 a 20 de julho: Neste momento há conflitos marcantes na área de relacionamentos, o que pode gerar uma espécie de gangorra emocional. Fique atento para não se tornar refém da negatividade, procurando entender o que pode aprender com tudo isso.

De 21 a 31 de julho: O período demanda mais desapego, uma vez que sua teimosia não vai levá-lo a lugar nenhum. Mudar de opinião não é muito fácil, mas a realidade se impõe. Seja mais flexível se deseja que os ventos da reconciliação soprem a seu favor!

De 1º a 10 de agosto: Agora o planeta Mercúrio fica direto no céu, propiciando mais agilidade em seus contatos e negócios. Sol e Vênus estão em trígono com Júpiter, o que representa uma fase auspiciosa para investimentos rentáveis.

De 11 a 20 de agosto: Agora o céu planetário formou um *stellium* em Leão, que ilumina seus interesses relativos à área profissional e a seu papel social. É uma boa hora para se questionar sobre se realmente gosta daquilo que faz – algo essencial para ter o êxito que almeja na vida.

De 21 a 31 de agosto: O planeta Urano recebe bons aspectos de Sol e Marte, planetas de polaridade masculina, ou seja, que pressupõem ação, coragem, determinação e empreendedorismo. Não tenha receio de novidades nem de experiências inusitadas!

De 1º a 10 de setembro: Nestes dias, há muitos planetas em signos de Terra. Assim sendo, o momento é favorável para atividades que exijam pragmatismo, razão, eficiência e produtividade. Possíveis obstáculos serão superados com tenacidade e esse é o benefício da mente concentrada.

De 11 a 20 de setembro: Existem chances de surgir divergências de pontos de vista, e isso o deixará muito contrariado, mas aos poucos você vai perceber que essas diferenças se tornam produtivas, uma vez que ampliam sua consciência e o entendimento das coisas.

De 21 a 30 de setembro: Mercúrio está muito pressionado nestes dias, dificultando a comunicação com pessoas mais próximas, vizinhos ou colegas. Não deixe de dizer o que sente, mas tenha moderação nas palavras, o que é sinônimo de inteligência emocional.

De 1º a 10 de outubro: Talvez não consiga terminar ou entregar seu trabalho no prazo combinado, devido a compromissos inesperados. Não se culpe e também não culpe ninguém; são circunstâncias passageiras e cotidianas, comuns na vida de todas as pessoas.

De 11 a 20 de outubro: Pode haver um momento de ruptura ou desentendimentos com a pessoa amada que o pegarão desprevenido. A raiz do problema chama-se falta de tolerância. Todo tipo de convivência tem lá seus problemas, mas você sempre pode reavaliar sua postura.

De 21 a 31 de outubro: Dificuldades ou desafios podem levá-lo a dois pontos de vista distintos: ou você desanima e se vitimiza por tudo, ou se enche de coragem para superar o que houver. Uma vez que a vida sempre tem obstáculos, a melhor decisão sempre dependerá de você!

De 1º a 10 de novembro: Ótimos aspectos com o planeta Netuno favorecem a harmonia na vida amorosa e mesmo familiar. Sua maturidade e compreensão se sobrepõem à capacidade de julgar o que é essencial para a convivência pacífica com todos.

De 11 a 20 de novembro: A fase de Lua Cheia é positiva para que tudo o que precisa ser revelado venha à tona. É um momento de plenitude na natureza que pode ser bem desfrutado com alegria. Programe uma viagem de lazer ou descanso, pois você está precisando.

De 21 a 30 de novembro: Vênus, ao lado de Júpiter, aponta para um ciclo de expansão e satisfação no dia a dia. Seu espírito e humor tendem para o otimismo e a generosidade, o que acaba atraindo coisas positivas. Aproveite para curtir eventos artísticos e culturais em boa companhia.

De 1º a 10 de dezembro: Júpiter entra no signo de Capricórnio e atua favoravelmente em sua capacidade intelectual e de comunicação. Se for possível, faça cursos e participe de seminários que possam abrir sua mente a novidades que venham a oxigenar seu espírito.

De 11 a 20 de dezembro: Este ciclo ainda permanece vibrante; assim, continue investindo em seus conhecimentos, contatos e inserção em redes sociais. Momento ótimo para divulgar seu trabalho. Uma viagem rápida a um lugar desconhecido será emocionante.

De 21 a 31 de dezembro: Plutão, que é seu regente solar, recebe bom aspecto de Marte, o que será ótimo para o seu bem-estar físico. Ponha o corpo em movimento; o verão já chegou e você não precisa inventar mais desculpas por falta de tempo. Se não cuidar de você, quem o fará?

SAGITÁRIO

De 22 de novembro a 21 de dezembro
Signo de Fogo, regido por Júpiter

CARÁTER: O signo de Sagitário é representado pela figura do centauro, cujo corpo é metade cavalo e metade humano, e que aponta o seu arco e flecha para um alvo distante. Em analogia, poderíamos dizer que o sagitariano é um grande idealista, cujo pensamento, simbolizado pela flecha, eleva-se ao infinito em busca de conhecimento. O sagitariano é um ser fascinado por ideias e filosofias; arrebatado por paixões, é expansivo; está sempre seguro de suas convicções. Muito determinado, suas metas são sempre grandiosas. Adora aventuras, tem invejável senso de humor, marcado pela ironia. Pode assumir o papel de médico, mestre ou guia espiritual – tudo o que implica ser autoridade em algum setor. **PERSONALIDADES DESTE SIGNO:** papa Francisco, Woody Allen, Cássia Eller, Vera Fischer, Brad Pitt, Steven Spielberg, Jimi Hendrix, Deborah Secco, Noel Rosa, Eva Wilma.

PROFISSÃO: A característica marcante em todo sagitariano é sua eterna necessidade de expansão e crescimento, seja em nível físico, mental ou emocional. Uma carreira mais liberal e criativa está de acordo com essa natureza, possibilitando realizações promissoras. Seu pioneirismo e ousadia são marcantes na atitude profissional, e se houver um engajamento social ou humanitário, tanto melhor. Possui um forte espírito de colaboração. **PROFISSÕES INDICADAS:** teólogo, missionário, filósofo. Pode se destacar nas áreas acadêmica, política, diplomática e médica. As leis, o turismo, as embaixadas e o comércio exterior estão sob a regência deste signo.

AMOR: O sagitariano é dado a grandes gestos, é caloroso e afetuoso. Quando apaixonado, pode arriscar tudo e fará o impossível em nome do amor e de si mesmo, pois não suporta receber um não. Eterno sedutor, sabe agradar com gentilezas, palavras e muito refinamento. Generoso, gosta de aventuras e da liberdade, sendo muitas vezes infiel e inconstante em suas relações. De qualquer maneira, é uma excelente companhia, que exige de si e do companheiro muita inteligência, interesse por viagens e curiosidade por tudo. A monotonia, sem dúvida, não combina com este signo.

SAÚDE: Na anatomia zodiacal, Sagitário rege a formação dos músculos, assim como a região do quadril e das coxas. A constituição do sagitariano é vigorosa, forte e atlética. Sua sensibilidade maior está no fígado e na vesícula biliar. Exagerado e imprudente, tem queda para a gulodice, o álcool e doces. Pode ter problemas hepáticos, esclerose, diabetes, dores no nervo ciático e problemas com obesidade.

Previsões para os sagitarianos em 2019

De 1º a 10 de janeiro: O ano se inicia de forma auspiciosa no terreno financeiro; é provável que você possa se organizar rapidamente e já pensar em investimentos. O contato com pessoas do passado pode significar boas surpresas e a sensação de segurança emocional.

De 11 a 20 de janeiro: Sua vida afetiva pode ter dois momentos distintos nesse período: os ventos são favoráveis para um encontro importante, tipo amor à primeira vista; por outro lado, não é conveniente se lançar com muita sede ao pote – idealização gera frustração!

De 21 a 31 de janeiro: A vida amorosa ainda pode trazer novidades relevantes; não tenha receio de expor seus sentimentos. O que prejudica um relacionamento não é a sinceridade, mas a falta dela. Seu entusiasmo vai contagiar pessoas ao seu redor.

De 1º a 10 de fevereiro: O planeta Mercúrio recebe vários aspectos positivos neste ciclo, tornando-o mais movimentado tanto do ponto de vista pessoal quanto do intelectual. Período oportuno para conhecer pessoas, fazer parcerias, estudar – coisas que você sempre valoriza.

De 11 a 20 de fevereiro: Marte e Urano mantêm o ritmo acelerado em sua vida; você se sente motivado e atraído por situações nunca antes imaginadas. A sensação de liberdade e de coragem para se aventurar é prazerosa; supere seus limites!

De 21 a 28 de fevereiro: Momento interessante para interagir mais nas mídias sociais, fazer negócios rápidos ou elaborar projetos para o futuro próximo. Sua mente continua em ritmo acelerado; é como se quisesse abraçar o mundo.

De 1º a 10 de março: Nesta fase há certa tendência a excessos ou posições muito radicais de sua parte que podem criar conflitos pessoais. É possível que tenha de recuar um pouco e ceder a pressões para chegar a um consenso. Nesse caso, maturidade se chama diplomacia.

De 11 a 20 de março: Marte no signo de Touro ativa o setor de trabalho, jogando uma "âncora" em seus ideais, ou seja, agora você poderá realizá-los de forma mais eficiente e pragmática. O respaldo e o aconselhamento de pessoas experientes também serão de grande valia.

De 21 a 31 de março: Neste período, os assuntos de natureza filosófica ou espiritual podem ocupar um grande espaço em sua mente, trazendo assim um preenchimento para perguntas mais profundas a respeito do sentido da sua própria vida.

De 1º a 10 de abril: Você poderá otimizar esse período com melhorias ou pequenas reformas em sua moradia. Em certo momento, mudanças mais estruturais também serão necessárias, mas você ainda pode adiá-las.

De 11 a 20 de abril: É provável que as decisões do ciclo anterior não tenham acontecido do jeito que gostaria. Seja perseverante e não deixe que imprevistos abatam seu ânimo. Fique atento a gastos ou compras feitas por impulso.

De 21 a 30 de abril: Mal-entendidos no ambiente familiar podem magoá-lo e drenar sua energia psíquica. Assim que puder, procure esclarecer os fatos de modo a não prolongar a sensação de culpa ou frustração, pois não vale a pena.

De 1º a 10 de maio: Caso existam divergências de opiniões e pontos de vista no trabalho, o segredo é não levá-las para o lado pessoal. Entenda que as contradições e fraquezas fazem parte da natureza humana; ninguém é perfeito.

De 11 a 20 de maio: Mercúrio e Sol em trígono com Plutão e Saturno propiciam uma fase excelente para que você mostre a importância e o valor de seu trabalho. Suas opiniões terão ressonância positiva e poderão influenciar beneficamente as pessoas próximas.

De 21 a 31 de maio: Seu pensamento ágil e sua forma mais ampla de ver a realidade podem render bons frutos e elogios. Aproveite para planejar e organizar melhor sua vida financeira, fazendo investimentos de médio e longo prazos.

De 1º a 10 de junho: Suas emoções estão mais intensas e profundas; seu desejo de intimidade e fidelidade cativarão a pessoa amada. Em fase de Lua Nova, é o momento ideal para ficar mais em casa, namorar e desfrutar dos prazeres da vida a dois bem compartilhada!

De 11 a 20 de junho: Caso haja alguma tensão ou reviravolta no trabalho, acalme-se, pois não há nada que possa fazer. O importante é não tomar partido nem interferir no processo. A maré dos acontecimentos tende a baixar nos próximos dias.

De 21 a 30 de junho: O Sol está no signo de Câncer e pode deixá-lo mais predisposto a dar atenção aos seus sentimentos. Tudo deve ser levado em conta, tendo em vista que a vida emocional sempre tem importância relevante para uma vida mais feliz.

De 1º a 10 de julho: Mercúrio ao lado de Marte pode se traduzir em algo um tanto contraditório em sua mente. Por um lado, você tem necessidade de se comunicar com mais clareza. Por outro, pode estar mais intolerante e inquieto na hora de ouvir os outros. Cultive a flexibilidade.

De 11 a 20 de julho: Nesta fase, você está predisposto a conflitos emocionais, desconfiança ou frustrações por expectativas não realizadas. Evite alimentar ressentimentos inúteis e tente colocar para fora o que faz doer seu coração.

De 21 a 31 de julho: Marte em trígono com Júpiter em Sagitário pode colocar em evidência seu lado mais aventureiro, que gosta de experiências fortes e lugares novos. Fuja da rotina e da mesmice, pois seu espírito preza a liberdade!

De 1º a 10 de agosto: Júpiter, seu regente solar, recebe bons aspectos de Sol e Vênus neste período. Certamente você estará mais animado e motivado para a realização de seus sonhos. Bom para marcar uma viagem a longa distância e aproveitar a vida!

De 11 a 20 de agosto: Um *stellium* no signo de Leão ainda mantém a atmosfera de autoconfiança e otimismo do ciclo anterior. A vida amorosa pode estar mais emocionante; use seu charme e inteligência para conquistar alguém, mesmo que seja um romance passageiro.

De 21 a 31 de agosto: Mudanças inesperadas e positivas podem animar também o ambiente profissional. Veja com bons olhos as inovações que vão surgir, seja no plano relacional ou no setor de tecnologia. Tudo acontece para seu desenvolvimento.

De 1º a 10 de setembro: Momento benéfico para pedir uma promoção ou obter o reconhecimento pelo esforço que fez anteriormente. Seja como for, sua produtividade e eficiência podem gerar elogios, e com elas você pode assumir mais responsabilidades tendo mais prazer.

De 11 a 20 de setembro: Ao desempenhar seu trabalho de maneira mais criativa ou original você pode também despertar o ciúme daqueles que estão ao seu redor. Continue firme em seu caminho, desenvolvendo novas estratégias de ação e cultivando a diplomacia.

De 21 a 30 de setembro: A Lua Nova em Libra vai estimular sua vida social e fraterna. É hora de recarregar as baterias junto às pessoas que querem o seu bem e torcem pelo seu êxito. Vênus em sextil com Júpiter sinaliza que é hora de desfrutar de coisas belas, que agradem seus sentidos.

De 1º a 10 de outubro: Neste ciclo, você pode sentir-se sobrecarregado pelo volume de demandas dos últimos dias. Será inteligente de sua parte delegar algumas funções ou adiar aquilo que não tem urgência. Descanse a mente, deixe o celular de lado e procure relaxar.

De 11 a 20 de outubro: Você precisa focar com mais precisão e objetividade em seus projetos e deixar essa atitude mais clara para os colegas de trabalho. Não queira controlar tudo o que acontece; cuide só daquilo que lhe diz respeito.

De 21 a 31 de outubro: Nunca é demais lembrar que eventuais obstáculos aí estão para torná-lo mais maduro e sábio. Todos os vencedores já tiveram seus dias de dúvida ou fracasso; faz parte do caminho. A vida afetiva caminha com tranquilidade.

De 1º a 10 de novembro: Bons aspectos entre Sol, Saturno e Netuno propiciam uma forte sensibilidade psíquica e emocional, fazendo aflorar sentimentos mais profundos. Dê atenção a eles, e também fique mais atento aos sonhos noturnos, que podem dar boas dicas para a sua vida cotidiana.

De 11 a 20 de novembro: O período de Lua Cheia exacerbará suas emoções, que podem se alterar com qualquer estímulo externo. Não subestime a importância delas, uma vez que serão determinantes em suas decisões, mesmo que você não as perceba dessa forma.

De 21 a 30 de novembro: Vênus, o planeta do amor e da vida social, recebe bons aspectos de Júpiter e Urano nesta fase. É tempo de cuidar bem das pessoas queridas; demonstração de afeto e elogios podem promover pequenos milagres no seu cotidiano.

De 1º a 10 de dezembro: Júpiter está adentrando o signo de Terra de Capricórnio, em seu setor de finanças. Você pode programar seus investimentos, e o fluxo de entrada e saída de seu dinheiro. Vênus continua propiciando um clima romântico; aproveite!

De 11 a 20 de dezembro: Mudanças mais radicais e desafiadoras serão bem-vindas no trabalho. Não procrastine decisões importantes; atualize-se mais em assuntos de sua área. Tudo está em constante transformação, não fique para trás.

De 21 a 31 de dezembro: Sol e Júpiter estão em conjunção no céu, tornando este momento auspicioso para colher os frutos do esforço empreendido durante o ano. Você terá satisfação e alegria junto aos familiares e amigos de longa data que o querem bem!

CAPRICÓRNIO

De 22 de dezembro a 20 de janeiro
Signo de Terra, regido por Saturno

CARÁTER: Sob a regência de Saturno, os nativos de Capricórnio se caracterizam por sua determinação, firmeza e perseverança. Sua natural reserva e timidez não permite que se mostrem muito extrovertidos e sentimentais. As pessoas mais íntimas sabem quanto eles são frágeis e carentes de manifestações de afeto e amor, mesmo não admitindo. Apreciam a solidão e o recolhimento e têm certas inclinações ao pessimismo. É um ser humano realista, concentrado em questões de sobrevivência, prefere ver as coisas com certo distanciamento e frieza. Muito responsável por tudo o que faz, gosta de dar o melhor de si em todas as situações. **PERSONALIDADES DESTE SIGNO:** Renato Aragão, Rita Lee, Claudia Raia, Gabriel Medina, Patrícia Pillar, Jô Soares, Elvis Presley, Janis Joplin, David Bowie, Selton Mello.

PROFISSÃO: O capricorniano usará de todo o seu talento racional e pragmatismo para alcançar o ápice de qualquer ocupação que venha a escolher. É orgulhoso de sua autossuficiência, e sabe tirar vantagem de situações ou de pessoas com alta posição econômica, social ou política. Ambicioso e esforçado, deseja alcançar estabilidade financeira, é digno de confiança e sempre responsável por decisões importantes. **PROFISSÕES INDICADAS:** as relacionadas às áreas de ciências exatas, economia, engenharia, agronomia, gestão de negócios e agricultura. Por seu grande amor ao conhecimento, poderá ser também filósofo, sociólogo ou um mestre espiritual, que ensinará e compartilhará sua sabedoria de vida.

AMOR: A seriedade com que o capricorniano administra sua vida estende-se também ao âmbito dos relacionamentos. A necessidade de segurança o impede de correr atrás de paixões e aventuras muito intensas. Precisa de tempo para confiar e abrir o coração a alguém, mas, quando apaixonado, será um amante dedicado e fiel. Age de forma premeditada, não gosta de desperdiçar energia nem palavras efêmeras, e aprecia sentir-se útil em relação ao bem-estar da pessoa amada.

SAÚDE: O capricorniano, sempre focado em suas realizações, nunca descansa e suas altas metas profissionais fazem-no refém de estresse e do cansaço crônico. Para a manutenção da sua saúde, deve tomar bastante sol, e evitar o frio e a umidade. Na anatomia zodiacal, Capricórnio rege os ossos, as articulações, o joelho, os cabelos, dentes e unhas. É sujeito a problemas de reumatismo, artrite, gota, enrijecimento das articulações e alergias ou problemas de pele.

Previsões para os capricornianos em 2019

De 1º a 10 de janeiro: Saturno, seu regente solar, e o Sol estão em conjunção no céu planetário. Período favorável para estabelecer metas e critérios a fim de realizar o que deseja a longo prazo e com segurança. Desafios sempre aparecem. Pense grande!

De 11 a 20 de janeiro: Bom momento para você dirigir sua energia vital para a realização de melhorias em sua casa; suas decisões vão beneficiar os familiares. Nada como o começo do ano para direcionar novas metas também no trabalho, planejar bons estudos e leituras.

De 21 a 31 de janeiro: Vênus e Júpiter em Sagitário representam um tempo auspicioso para pesquisar temas de natureza abstrata ou filosófica. Você poderá sentir-se atraído por temas espirituais, que valorizem questões metafísicas como o propósito da vida.

De 1º a 10 de fevereiro: Momento especial para fazer viagens rápidas ou longas, conhecer outras culturas e redimensionar seus valores pessoais. Saturno em sextil com Netuno faz com que possa viabilizar seus sonhos; pessoas experientes poderão orientá-lo.

De 11 a 20 de fevereiro: Sol e Urano em bom aspecto sinalizam um período excelente para inovação, especialmente na área de tecnologia. É hora de aprender novos recursos e obter aparelhos eletrônicos que possam ajudá-lo a ter mais autonomia no campo profissional.

De 21 a 28 de fevereiro: Neste ciclo, você pode encontrar grande satisfação em expressar de forma criativa o que é e o que sente. Crianças e filhos podem ter importância relevante nesse processo, em que você exerce sua liberdade pura e simples.

De 1º a 10 de março: É possível que surjam contratempos em encontros já marcados ou que notícias esperadas atrasem ou surjam, mas de modo confuso; neste período, o ritmo da vida pode diminuir. Aproveite para cuidar de outros assuntos, colocar papéis em dia e documentos em ordem.

De 11 a 20 de março: Neste ciclo, você pode canalizar bastante coragem para realizar algo que deseja há tempos. Tenha consciência da importância disso, lembrando que o potencial de realização é muito maior do que possíveis interferências que possam aparecer.

De 21 a 31 de março: Neste momento, sua sensibilidade psíquica está mais aflorada, o que significa certa vulnerabilidade a eventos externos. Tente se preservar, evitando pessoas negativas que reclamam demais e deixando de escutar notícias em excesso. Evite a automedicação.

De 1º a 10 de abril: Marte em Gêmeos ativa sua casa do trabalho. Essa posição pode ampliar sua curiosidade por outras formas de realização de seus talentos. Ótimo para estudar e fazer contato com pessoas inteligentes e comunicativas.

De 11 a 20 de abril: Situações imprevistas e fora de controle poderão deixá-lo estressado ou mesmo revoltado. Como elas não dependem de uma ação específica, tenha fé e tente se adaptar até tudo voltar ao normal.

De 21 a 30 de abril: Confusões ou mal-entendidos podem aparecer no ambiente de trabalho. A atitude mais reativa será querer tomar partido de alguém. Mas você só saberá exatamente o que aconteceu quando a poeira baixar; tenha calma.

De 1º a 10 de maio: Nesta fase, o planeta Saturno está pressionado por Vênus e Mercúrio, que estão no signo de Áries. Há uma tendência para alterações em sua agenda pessoal, o que pode resultar em frustração. Mas isso é momentâneo, tenha mais serenidade.

De 11 a 20 de maio: A movimentação do dia a dia vai voltando ao normal. A comunicação com todos flui bem melhor, e você terá mais capacidade de memorizar o que aprende, agregando valor a seu repertório cultural e intelectual.

De 21 a 31 de maio: Sol e Mercúrio no signo de Gêmeos são ainda a promessa de dias intensos e dinâmicos; a produtividade intelectual está mais aflorada. Compartilhe suas ideias e experiências positivas com amigos em redes sociais; todos só terão a ganhar.

De 1º a 10 de junho: Plutão e Vênus fazem um trígono no céu, e essa configuração aponta um ciclo de intensidade na vida amorosa. A intimidade e a cumplicidade serão fundamentais para que sua relação se solidifique.

De 11 a 20 de junho: Ciclo auspicioso para que possa cuidar melhor da saúde física e psíquica. Netuno com bons aspectos facilita processos de limpeza e desintoxicação. Opte por alimentos leves e líquidos, evitando o carboidrato e o açúcar em excesso.

De 21 a 30 de junho: Agora você pode ter bons resultados profissionais com parcerias informais, e elas podem ter continuidade ao longo do tempo. Mantenha o espírito aberto às novidades que o mercado de trabalho está sinalizando.

De 1º a 10 de julho: Se você gosta de investir seu dinheiro em negócios de risco, saiba que o momento é de cautela. Informações pouco confiáveis podem prejudicar os negócios. Um bom clima para o Cupido está no ar; aproveite para sair e namorar.

De 11 a 20 de julho: Nestes dias, há certa tendência a conflitos e divergências de opiniões e valores, que desgastarão o ambiente profissional. Quem é o dono da verdade, afinal? Essas questões exigirão muita flexibilidade e diplomacia por parte de todos.

De 21 a 31 de julho: Aos poucos as tensões vão diminuindo e dando lugar à boa vontade e acordos interpessoais benéficos. Bom ciclo para se divertir e estar com amigos queridos, sentir-se protegido e compreendido por eles.

De 1º a 10 de agosto: Momento propício para conseguir boas soluções em assuntos jurídicos. Se gosta de jogar, saiba que a sorte está do seu lado. Vênus, que agora rege sua décima casa, indica um momento de compromissos produtivos e mais solidariedade no trabalho.

De 11 a 20 de agosto: Sol e Vênus em Leão sinalizam uma atmosfera de amor e romance que deve ser aproveitada em grande estilo, com direito a jantar à luz de velas e rosas vermelhas. Ainda que tudo seja um sonho de uma noite de verão, restarão boas lembranças!

De 21 a 31 de agosto: Este momento é excelente para contatos ou negócios no estrangeiro; portas podem se abrir. Não tenha receio de se arriscar, pois a ousadia é a marca dos vencedores. Não deixe de seguir sua intuição.

De 1º a 10 de setembro: Sua ambição e perseverança estão mais fortes do que nunca; é tempo de colher os frutos de seu trabalho, afinal, você deu o seu melhor. Mal-entendidos no âmbito familiar podem deixá-lo ressentido, mas é tudo passageiro.

De 11 a 20 de setembro: A fase de Lua Cheia deve torná-lo mais leve e descontraído, pois nem tudo se resume a trabalho e deveres. Vênus e Mercúrio em Libra despertam seu interesse por atividades lúdicas e culturais; trate de se divertir!

De 21 a 30 de setembro: Mercúrio em aspecto tenso com Plutão e Saturno tende a retardar o ritmo dos eventos cotidianos. Não é preciso brigar com você mesmo por atrasos ou dificuldades em finalizar alguma tarefa.

De 1º a 10 de outubro: A comunicação nem sempre flui da forma que você deseja; críticas de amigos podem deixá-lo contrariado. A verdade é que quem vê de fora vê melhor. Que tal deixar a teimosia de lado e abraçar sugestões construtivas?

De 11 a 20 de outubro: Sol e Júpiter favorecem assuntos ou processos jurídicos; acordos serão benéficos aos seus interesses. Oportunidades para negócios rápidos devem ser levadas em conta, assim como conselhos de pessoas mais experientes.

De 21 a 31 de outubro: É possível que surjam responsabilidades e demandas familiares que o preocupem. Faça apenas uma coisa por vez e só aquilo de que for capaz. Peça ajuda se necessário, pois orgulho em demasia não vai funcionar.

De 1º a 10 de novembro: Neste ciclo, as sobrecargas vão se dissipando, e você já aprendeu a lidar com elas sem se estressar. Sol e Netuno estimulam práticas meditativas que estimulem a espiritualidade, podendo inspirar a mente e relaxar o corpo.

De 11 a 20 de novembro: Júpiter e Marte em sextil representam mais determinação para seguir em frente. Seu otimismo vai acabar atraindo oportunidades de crescimento no plano intelectual e social. O verão já está chegando; cuide da saúde e faça mais exercícios.

De 21 a 30 de novembro: Boas surpresas o aguardam na vida amorosa. Vênus recebe bons aspectos de Júpiter e Urano, propiciando um clima de imprevistos pra lá de prazerosos. Nada de ficar em casa; espante a inércia e vá se divertir!

De 1º a 10 de dezembro: O clima de romance ainda permanece, e cabe a você saber aproveitá-lo. Júpiter em seu signo solar representa uma fase de mais vitalidade, disposição e alegria de viver. Mantenha-se firme em sua rotina de exercícios, de preferência ao ar livre, e quem sabe até com banhos de sol.

De 11 a 20 de dezembro: Você não vai poder se queixar de monotonia nestes dias. A vida amorosa e social continua animada; são muitos convites para sair! É tempo de lazer e de sonhar com um futuro promissor. Você está atraindo e irradiando amor na mesma intensidade.

De 21 a 31 de dezembro: Tenha mais cuidado com gastos desnecessários, que podem desorganizar seu orçamento no início do próximo ano. Sol e Júpiter em Capricórnio sinalizam uma fase de otimismo e generosidade que só fará bem ao seu coração!

Descubra o seu ascendente

O signo solar representa o potencial da nossa vida. Saber isso, no entanto, não basta. Para termos uma visão completa das possibilidades com que os astros nos acenam, precisamos levar em conta todo o Sistema Solar, assim como ele se apresenta em nosso mapa astral. Talvez o Sol seja o corpo celeste mais importante na astrologia, pois ele mostra a nossa personalidade mais profunda; no entanto, é imprescindível conhecer o signo que, na hora e no local do nosso nascimento, despontava no horizonte leste. Esse é o signo ascendente, que determinará o nosso "horizonte" pessoal, ou seja, o nosso ponto de vista particular com relação à vida.

A seguir serão apresentadas duas tabelas práticas e fáceis com as quais você poderá descobrir, *com precisão relativa*, qual é o seu Ascendente. Caso o Ascendente indicado na tabela não corresponda muito bem à sua personalidade, verifique também os signos imediatamente anterior e posterior.

Como usar as tabelas

1. Descubra na Tabela 1 se você nasceu no horário de verão. Nesse caso, subtraia 1 hora do horário do seu nascimento.

2. De acordo com o Estado em que você nasceu, some ou subtraia no horário do seu nascimento o número indicado na coluna de correção de horário constante da Tabela 2.

3. Consulte a Tabela 3, caso você tenha nascido no período diurno, ou Tabela 4, caso seu nascimento tenha ocorrido no período noturno.

4. Encontre seu signo solar na primeira coluna.

5. Siga pela linha do seu signo solar até a coluna que apresenta a hora aproximada do seu nascimento.

TABELA 1

Períodos em que o horário de verão foi adotado

03 out. 31,	às 11h00	a 31 mar.	32,	às 24h00
03 out. 32,	às 23h00	a 31 mar.	33,	às 24h00
01 dez. 49,	à 00h00	a 16 abr.	50,	às 24h00
01 dez. 50,	à 00h00	a 28 fev.	51,	às 24h00
01 dez. 51,	à 00h00	a 28 fev.	52,	às 24h00
01 dez. 52,	à 00h00	a 28 fev.	53,	às 24h00
23 out. 63,	à 00h00	a 01 mar.	64,	às 24h00 (1)
09 dez. 63,	à 00h00	a 01 mar.	64,	às 24h00 (2)
31 jan. 65,	à 00h00	a 31 mar.	65,	às 24h00
30 nov. 65,	à 00h00	a 31 mar.	66,	às 24h00
01 nov. 66,	à 00h00	a 01 mar.	67,	às 24h00
01 nov. 67,	à 00h00	a 01 mar.	68,	às 24h00
02 nov. 85,	à 00h00	a 15 mar.	86,	às 24h00
24 out. 86,	à 00h00	a 14 fev.	87,	às 24h00
25 out. 87,	à 00h00	a 07 fev.	88,	às 24h00
16 out. 88,	à 00h00	a 29 jan.	89,	às 24h00
15 out. 89,	à 00h00	a 11 fev.	90,	às 24h00
21 out. 90,	à 00h00	a 17 fev.	91,	às 24h00
20 out. 91,	à 00h00	a 19 fev.	92,	às 24h00
25 out. 92,	à 00h00	a 31 jan.	93,	às 24h00
17 out. 93,	à 00h00	a 20 fev.	94,	às 24h00
16 out. 94,	à 00h00	a 19 fev.	95,	às 24h00
15 out. 95,	à 00h00	a 11 fev.	96,	às 24h00
06 out. 96,	à 00h00	a 16 fev.	97,	às 24h00
06 out. 97,	à 00h00	a 01 mar.	98,	às 24h00
11 out. 98,	à 00h00	a 21 fev.	99,	às 24h00
03 out. 99,	à 00h00	a 27 fev.	00,	às 24h00
08 out. 00,	à 00h00	a 18 fev.	01,	às 24h00
14 out. 01,	à 00h00	a 17 fev.	02,	às 24h00
03 nov. 02,	à 00h00	a 16 fev.	03,	às 24h00
18 out. 03,	à 00h00	a 14 fev.	04,	às 24h00
02 nov. 04,	à 00h00	a 20 fev.	05,	às 24h00
16 out. 05,	à 00h00	a 18 fev.	06,	às 24h00
05 nov. 06,	à 00h00	a 24 fev.	07,	às 24h00
14 out. 07,	à 00h00	a 17 fev.	08,	às 24h00
18 out. 08,	à 00h00	a 15 fev.	09,	às 24h00
18 out. 09,	à 00h00	a 21 fev.	10,	às 24h00
17 out. 10,	à 00h00	a 20 fev.	11,	às 24h00
16 out. 11,	à 00h00	a 26 fev.	12,	às 24h00
21 out. 12,	à 00h00	a 17 fev.	13,	às 24h00
19 out. 13,	à 00h00	a 16 fev.	14,	às 24h00
18 out. 14,	à 00h00	a 22 fev.	15,	às 24h00
18 out. 15,	à 00h00	a 21 fev.	16,	às 24h00
16 out. 16,	à 00h00	a 19 fev.	17,	às 24h00
15 out. 17,	à 00h00	a 18 fev.	18,	às 24h00
21 out. 18,	à 00h00	a 17 fev.	19,	às 24h00
20 out. 19,	à 00h00	a 16 fev.	20,	às 24h00

(1) Só SP, MG, RJ e ES
(2) Todos os demais estados

TABELA 2

Estados	Correção
Acre	+ 29 min
Alagoas	+ 37 min
Amapá	− 24 min
Amazonas	−
Bahia	+ 26 min
Ceará	+ 26 min
Distrito Federal	− 12 min
Espírito Santo	+ 19 min
Goiás	− 17 min
Maranhão	+ 3 min
Mato Grosso	+ 16 min
Mato Grosso do Sul	+ 16 min
Minas Gerais	+ 4 min
Pará	− 14 min
Paraíba	+ 40 min
Paraná	− 17 min
Pernambuco	+ 40 min
Piauí	+ 9 min
Rio Gde. do Norte	+ 39 min
Rio Grande do Sul	− 25 min
Rio de Janeiro	+ 7 min
Rondônia	− 3 min
Roraima	− 16 min
Santa Catarina	− 14 min
São Paulo	− 6 min
Sergipe	+ 32 min
Tocantins	− 17 min

TABELA 3 — HORÁRIO DIURNO

SEU SIGNO SOLAR	6h31 / 8h30	8h31 / 10h30	10h31 / 12h30	12h31 / 14h30	14h31 / 16h30	16h31 / 18h30
Áries	Touro	Gêmeos	Câncer	Leão	Virgem	Libra
Touro	Gêmeos	Câncer	Leão	Virgem	Libra	Escorpião
Gêmeos	Câncer	Leão	Virgem	Libra	Escorpião	Sagitário
Câncer	Leão	Virgem	Libra	Escorpião	Sagitário	Capricórnio
Leão	Virgem	Libra	Escorpião	Sagitário	Capricórnio	Aquário
Virgem	Libra	Escorpião	Sagitário	Capricórnio	Aquário	Peixes
Libra	Escorpião	Sagitário	Capricórnio	Aquário	Peixes	Áries
Escorpião	Sagitário	Capricórnio	Aquário	Peixes	Áries	Touro
Sagitário	Capricórnio	Aquário	Peixes	Áries	Touro	Gêmeos
Capricórnio	Aquário	Peixes	Áries	Touro	Gêmeos	Câncer
Aquário	Peixes	Áries	Touro	Gêmeos	Câncer	Leão
Peixes	Áries	Touro	Gêmeos	Câncer	Leão	Virgem

TABELA 4 — HORÁRIO NOTURNO

SEU SIGNO SOLAR	18h31 / 20h30	20h31 / 22h30	22h31 / 24h30	24h31 / 2h30	2h31 / 4h30	4h31 / 6h30
Áries	Escorpião	Sagitário	Capricórnio	Aquário	Peixes	Áries
Touro	Sagitário	Capricórnio	Aquário	Peixes	Áries	Touro
Gêmeos	Capricórnio	Aquário	Peixes	Áries	Touro	Gêmeos
Câncer	Aquário	Peixes	Áries	Touro	Gêmeos	Câncer
Leão	Peixes	Áries	Touro	Gêmeos	Câncer	Leão
Virgem	Áries	Touro	Gêmeos	Câncer	Leão	Virgem
Libra	Touro	Gêmeos	Câncer	Leão	Virgem	Libra
Escorpião	Gêmeos	Câncer	Leão	Virgem	Libra	Escorpião
Sagitário	Câncer	Leão	Virgem	Libra	Escorpião	Sagitário
Capricórnio	Leão	Virgem	Libra	Escorpião	Sagitário	Capricórnio
Aquário	Virgem	Libra	Escorpião	Sagitário	Capricórnio	Aquário
Peixes	Libra	Escorpião	Sagitário	Capricórnio	Aquário	Peixes

O que você é no ascendente

A astrologia liga-nos à energia universal do cosmos, tanto no tempo como no espaço. Os doze signos do zodíaco são uma roda que gira continuamente. Esse relógio celestial contém as 24 horas do ciclo dia-noite. Ele está em constante movimento, com um novo signo aparecendo no horizonte a cada duas horas (e um grau diferente do mesmo signo a cada 4 minutos).

Saber apenas qual signo estava no momento do seu nascimento vai lhe dar uma perspectiva inteiramente nova sobre quem você é, em termos astrológicos.

O Ascendente, ou ASC, muito obviamente, é a nossa primeira linha de comportamento social – é a forma como respondemos e reagimos; é quem pretendemos ser. Suponha que você está por trás de um vidro tingido, semelhante ao filtro colorido de uma câmera, e que sempre observa o mundo através desse filtro. E, se você está atrás dele, então o mundo não tem outra opção a não ser ver você também através dele.

Isso, todavia, não é algo que vem à tona. Apesar de mais evidente na superfície, tem origem numa profunda individualidade interior impressa ao nascer. O ASC é a passagem para a vida no plano material: é a porta através da qual você adentra a vida nesta Terra. Antes do nascimento, a criança traz dentro dela todas as energias dos planetas, mas é apenas ao nascimento que a marca vitalícia do ASC é recebida. Esse momento no tempo e seus atributos particulares são para sempre uma parte da pessoa porque, ao nascimento, as qualidades simbólicas do ASC impregnam todo o seu ser, assim como um único pingo de corante tinge toda a água de um recipiente.

Abaixo estão algumas palavras-chave para os doze signos. Em cada uma o ASC expressa suas primeiras relações de modo diferente:

- Em ÁRIES, o ASC expressa suas primeiras reações AGINDO.
- Em TOURO, o ASC expressa suas primeiras reações ESPERANDO.
- Em GÊMEOS, o ASC expressa suas primeiras reações FALANDO.
- Em CÂNCER, o ASC expressa suas primeiras reações ALIMENTANDO-SE.
- Em LEÃO, o ASC expressa suas primeiras reações LIDERANDO.

- Em VIRGEM, o ASC expressa suas primeiras reações ANALISANDO.
- Em LIBRA, o ASC expressa suas primeiras reações HARMONIZANDO.
- Em ESCORPIÃO, o ASC expressa suas primeiras reações CONTROLANDO.
- Em SAGITÁRIO, o ASC expressa suas primeiras reações DESFRUTANDO.
- Em CAPRICÓRNIO, o ASC expressa suas primeiras reações DIRIGINDO.
- Em AQUÁRIO, o ASC expressa suas primeiras reações SOCIALIZANDO.
- Em PEIXES, o ASC expressa suas primeiras reações FLUINDO.

Em outras palavras, o ASC é a máscara que usamos para os outros. É o que aparece naturalmente quando lidamos com alguma situação social. Todos conhecemos pessoas que são muito educadas e finas em público, mas que podem ser tornar absolutamente grosseiras na intimidade. Ou inversamente, pessoas que podem ser rudes e precipitadas em público e uns "gatinhos" no lar. Nada é tão exagerado, claro, e às vezes, em casa, nos comportamos como se estivéssemos em público, por um de dois motivos: porque estamos indecisos sobre quem somos ou porque "usamos uma fachada". O ASC é isso, não se pode dizer que seja uma falsa "fachada". Tanto como o Sol e a Lua e outros planetas, ele é uma parte inata de quem somos. Acontece apenas que o ASC é a parte mais visível. Uma pessoa pode muito bem ser hábil em esconder sua natureza lunar (porque essa é a área da vida mais sensível e mais profunda) ou ter dificuldade para revelar sua natureza solar (porque esta é o real âmago do Eu), mas o ASC sempre estará presente e bem claro, a fim de que todos vejam. Às vezes, um ASC forte (isto é, aquele que compõe aspectos com os planetas principais) pode ofuscar o Sol e tornar difícil para uma pessoa conseguir comunicação com o âmago da sua personalidade.

Qualquer que seja o signo do Sol ou os signos que os outros planetas ocupem, o ASC será sempre o fator mais destacado e óbvio, e será expresso mais rapidamente no meio ambiente.

A reação do Ascendente ao conhecer alguém

ÁRIES será aberto e direto, tomando a iniciativa, e falando em primeiro lugar. **Áries** revelará energia, entusiasmo, ambição.

TOURO será agradável e compreensivo, mas aguardará a reação do outro. **Touro** revelará sensualidade, solidez e características terrenas.

GÊMEOS será loquaz, iniciando rapidamente a conversa. **Gêmeos** revelará inteligência, sagacidade e curiosidade.

CÂNCER será tímido, mas sensível aos sentimentos da outra pessoa. **Câncer** revelará suscetibilidade, humor e afeto.

LEÃO será ardente e cativante, falando livremente sobre si mesmo. **Leão** revelará generosidade, bom gosto e estilo.

VIRGEM terá autocontrole e analisará a outra pessoa. **Virgem** revelará inteligência, seriedade e praticidade.

LIBRA fascinará com um sorriso e encorajará a outra pessoa a falar sobre si mesma. **Libra** revelará beleza, intelecto e boas maneiras.

ESCORPIÃO primeiro fará contato com olhares intensos, e então passará a controlar a reação recíproca. **Escorpião** revelará mistério, magnetismo e percepção.

SAGITÁRIO primeiro conquistará a pessoa pelo riso, e então despertará o seu interesse. **Sagitário** revelará espírito elevado, sabedoria e alegria.

CAPRICÓRNIO será prático e reticente enquanto investiga o *status* da outra pessoa. **Capricórnio** revelará ambição, capacidade e integridade.

AQUÁRIO será interessante e aberto, e parecerá fascinado com a outra pessoa. **Aquário** revelará inteligência, excentricidade e humanitarismo.

PEIXES estará sintonizado com a outra pessoa, a ponto de refletir seus movimentos. **Peixes** revelará compaixão, sensibilidade e criatividade.

Horóscopo chinês

A Astrologia chinesa fundamenta-se no ano lunar, que dura 12 meses e 29 dias. Cada ano lunar é regido por um signo, representado por um animal. Segundo a tradição chinesa, os seres humanos recebem as características do signo regente de cada ano.

Verifique na tabela abaixo qual é o seu animal-signo, tomando por base a data do seu nascimento. Se estiver interessado em conhecer seu signo Ascendente no horóscopo chinês, consulte também a tabela das horas regidas pelos signos. As compatibilidades entre os signos e a descrição de cada elemento da natureza poderão ser encontradas no livro *Manual do Horóscopo Chinês*, de Theodora Lau, publicado pela Editora Pensamento.

Os anos lunares de 1900 a 2025

Signos	Período Correspondente	Elemento	Polaridade
Rato	de 31 de janeiro de 1900 até 18 de fevereiro de 1901	Metal	+
Boi	de 19 de fevereiro de 1901 até 7 de fevereiro de 1902	Metal	−
Tigre	de 8 de fevereiro de 1902 até 28 de janeiro de 1903	Água	+
Coelho	de 29 de janeiro de 1903 até 15 de fevereiro de 1904	Água	−
Dragão	de 16 fevereiro de 1904 até 3 de fevereiro de 1905	Madeira	+
Serpente	de 4 de fevereiro de 1905 até 24 janeiro de 1906	Madeira	−
Cavalo	de 25 de janeiro de 1906 até 12 de fevereiro de 1907	Fogo	+
Carneiro	de 13 de fevereiro de 1907 até 1º de fevereiro de 1908	Fogo	−
Macaco	de 2 de fevereiro de 1908 até 21 de janeiro de 1909	Terra	+
Galo	de 22 de janeiro de 1909 até 9 de fevereiro de 1910	Terra	−
Cão	de 10 de fevereiro de 1910 até 29 de janeiro de 1911	Metal	+
Javali	de 30 de janeiro de 1911 até 17 de fevereiro de 1912	Metal	−
Rato	de 18 de fevereiro de 1912 até 5 de fevereiro de 1913	Água	+
Boi	de 6 de fevereiro de 1913 até 25 de janeiro de 1914	Água	−
Tigre	de 26 de janeiro de 1914 até 13 de fevereiro de 1915	Madeira	+
Coelho	de 14 de fevereiro de 1915 até 12 de fevereiro de 1916	Madeira	−
Dragão	de 13 de fevereiro de 1916 até 22 de janeiro de 1917	Fogo	+
Serpente	de 23 de janeiro de 1917 até 10 de fevereiro de 1918	Fogo	−
Cavalo	de 11 de fevereiro de 1918 até 31 de janeiro de 1919	Terra	+
Carneiro	de 1º de fevereiro de 1919 até 19 de fevereiro de 1920	Terra	−
Macaco	de 20 de fevereiro de 1920 até 7 de fevereiro de 1921	Metal	+
Galo	de 8 de fevereiro de 1921 até 27 de janeiro de 1922	Metal	−
Cão	de 28 de janeiro de 1922 até 15 de fevereiro de 1923	Água	+
Javali	de 16 de fevereiro de 1923 até 4 de fevereiro de 1924	Água	−

Signos	Período Correspondente	Elemento	Polaridade
Rato	de 5 de fevereiro de 1924 até 24 de janeiro de 1925	Madeira	+
Boi	de 25 de janeiro de 1925 até 12 de fevereiro de 1926	Madeira	–
Tigre	de 13 de fevereiro de 1926 até 1º de fevereiro de 1927	Fogo	+
Coelho	de 2 de fevereiro de 1927 até 22 de janeiro de 1928	Fogo	–
Dragão	de 23 de janeiro de 1928 até 9 de fevereiro de 1929	Terra	+
Serpente	de 10 de fevereiro de 1929 até 29 de janeiro de 1930	Terra	–
Cavalo	de 30 de janeiro de 1930 até 16 de fevereiro de 1931	Metal	+
Carneiro	de 17 de fevereiro de 1931 até 5 de fevereiro de 1932	Metal	–
Macaco	de 6 de fevereiro de 1932 até 25 de janeiro de 1933	Água	+
Galo	de 26 de janeiro de 1933 até 13 de fevereiro de 1934	Água	–
Cão	de 14 de fevereiro de 1934 até 3 de fevereiro de 1935	Madeira	+
Javali	de 4 de fevereiro de 1935 até 23 de janeiro de 1936	Madeira	–
Rato	de 24 de janeiro de 1936 até 10 de fevereiro de 1937	Fogo	+
Boi	de 11 de fevereiro de 1937 até 30 de janeiro de 1938	Fogo	–
Tigre	de 31 de janeiro de 1938 até 18 de fevereiro de 1939	Terra	+
Coelho	de 19 de fevereiro de 1939 até 7 de fevereiro de 1940	Terra	–
Dragão	de 8 de fevereiro de 1940 até 26 de janeiro de 1941	Metal	+
Serpente	de 27 de janeiro de 1941 até 14 de fevereiro de 1942	Metal	–
Cavalo	de 15 de fevereiro de 1942 até 4 de fevereiro de 1943	Água	+
Carneiro	de 5 de fevereiro de 1943 até 24 de janeiro de 1944	Água	–
Macaco	de 25 de janeiro de 1944 até 12 de fevereiro de 1945	Madeira	+
Galo	de 13 de fevereiro de 1945 até 1º de fevereiro de 1946	Madeira	–
Cão	de 2 de fevereiro de 1946 até 21 de janeiro de 1947	Fogo	+
Javali	de 22 de janeiro de 1947 até 9 de fevereiro de 1948	Fogo	–
Rato	de 10 de fevereiro de 1948 até 28 de janeiro de 1949	Terra	+
Boi	de 29 de janeiro de 1949 até 16 de fevereiro de 1950	Terra	–
Tigre	de 17 de fevereiro de 1950 até 5 de fevereiro de 1951	Metal	+
Coelho	de 6 de fevereiro de 1951 até 26 de janeiro de 1952	Metal	–
Dragão	de 27 de janeiro de 1952 até 13 de fevereiro de 1953	Água	+
Serpente	de 14 de fevereiro de 1953 até 2 de fevereiro de 1954	Água	–
Cavalo	de 3 de fevereiro de 1954 até 23 de janeiro de 1955	Madeira	+
Carneiro	de 24 de janeiro de 1955 até 11 de fevereiro de 1956	Madeira	–
Macaco	de 12 de fevereiro de 1956 até 30 de janeiro de 1957	Fogo	+
Galo	de 31 de janeiro de 1957 até 17 de fevereiro de 1958	Fogo	–
Cão	de 18 de fevereiro de 1958 até 7 de fevereiro de 1959	Terra	+
Javali	de 8 de fevereiro de 1959 até 27 de janeiro de 1960	Terra	–
Rato	de 28 de janeiro de 1960 até 14 de fevereiro de 1961	Metal	+
Boi	de 15 de fevereiro de 1961 até 4 de fevereiro de 1962	Metal	–
Tigre	de 5 de fevereiro de 1962 até 24 de janeiro de 1963	Água	+
Coelho	de 25 de janeiro de 1963 até 12 de fevereiro de 1964	Água	–
Dragão	de 13 de fevereiro de 1964 até 1º de fevereiro de 1965	Madeira	+
Serpente	de 2 de fevereiro de 1965 até 20 de janeiro de 1966	Madeira	–
Cavalo	de 21 de janeiro de 1966 até 8 de fevereiro de 1967	Fogo	+

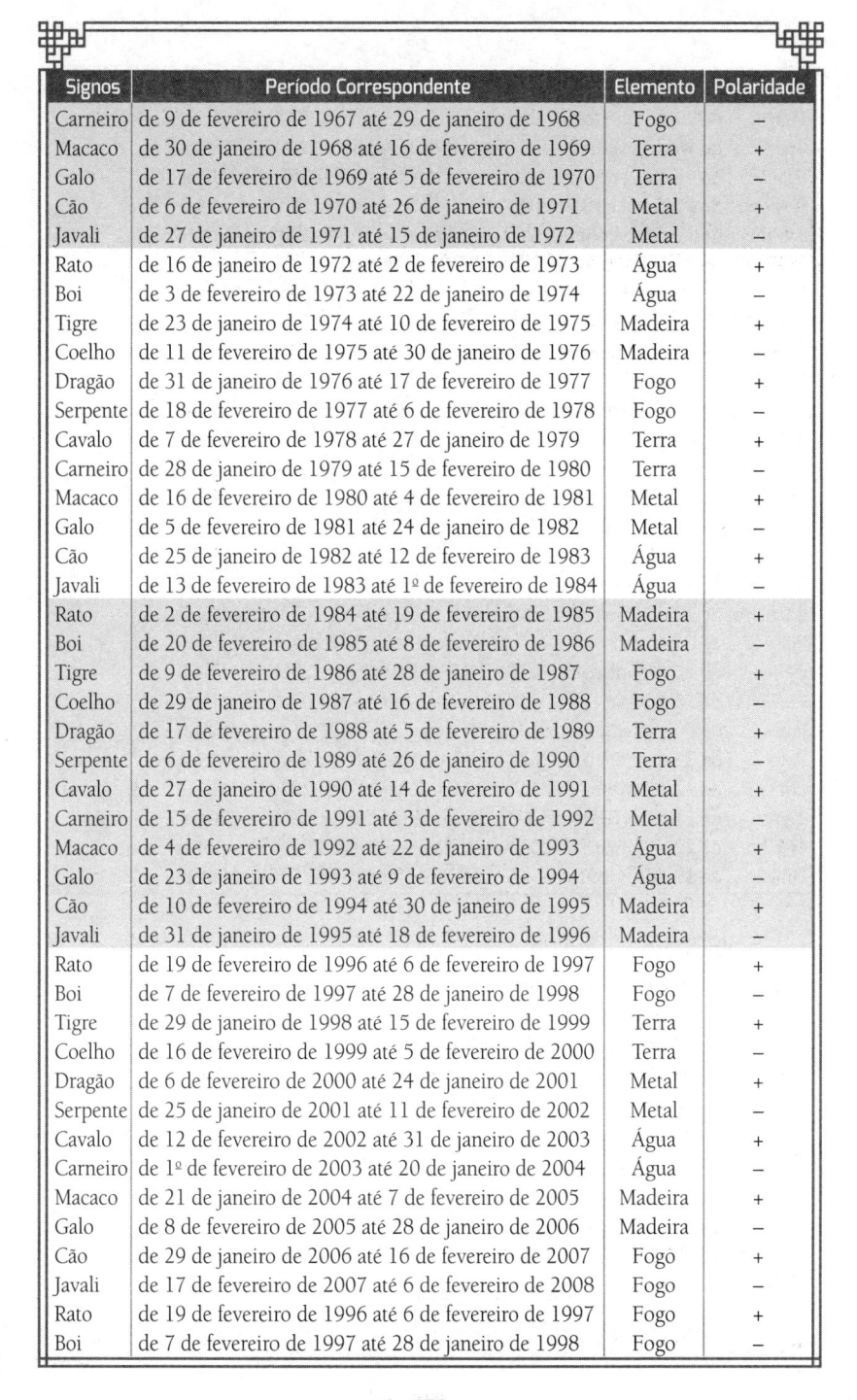

Signos	Período Correspondente	Elemento	Polaridade
Carneiro	de 9 de fevereiro de 1967 até 29 de janeiro de 1968	Fogo	–
Macaco	de 30 de janeiro de 1968 até 16 de fevereiro de 1969	Terra	+
Galo	de 17 de fevereiro de 1969 até 5 de fevereiro de 1970	Terra	–
Cão	de 6 de fevereiro de 1970 até 26 de janeiro de 1971	Metal	+
Javali	de 27 de janeiro de 1971 até 15 de janeiro de 1972	Metal	–
Rato	de 16 de janeiro de 1972 até 2 de fevereiro de 1973	Água	+
Boi	de 3 de fevereiro de 1973 até 22 de janeiro de 1974	Água	–
Tigre	de 23 de janeiro de 1974 até 10 de fevereiro de 1975	Madeira	+
Coelho	de 11 de fevereiro de 1975 até 30 de janeiro de 1976	Madeira	–
Dragão	de 31 de janeiro de 1976 até 17 de fevereiro de 1977	Fogo	+
Serpente	de 18 de fevereiro de 1977 até 6 de fevereiro de 1978	Fogo	–
Cavalo	de 7 de fevereiro de 1978 até 27 de janeiro de 1979	Terra	+
Carneiro	de 28 de janeiro de 1979 até 15 de fevereiro de 1980	Terra	–
Macaco	de 16 de fevereiro de 1980 até 4 de fevereiro de 1981	Metal	+
Galo	de 5 de fevereiro de 1981 até 24 de janeiro de 1982	Metal	–
Cão	de 25 de janeiro de 1982 até 12 de fevereiro de 1983	Água	+
Javali	de 13 de fevereiro de 1983 até 1º de fevereiro de 1984	Água	–
Rato	de 2 de fevereiro de 1984 até 19 de fevereiro de 1985	Madeira	+
Boi	de 20 de fevereiro de 1985 até 8 de fevereiro de 1986	Madeira	–
Tigre	de 9 de fevereiro de 1986 até 28 de janeiro de 1987	Fogo	+
Coelho	de 29 de janeiro de 1987 até 16 de fevereiro de 1988	Fogo	–
Dragão	de 17 de fevereiro de 1988 até 5 de fevereiro de 1989	Terra	+
Serpente	de 6 de fevereiro de 1989 até 26 de janeiro de 1990	Terra	–
Cavalo	de 27 de janeiro de 1990 até 14 de fevereiro de 1991	Metal	+
Carneiro	de 15 de fevereiro de 1991 até 3 de fevereiro de 1992	Metal	–
Macaco	de 4 de fevereiro de 1992 até 22 de janeiro de 1993	Água	+
Galo	de 23 de janeiro de 1993 até 9 de fevereiro de 1994	Água	–
Cão	de 10 de fevereiro de 1994 até 30 de janeiro de 1995	Madeira	+
Javali	de 31 de janeiro de 1995 até 18 de fevereiro de 1996	Madeira	–
Rato	de 19 de fevereiro de 1996 até 6 de fevereiro de 1997	Fogo	+
Boi	de 7 de fevereiro de 1997 até 28 de janeiro de 1998	Fogo	–
Tigre	de 29 de janeiro de 1998 até 15 de fevereiro de 1999	Terra	+
Coelho	de 16 de fevereiro de 1999 até 5 de fevereiro de 2000	Terra	–
Dragão	de 6 de fevereiro de 2000 até 24 de janeiro de 2001	Metal	+
Serpente	de 25 de janeiro de 2001 até 11 de fevereiro de 2002	Metal	–
Cavalo	de 12 de fevereiro de 2002 até 31 de janeiro de 2003	Água	+
Carneiro	de 1º de fevereiro de 2003 até 20 de janeiro de 2004	Água	–
Macaco	de 21 de janeiro de 2004 até 7 de fevereiro de 2005	Madeira	+
Galo	de 8 de fevereiro de 2005 até 28 de janeiro de 2006	Madeira	–
Cão	de 29 de janeiro de 2006 até 16 de fevereiro de 2007	Fogo	+
Javali	de 17 de fevereiro de 2007 até 6 de fevereiro de 2008	Fogo	–
Rato	de 19 de fevereiro de 1996 até 6 de fevereiro de 1997	Fogo	+
Boi	de 7 de fevereiro de 1997 até 28 de janeiro de 1998	Fogo	–

Signos	Período Correspondente	Elemento	Polaridade
Tigre	de 29 de janeiro de 1998 até 15 de fevereiro de 1999	Terra	+
Coelho	de 16 de fevereiro de 1999 até 5 de fevereiro de 2000	Terra	–
Dragão	de 6 de fevereiro de 2000 até 24 de janeiro de 2001	Metal	+
Serpente	de 25 de janeiro de 2001 até 11 de fevereiro de 2002	Metal	–
Cavalo	de 12 de fevereiro de 2002 até 31 de janeiro de 2003	Água	+
Carneiro	de 1º de fevereiro de 2003 até 20 de janeiro de 2004	Água	–
Macaco	de 21 de janeiro de 2004 até 7 de fevereiro de 2005	Madeira	+
Galo	de 8 de fevereiro de 2005 até 28 de janeiro de 2006	Madeira	–
Cão	de 29 de janeiro de 2006 até 16 de fevereiro de 2007	Fogo	+
Javali	de 17 de fevereiro de 2007 até 6 de fevereiro de 2008	Fogo	–
Rato	de 7 de fevereiro de 2008 até 25 de janeiro de 2009	Terra	+
Boi	de 26 de janeiro de 2009 até 13 de fevereiro de 2010	Terra	–
Tigre	de 14 de fevereiro de 2010 até 2 de fevereiro de 2011	Metal	+
Coelho	de 3 de fevereiro de 2011 até 22 de janeiro de 2012	Metal	–
Dragão	de 23 de janeiro de 2012 até 9 de fevereiro de 2013	Água	+
Serpente	de 10 de fevereiro de 2013 até 30 de janeiro de 2014	Água	–
Cavalo	de 31 de janeiro de 2014 até 18 de fevereiro de 2015	Madeira	+
Carneiro	de 19 de fevereiro de 2015 até 7 de fevereiro de 2016	Madeira	–
Macaco	de 8 de janeiro de 2016 até 27 de janeiro de 2017	Fogo	+
Galo	de 28 de janeiro de 2017 até 15 de fevereiro de 2018	Fogo	–
Cão	de 16 de fevereiro de 2018 até 4 de janeiro de 2019	Terra	+
Javali	de 5 de janeiro de 2019 até 24 de janeiro de 2020	Terra	–
Rato	de 25 de janeiro de 2020 até 11 de fevereiro de 2021	Metal	+
Boi	de 12 de fevereiro de 2021 até 31 de janeiro de 2022	Metal	–
Tigre	de 1º de fevereiro de 2022 até 21 de janeiro de 2023	Água	+
Coelho	de 22 de janeiro de 2023 até 9 de fevereiro de 2024	Água	–
Dragão	de 10 de fevereiro de 2024 até 28 de janeiro de 2025	Madeira	+

Os signos e as horas

Das 23h à 1h, horas governadas pelo Rato
De 1h às 3h, horas governadas pelo Boi
Das 3h às 5h, horas governadas pelo Tigre
Das 5h às 7h, horas governadas pelo Coelho
Das 7h às 9h, horas governadas pelo Dragão
Das 9h às 11h, horas governadas pela Serpente
Das 11h às 13h, horas governadas pelo Cavalo
Das 13h às 15h, horas governadas pelo Carneiro
Das 15h às 17h, horas governadas pelo Macaco
Das 17h às 19h, horas governadas pelo Galo
Das 19h às 21h, horas governadas pelo Cão
Das 21h às 23h, horas governadas pelo Javali

Características gerais de cada signo

RATO

Quem nasce no signo do Rato é sedutor e encantador, o que é uma vantagem na vida. Por serem simpáticos e joviais, os Ratos são sempre convidados para todos os eventos e têm uma vida social intensa. Mas esses nativos, como todas as pessoas, também têm um lado negativo: é quando manipulam os sentimentos dos outros, pois são ávidos pelo poder; além de gostarem de jogar, pois são ambiciosos. Mas são generosos e honestos, isto é, as qualidades superam os defeitos.

BOI

Os nativos deste signo são reservados, mas é possível perceber que são muito dedicados à família. Na área profissional, são dignos de confiança pelo seu grande senso de responsabilidade e seu espírito de sacrifício, que os leva a fazer de tudo para cumprir bem seu dever. Eles inspiram confiança, embora sejam autoritários, lentos e resistentes a mudanças. Um defeito grave é serem teimosos e vingativos.

TIGRE

A coragem é um dos traços mais marcantes da personalidade do Tigre. Além disso, ele é forte, autoritário e honrado. Mas pode tornar-se intransigente, impulsivo e irritadiço. É um otimista, prevendo sempre o melhor. Ter dinheiro é importante para sentir-se seguro. Os Tigres gostam de se arriscar; têm muita sorte. Ninguém fica indiferente a um Tigre, pois ele é muito magnético e atraente. Ou você ama ou odeia um Tigre, dependendo das circunstâncias.

COELHO

O Coelho é discreto, senhor de si, sensato e dotado de muita diplomacia, além de sensível e hospitaleiro. Em contrapartida pode ser pedante, misterioso e hipocondríaco. O Coelho gosta de viver de forma independente; não fica deprimido com a solidão. Não costuma apegar-se a relacionamentos que se deterioram com o tempo. Não hesita em se divorciar; gosta de encontrar o próprio caminho. Fica perturbado com a agitação ao redor e aprecia de ver as coisas como elas são. O Coelho não é violento; mostra seu talento na santa paz.

DRAGÃO

Este nativo é entusiasta, intuitivo e repleto de vitalidade. Bafejado pelo êxito, pode ser um artista admirável. Dá preferência a trabalhos autônomos. Mas pode ficar inquieto e mostrar-se inflexível, agastando-se com o mundo quando insatisfeito. Está sempre pronto a julgar os outros. No amor, é atraente, e o sexo oposto disputa os seus favores. É difícil tentar descrever um Dragão, pois ele é difícil de interpretar, por ser muito imprevisível. Além disso, é bastante voluntarioso e egoísta. Tem os pés bem fincados no chão.

SERPENTE

Em geral, a Serpente é culta, cerebral e intuitiva. É bem-educada e costuma ter sorte. Mas pode ser má perdedora, extravagante e vingativa. Uma característica negativa é a preguiça. Tem um magnetismo pessoal que pode ser desagradável de tão intenso. Gosta de manipular as outras pessoas e acaba conseguindo, porque é muito atraente, e sua beleza não é superficial; ela irradia uma espécie de luz interior. A Serpente é muito sagaz. Sempre ajuda a família, dando-lhe apoio e conselhos, embora não goste de distribuir dinheiro ou presentes.

CAVALO

O Cavalo é amável, atlético, divertido e muito independente, além de trabalhador, franco e bastante sensual. Mas exalta-se com facilidade, podendo se tornar impiedoso, desprovido de tato e insensível – é quando põe muita coisa a perder. Sabe quando avançar nos negócios, quando parar e quando ficar para trás, em segundo plano. O Cavalo costuma vencer as discussões com outros signos, mas não com outro Cavalo. Relacionamentos com o Cavalo exigem muita paciência, bom senso e tolerância.

CARNEIRO

Muito elegante, o Carneiro é criativo, inteligente e inventivo. Também é muito maleável e altruísta. Mas pode ser bastante caprichoso, indiscreto e indisciplinado. Conforme as circunstâncias, pode se tornar irresponsável. Resiste à injustiça, é muito organizado com seus pertences pessoais e não admite desordem. Às vezes é um pouco tímido nos relacionamentos. As mulheres de Carneiro podem ser descritas como muito atraentes.

MACACO

O Macaco costuma ser muito inteligente, espirituoso e amável. Tem facilidade para resolver problemas. Apaixona-se muitas vezes, pois é um pouco imaturo e não tem grandes escrúpulos. Tem tendência para ser divertido; pelo lado negativo, é um mentiroso nato, mesmo que não minta por mal. Na melhor definição: é um velhaco. É sincero ao fazer suas críticas, sem perceber que magoa os outros. Em geral, fica rico na meia-idade.

GALO

Muito franco, desembaraçado e talentoso, o Galo também é elegante e divertido. Mas, quando atacado, pode se tornar desconfiado, pomposo e até mesmo descarado. Esse signo é um trunfo para os homens; a dicotomia de interesses entre sua família e os relacionamentos amorosos e comerciais o acompanha do começo até o final da vida. A fidelidade não é o seu ponto forte. Deve pensar antes de falar para não incorrer em erros fatais.

CÃO

O Cão é magnânimo, nobre e leal. Muito responsável, gosta de analisar tudo antes de agir; é bastante discreto e lúcido. Por outro lado, sua reserva natural exagerada o leva a perder oportunidades, e sua introversão também não contribui para o sucesso. Bastante moralista, e até um pouco pessimista, por vezes é dotado de um cinismo mordaz. A hipocrisia fere a alma do Cão.

JAVALI

O Javali é muito escrupuloso; em geral dedica-se aos estudos e é culto. Muito sensível e profundo, não custa a se magoar com as palavras dos outros, defendendo-se, porém, por trás de uma máscara de indulgência. Mas de fato é indefeso e ingênuo, pois não tem espírito de rivalidade, tornando-se presa fácil dos inimigos. É muito crédulo. Quando enraivecido, torna-se mordaz e suas críticas atingem o ponto fraco dos outros.

2019
Ano do Javali

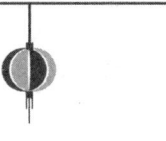

Este ano do Javali em particular será muito favorável aos jogos de azar, à interdependência em assuntos amorosos e, principalmente, à saúde. É propício também para viagens de negócios. Como o Javali é o signo do zodíaco chinês que mais transborda sensualidade, as conquistas amorosas terão um papel muito importante. O círculo de amizades estará em evidências e, no campo profissional, ajudas inesperadas impulsionarão as pessoas ao sucesso. A saúde será o bem mais precioso a ser valorizado, devendo-se prestar bastante atenção aos excessos.

Eis o que nos reserva o ano do Javali

RATO: Pelo fato de o Rato ser muito "matriarcal", os relacionamentos e a família são muito importantes para ele. Sua principal preocupação é manter a própria segurança e se autopreservar nas relações, pois concentra em si mesmo um anseio por liberdade e vida social intensa. Como o nativo deste signo tem grande paixão pelo trabalho e pela ascensão social, é muito comedido ao lidar com dinheiro, dependendo do auxílio dos outros para ser bem-sucedido. Portanto, deve aprender a ser bastante diplomático ao lidar com relações trabalhistas. Um conselho é dedicar-se bastante ao trabalho e prestar muita atenção às pessoas que você permite entrar em sua vida. Se possível, tire férias e vá para um lugar paradisíaco, onde o contato com a natureza vai revigorar suas energias. No contexto da saúde e das relações pessoais, é bom evitar excessos. Abuse das cores e formas, e torne o mundo mais alegre com sua presença.

BOI: O nativo deste signo é muito cauteloso com as finanças e o trabalho, dando o verdadeiro sentido à palavra "estabilidade". Gosta de viagens, investir em estudos e educação, e principalmente de uma vida repleta de cultura. Obstinado, nunca deixa uma tarefa inacabada. Paciente por natureza, o Boi tem tendência ao misticismo e possui muitos dons artísticos. Neste ano que se apresenta, você não deve se ater a projetos sem embasamento, mas sim ficar atento aos altos e baixos causados por abruptas mudanças de humor. Mantenha-se longe das tentações mundanas. No quesito saúde, ela vai muito bem, obrigado! No trabalho, espere por promoções e reconhecimento. Quanto ao campo amoroso, você sabe que deve sempre reconquistar a pessoa amada todos os dias.

TIGRE: Muita calma e reflexão neste ano, para que seu temperamento explosivo não acabe por finalizar uma situação para cuja perda você não estava preparado, podendo até vir a se arrepender. Embora goste de estar sempre no controle da situação, neste ano do Javali, outras pessoas vão influenciar suas decisões. Não seja tão ciumento e possessivo; fique atento a complicações causadas por sua instabilidade emocional. Isso não lhe será muito difícil, visto que está acostumado a perdas e ganhos, detestando a fraqueza e a piedade. No quesito financeiro, você deve se preocupar bastante com suas finanças, pois este ano será extremamente escasso em relação a ganhos financeiros, embora seja favorável para novos projetos que envolvam causas sociais. Evite brigas desnecessárias e procure descansar bastante para manter sua saúde estável. O ano também promete mudanças no seu estilo de vida.

COELHO: Com muito trabalho e persistência, neste ano você vai alcançar o sucesso pessoal e profissional. Comece a ouvir críticas construtivas com mais paciência e moderação. Como sua autoestima é sempre elevada, não há dúvida de que atingirá suas metas. Deixe de ficar em cima do muro; aproveite para fazer uma autoanálise do que fez de certo e errado no ano que passou. Apesar de apreciar uma vida luxuosa, cuidado com gastos exagerados; mantenha o orçamento equilibrado e realize os planos com os quais sempre sonhou. Na saúde, tudo vai bem, mas convém fazer exercícios físicos e evitar o estresse. Decida-se com relação a seu par amoroso, porque é impossível entregar-se cem por cento enquanto estiver dividido entre dois amores.

DRAGÃO: A tônica deste ano será a diplomacia. Você deverá estar atento à sua natureza explosiva, bem como aos relacionamentos familiares, que poderão receber a mesma carga de agressividade. O segredo é manter-se sempre focado em seus planos, evitando dar atenção exagerada à opinião alheia; seja educado e flexível. Não queira ser o centro das atenções e acostume-se com o fato de que todos têm suas opiniões e que elas podem ser diferentes das suas. A propósito: mantenha em sigilo o que lhe contarem em particular. Para este ano, pense também em evitar desgastes físicos; opte pela prática regular de exercícios e cuide bem da alimentação. No campo profissional, o progresso será lento e moroso, mas no final você será bem recompensado. Não perca energia com assuntos superficiais. Ano propício a mudanças de residência e trabalho.

SERPENTE: Cautela é a máxima deste ano. No campo profissional, os planos outrora deixados em segundo plano terão agora papel relevante. A vida familiar estará em evidência; tenha tranquilidade ao tratar de mudanças importantes que ocorrerão nessa área. No campo das finanças, não assuma riscos desnecessários. Se não houver lucros fabulosos, pelo menos não haverá perdas. É aconselhável também não dar ouvidos a fofocas; confie em sua intuição e em seu coração. Cultive novas e boas amizades e, em decorrência, uma transformação de mentalidade ocorrerá de sua parte. É prudente evitar ao máximo o instinto possessivo e, antes de tomar qualquer decisão, avalie melhor a situação como um todo. Mantenha uma dieta equilibrada e repleta de fibras, praticando exercícios ao ar livre e reservando um tempo para você e a pessoa amada – isso tornará seu ano mais harmonioso e proveitoso.

CAVALO: Ano propício para iniciar um relacionamento amoroso ou consolidar uma união, ou ainda firmar alianças. Negócios que envolvam parcerias estarão propensos a uma expansão surpreendente. Na verdade, o ano do Javali representará o ano do coletivo para você. Embora não tenha a liberdade de fazer exatamente o que lhe agradar em função das parcerias firmadas, você obterá grande sucesso profissional e pessoal. Não corra atrás de aventuras amorosas ou profissionais, pois seu físico pode não aguentar esse ritmo. Evite o consumo de álcool e beba muita água; dê bastante atenção aos rins. Há uma chance genuína de brilhar e ocupar um lugar de destaque no palco da vida, desde que mantenha o foco e o equilíbrio.

CARNEIRO: Sorte à vista! Este será um ano extremamente benéfico, em especial no ambiente profissional: você poderá contar com a sorte para ser reconhecido ou mesmo promovido, o que o fará desenvolver ainda mais seus talentos. Associe exercícios físicos à sua dieta, de forma a evitar as tensões causadas pelo dia a dia atribulado. A criatividade em alta favorece seu instinto de liderança. Trata-se de um ano de muita tranquilidade na vida familiar, propício ao convívio com pessoas próximas e queridas. Mas não espere demais das pessoas, pois isto lhe trará frustações tanto no campo pessoal quanto no profissional. Divida os bons frutos que este ano lhe trará com as pessoas que contribuíram para isso. Viagens serão muito bem-vindas.

MACACO: Por ser muito inventivo, perspicaz, flexível e hábil, este ano será muito proveitoso para você, seja no âmbito pessoal, seja no profissional. Infelizmente, o passado voltará para atormentá-lo. Evite discussões desnecessárias e desentendimentos sem sentido. Durante o decorrer de todo o ano haverá abundância de trabalho, prazer e romance. Os estudos estarão em evidência, podendo até resultar em uma mudança em sua profissão. Contudo, é preciso muita cautela, pois excesso de entusiasmo sem base sólida pode significar esforços em vão. Trata-se de um ano para você aprender a respeitar a vontade e o sentimento alheios. Quanto à saúde, procure manter uma dieta equilibrada e faça exercícios físicos com regularidade para evitar o estresse. O ano do Javali promete quando o assunto forem as conquistas amorosas!

GALO: Ano propício aos cuidados com a família e a assuntos domésticos, para fortalecer os laços e valores mais profundos. Antes de realizar seus objetivos pessoais, você deverá exorcizar os demônios interiores. O ano do Javali será de muita luta, garra e determinação. Não esmoreça se os planos demorarem a se concretizar; eles se realizarão no tempo certo. É aconselhável reservar momentos para descanso: veja um filme, faça um passeio ao ar livre ou leia um livro. Você nunca tem medo de assumir grandes desafios nem responsabilidades colossais, porém poderá contar com a ajuda de amigos para resolver quase todas as questões. Quanto à saúde, recomenda-se uma viagem para relaxar ao se afastar dos problemas cotidianos, que poderão estressá-lo ou causar distúrbios emocionais.

CÃO: Sua vida profissional estará diretamente ligada à capacidade de aprendizado e à sua tenacidade. A comunicação se tornará seu forte, bem como a resolução de desafios intelectuais.

Evite excessos no cotidiano, já que este ano será extremamente movimentado e atribulado. Pare de querer que as pessoas pensem da mesma forma que você. Embora muito à frente de seu tempo, você tende a idealizar uma sociedade utópica, não raro se frustrando com isso. No quesito finanças, não haverá problemas; o Cão gozará de tranquilidade financeira. Porém, no âmbito amoroso, sua vida será uma roda-gigante, repleta de altos e baixos. Concentre-se no que realmente deseja e colha os frutos de seu empenho. Com relação à saúde, evite qualquer tipo de excesso; cuide mais de si mesmo!

JAVALI: Este ano será bastante propício para você alcançar a prosperidade financeira e material. Momento mais que oportuno para adquirir imóveis e poupar uma grande quantia de dinheiro. Agarre todas as chances e oportunidades que aparecerem, focando sempre no progresso financeiro. Curiosamente, você sentirá o desejo de cuidar de si mesmo, dando mais ênfase à saúde. Evite os excessos alimentares, mantendo uma dieta rica e equilibrada. Sua sensibilidade artística também estará em alta. No campo afetivo, devido à sua grande sensualidade, aparecerão numerosos romances, mas tenha cautela! Nem tudo é o que realmente parece. Ajude a manter a harmonia entre colegas, amigos e familiares.

COMPREENDA AS ALMAS GÊMEAS

As almas gêmeas são parceiros cósmicos que crescem e evoluem juntos, geralmente através de muitas existências. Os relacionamentos de almas gêmeas baseiam-se num acordo mútuo de se encontrar para cumprir, de algum modo, um compromisso. Você e sua alma gêmea se encontraram novamente – agora e nesta vida – porque ainda há um karma que precisa ser resolvido e lições importantes que um necessita aprender com o outro. A cola cósmica que mantém você e sua alma gêmea grudados é o desejo de explorarem juntos novos territórios ou abandonarem antigos padrões que talvez tenham repetido em outras existências.

– Extraído de *Astrologia do Sexo*, de Megan Skinner, Ed. Pensamento.

Calendário agrícola

Mônica Joseph

O calendário agrícola apresentado a seguir segue uma nova teoria astrológica a respeito do plantio e do cultivo da terra, que toma por base a passagem da Lua pelos doze signos zodiacais. Experiências feitas no Brasil e em outros países comprovaram a eficácia dessa teoria. Na verdade, trata-se de um método usado desde tempos antigos e agora resgatado.

▼ Plantar Flores
Quando dizemos que o dia é bom para plantar flores, significa que nesse dia deve-se colocar na terra a semente da qual queremos futuramente colher flores. Por flores designamos árvores como ipês, mimosas; arbustos, como azáleias, roseiras; ou mesmo flores, como bocas-de-leão, amores-perfeitos, cravos etc. Além disso, existem as flores de horta, tais como a couve-flor, o brócolis e a alcachofra.

▼ Plantar Folhas
Quando dizemos que o dia é bom para plantar folhas, significa que nesse dia deve-se colocar na terra a semente da qual queremos futuramente colher as folhas ou obter folhagens bonitas, como é o caso dos fícus-benjamim, ou das samambaias e avencas, do chá e dos legumes de folhas: alface, almeirão, rúcula, agrião etc.

▼ Plantar Frutas
Quando dizemos que o dia é bom para plantar frutas, estamos nos referindo a todas as plantas que produzem frutos, sejam elas árvores, arbustos ou legumes. É o caso das mangueiras, das castanheiras, das bananeiras, dos limoeiros etc., ou de arbustos como o marmeleiro. Estamos nos referindo também aos frutos de horta, que são os legumes de frutos, ou seja, a berinjela, o tomate, o jiló etc. Os grãos e as sementes – como arroz, feijão, milho – estão incluídos nesse item.

▼ Plantar Raízes
Quando falamos de raízes, nos referimos somente a plantas como a cenoura, a mandioca, o nabo e a beterraba. As cebolas são classificadas como bulbos.

▼ Colheitas
Para as colheitas, o princípio é o mesmo. Há dias em que é melhor colher para reprodução, o que muitas vezes requer um especialista no assunto. O agricultor, sempre que possível, deve usar sementes de outra procedência, e não as suas próprias.

▼ Colheita de Frutos
É preferível colher os frutos e armazená-los, pois assim eles não amadurecerão tão depressa, ficarão protegidos de bichos e não apodrecerão precocemente. Após algum tempo, poderão ser manipulados, industrializados e exportados.

▼ Colheita, Transplantes e Limpeza
As colheitas devem ser feitas sempre em tempo seco. Para transplantes, a melhor Lua é a Minguante, quando toda a força da planta encontra-se na raiz, e ela aceita nova terra e líquido para abastecer seu caule e suas folhas. Limpeza e adubagem de canteiros, de hortas, de pomares e de jardins devem ser feitas durante a Lua Nova.

Atenção: As sugestões a seguir, indicando a melhor época para determinadas atividades agrícolas, não excluem as outras atividades. Para maiores informações sobre o dia e horário do início de cada fase da Lua, favor consultar Fenômenos Naturais na p. 18.

Agricultura e pecuária

Janeiro 2019

Até o dia 4 de janeiro ▶ *Lua Minguante*
Até o dia 13 de janeiro ▶ *Lua Nova*
Até o dia 20 de janeiro ▶ *Lua Crescente*
Até o dia 26 de janeiro ▶ *Lua Cheia*
Até o dia 31 de janeiro ▶ *Lua Minguante*

Dias 1º e 2 ▶ Ótimos para plantar folhagens ornamentais, hera, folhas para saladas, alho, cebola e cana-de-açúcar.

Dias 3 e 4 ▶ Bons para plantar temperos de folha como alecrim, manjericão, ervas medicinais, cidreira, erva-doce, hortelã e camomila.

Dias 5, 6 e 7 ▶ Bons para plantar feijão, arroz, milho, café, cacau, pimenta em grão, amendoim, cenoura, rabanete, mandioca, batatas inglesa e doce, cará e inhame.

Dias 8 e 9 ▶ Bons para plantar todo tipo de floríferas rasteiras, arbustivas e trepadeiras.

Dias 10, 11 e 12 ▶ Ótimos para plantar árvores frutíferas como jabuticabeiras, jaqueiras e mangueiras, trigo, arroz, feijão, aveia e milho.

Dias 13 e 14 ▶ Bons para semear ou plantar melões, melancias, abóboras e morangas.

Dias 15 e 16 ▶ Bons para arar, limpar e adubar canteiros.

Dias 17 e 18 ▶ Bons para semear pastos e gramados, plantar brócolis, couve-flor, abacaxi e beringela.

Dias 19, 20 e 21 ▶ Ótimos para plantar tomates, vagens, ervilhas, jiló, pepinos, uvas e mangas.

Dias 22 e 23 ▶ Bons para colher para reprodução todo tipo de grãos para consumo imediato e raízes tais como cenouras, beterrabas, rabanetes, gengibre, mandioca, amendoim e também alho e cebola.

Dias 24 e 25 ▶ Bons para plantar temperos de folhas como louro, manjericão, orégano e alecrim, bem como ervas medicinais para chás.

Dias 26 e 27 ▶ Ótimos para semear e plantar flores comestíveis e ornamentais de cores suaves como rosas brancas e amarelas, gerânios cor-de-rosa e orquídeas.

Dias 28 e 29 ▶ Ótimos para plantar batatas inglesa e doce, cará, inhame, alho, cebola e cana-de-açúcar.

Dias, 30 e 31 ▶ Ótimos para fazer podas, colher vime, taboa, piaçava, cortar madeira de reflorestamento e bambu.

Galinhas: Ponha-as para chocar nos dias 1º, 2, 3, 30 e 31.

Pescaria: De 20 a 25, boa no mar, e de 5 a 12, boa em rios e lagos.

Neste mês não se castram animais.

Fevereiro 2019

Até o dia 3 de fevereiro ▶ *Lua Minguante*
Até o dia 11 de fevereiro ▶ *Lua Nova*
Até o dia 18 de fevereiro ▶ *Lua Crescente*
Até o dia 25 de fevereiro ▶ *Lua Cheia*
Até o dia 28 de fevereiro ▶ *Lua Minguante*

Dia 1º ▶ Ótimo para cortar madeira, vime, bambu e taboa, bem como para fazer podas.

Dias 2 e 3 ▶ Bons para plantar pimenta-do-reino, cevada, feijão, arroz, milho, cacau e café, bem como mandiocas, cenouras, rabanetes, amendoins, alho, cebola, batatas, cará e inhame.

Dias 4, 5 e 6 ▶ Bons para semear e plantar floríferas arbustivas como manacás, ornamentais rasteiras e trepadeiras como as primaveras.

Dias 7 e 8 ▶ Ótimos para plantar mangas, acerolas, laranja, limão, pêssego, bananas, milho, trigo, cevada, feijão, aveia e cana-de-açúcar.

Dias 9, 10 e 11 ▶ Ótimos para plantar soja, trigo, cevada, café, cacau, guaraná e pimenta-do-reino.

Dias 12 e 13 ▶ Bons para semear pastos e gramados, arar, limpar e adubar o terreno para o novo plantio.

Dias 14 e 15 ▶ Bons para plantar tomates, ervilhas, berinjelas, pepinos, vagens e jiló.

Dias 16 e 17 ▶ Ótimos para plantar bananas, uvas, pitangas, tamarindos, bergamotas, marmelos, mangas e todo tipo de frutos suculentos.

Dias 18 e 19 ▶ Bons para colher para reprodução todo tipo de grãos e raízes tais como cenouras, beterrabas, rabanetes, gengibre, mandioca, amendoim e também alho e cebola.

Dias 20 e 21 ▶ Bons para plantar alho, cebola, mandioca, beterraba e bulbos de flores.

Dias 22 e 23 ▶ Ótimos para plantar couve-flor, brócolis, alcachofras, flores ornamentais e floríferas anuais e perenes.

Dias 24 e 25 ▶ Bons para plantar batatas inglesa e doce, mandioca, alho, cebola e cana-de-açúcar.

Dias 26, 27 e 28 ▶ Ótimos para fazer podas de árvores, colher material para fazer artesanato como taboa, vime e cortar madeira.

Galinhas: Ponha-as para chocar nos dias 3, 4, 5, 26, 27 e 28.

Pescaria: De 20 a 25, boa no mar, e de 1º a 8, boa em rios e lagos.

Neste mês não se castram animais.

Março 2019

Até o dia 5 de março ▶ *Lua Minguante*
Até o dia 13 de março ▶ *Lua Nova*
Até o dia 20 de março ▶ *Lua Crescente*
Até o dia 27 de março ▶ *Lua Cheia*
Até o dia 31 de março ▶ *Lua Minguante*

Dias 1º e 2 ▶ Bons para colher todo tipo de frutos para armazenar, fazer podas de árvores e adubação.

Dias 3, 4 e 5 ▶ Bons para colher para reprodução todo tipo de raízes tais como cenouras, beterrabas, rabanetes, gengibre, mandioca, bardana, amendoim e também alho e cebola.

Dias 6 e 7 ▶ Bons para fazer mudas de galho e rama.

Dias 8, 9 e 10 ▶ Bons para plantar frutos suculentos da época e cana-de-açúcar.

Dias 11 e 12 ▶ Bons para plantar batatas inglesa e doce, cará, inhame, mandioca, alho, cebola, milho, trigo, cevada e guaraná.

Dias 13 e 14 ▶ Bons para fazer enxertos e alporquias, bem como semear floríferas rasteiras e arbustivas.

Dias 15, 16 e 17 ▶ Bons para plantar frutos suculentos como melancias, laranjas, limões e cana-de-açúcar, e fazer transplantes de mudas para o local definitivo.

Dias 18 e 19 ▶ Bons para semear ou plantar melões, melancias, abóboras e morangas.

Dias 20 e 21 ▶ Bons para semear pastos e gramados. Cortar madeira de reflorestamento, limpar, arar e preparar o terreno para o próximo plantio.

Dias 22 e 23 ▶ Bons para plantar ervas medicinais e floríferas como acácias-mimosas, quaresmeiras e lírios.

Dias 24 e 25 ▶ Ótimos para plantar folhas para saladas, frutos suculentos e cana-de-açúcar.

Dias 26 e 27 ▶ Bons para semear abóboras, morangas, melões e melancias.

Dias 28, 29 e 30 ▶ Bons para semear pastos e gramados.

Dia 31 ▶ Bom para colher todo tipo de grãos.

Galinhas: Ponha-as para chocar nos dias 26, 27 e 28.

Pescaria: De 19 a 25, boa no mar, e de 2 a 8, boa em rios e lagos.

Neste mês só se castram animais de pequeno porte nos dias 1º, 2, 3, 26, 27 e 28.

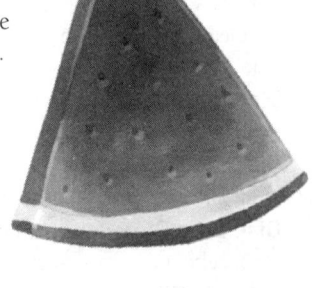

Abril 2019

Até o dia 4 de abril ▸ *Lua Minguante*
Até o dia 11 de abril ▸ *Lua Nova*
Até o dia 18 de abril ▸ *Lua Crescente*
Até o dia 25 de abril ▸ *Lua Cheia*
Até o dia 30 de abril ▸ *Lua Minguante*

Dia 1º ▸ Bom para colher todo tipo de grãos e material para artesanato.

Dias 2, 3 e 4 ▸ Ótimos para plantar raízes como cenouras, beterrabas, rabanetes, amendoim, mandioca e batatas inglesa e doce, cará e inhame.

Dias 5 e 6 ▸ Bons para fazer mudas de galho, plantar louro, orégano, malva, endro, guiné, boldo, alfazema, cidreira, melissa e camomila.

Dias 7 e 8 ▸ Bons para plantar milho, soja, arroz, feijão, berinjela, pepino, tomate e jiló.

Dias 9, 10 e 11 ▸ Bons para semear floríferas rasteiras e arbustivas, fazer enxertos e alporquias, arar e adubar, preparando a terra para novo plantio.

Dia 12 e 13 ▸ Bons para plantar frutos suculentos como mangas, laranjas, pêssegos e, na horta, folhas para salada como alface, rúcula, bem como cana-de-açúcar.

Dias 14 e 15 ▸ Bons para semear abóboras, melões, melancias e morangas.

Dias 16 e 17 ▸ Bons para semear pastos e gramados.

Dias 18 e 19 ▸ Bons para plantar ervas medicinais como camomila, cidreira e melissa, floríferas como acácias e ipês.

Dias 20 e 21 ▸ Ótimos para plantar frutos suculentos, folhas para salada, e fazer transplantes destas para o local definitivo, bem como plantar cana-de-açúcar.

Dias 22 e 23 ▸ Ótimos para semear abóboras, melões, melancias, morangas, e plantar flores de cores vivas.

Dias 24, 25 e 26 ▸ Bons para semear pastos e gramados, e colher para reprodução soja, cevada, arroz, trigo, milho, feijão, girassol, guaraná e café, sementes de raízes.

Dias 27 e 28 ▸ Bons para colher todo tipo de grãos, cortar árvores de reflorestamento, e colher material para artesanato, como vime e taboa.

Dias 29 e 30 ▸ Ótimos para plantar cenouras, rabanetes, beterrabas, amendoim, batatas inglesa e doce, cará, inhame e mandioca.

Galinhas: Ponha-as para chocar nos dias 1º, 2, 3, 4 e 5.
Pescaria: De 25 a 27, boa no mar, e de 6 a 13, boa em rios e lagos.
Castrar animais: Dias 1º, 2, 3, 4, 5, 28, 29 e 30.

Maio 2019

Até o dia 3 de maio ▶ *Lua Minguante*
Até o dia 11 de maio ▶ *Lua Nova*
Até o dia 17 de maio ▶ *Lua Crescente*
Até o dia 25 de maio ▶ *Lua Cheia*
Até o dia 31 de maio ▶ *Lua Minguante*

Dia 1º ▶ Bom para plantar todo tipo de tubérculos como batata-doce, batata-inglesa, cará e inhame, bem como cenoura, beterraba, bardana, mandioca, amendoim e açafrão.

Dias 2 e 3 ▶ Bons para plantar orégano, boldo, sálvia, louro, estragão, endro, manjerona, confrei, losna, endro, algaravia, camomila, melissa, cidreira, bem como fazer mudas de galho.

Dias 4, 5 e 6 ▶ Bons para plantar todo tipo de grãos, alho e cebola.

Dias 7 e 8 ▶ Bons para fazer enxertos e alporquias, bem como semear todo tipo de floríferas, sejam elas arbustivas, rasteiras ou trepadeiras, anuais ou perenes.

Dias 9 e 10 ▶ Bons para plantar folhas para salada, cana-de-açúcar, e fazer transplantes de mudas para o local definitivo.

Dias 11 e 12 ▶ Bons para semear ou plantar abóboras, melancias, melões e morangas.

Dias 13 e 14 ▶ Bons para semear pastos e gramados.

Dias 15 e 16 ▶ Bons para semear e transplantar mudas de floríferas comestíveis, ornamentais e arbustivas.

Dias 17, 18 e 19 ▶ Ótimos para começar a colher frutos suculentos, folhas para salada e cana-de-açúcar.

Dias 20 e 21 ▶ Ótimos para plantar alho, cebola, bardana, amendoim, cenoura, rabanete, beterraba, batatas inglesa e doce, cará e inhame.

Dias 22 e 23 ▶ Bons para colher frutos suculentos como laranjas, limões, mexericas, mangas e melancias para consumo imediato.

Dias 24, 25 e 26 ▶ Bons para colher soja, milho, arroz, feijão, enfim, todo tipo de grãos.

Dias 27 e 28 ▶ Ótimos para semear e fazer transplantes de folhas para salada, raízes como cenouras, beterrabas, rabanetes, amendoim, bem como batatas inglesa e doce, cará e inhame.

Dias 29, 30 e 31 ▶ Bons para fazer mudas de galho, plantar especiarias, camomila, hortelã, melissa, chás preto e mate.

Galinhas: Ponha-as para chocar nos dias 27, 28, 29 30 e 31.

Pescaria: De 17 a 23, boa no mar, e de 2 a 10, boa em rios e lagos.

Castrar animais: Nos dias 1º, 2, 3, 29, 30 e 31.

Junho 2019

Até o dia 2 de junho ▶ *Lua Minguante*
Até o dia 9 de junho ▶ *Lua Nova*
Até o dia 16 de junho ▶ *Lua Crescente*
Até o dia 24 de junho ▶ *Lua Cheia*
Até o dia 30 de junho ▶ *Lua Minguante*

Dias 1º e 2 ▶ Bons para cortar madeira, vime e bambu para artesanato, e colher frutos de todo tipo para armazenar.

Dias 3 e 4 ▶ Bons para plantar flores rasteiras como rosas, margarida, azáleas, anuais, perenes, trepadeiras e arbustivas.

Dias 5 e 6 ▶ Bons para plantar frutos suculentos como laranjas, mangas, bergamotas, bem como cana-de-açúcar.

Dias 7 e 8 ▶ Bons para semear ou plantar de rama abóboras, melões, melancias e morangas.

Dias 9, 10 e 11 ▶ Bons para semear ou plantar pastos e gramados.

Dias 12 e 13 ▶ Ótimos para plantar flores comestíveis como couve-flor e capuchinhas, bem como as ornamentais, rasteiras ou arbustivas.

Dias 14 e 15 ▶ Ótimos para plantar todo tipo de frutos suculentos como abacates, marmelos, cocos, limões e laranjas, bem como soja, milho, arroz, feijão, cacau, café, linhaça e trigo.

Dias 16 e 17 ▶ Ótimos para colher para reprodução todo tipo de grãos e raízes, bem como alho, cebola e batatas inglesa e doce, cará e inhame.

Dias 18, 19 e 20 ▶ Bons para plantar lúpulo, tomilho, alfavaca, orégano, manjericão, espinafre, acelga, almeirão, alface e rúcula.

Dias 21 e 22 ▶ Bons para colher ervas medicinais antes do amanhecer, ainda orvalhadas, e flores ornamentais perto do meio-dia.

Dias 23, 24 e 25 ▶ Bons para plantar folhas para salada, ornamentais como avencas e samambaias, colher frutos suculentos para consumo imediato, e também cana-de-açúcar.

Dias 26 e 27 ▶ Bons para colher sementes de ervas medicinais.

Dias 28 e 29 ▶ Bons para plantar ou semear flores comestíveis como brócolis, couve-flor, ornamentais, e fazer enxertos e alporquias.

Dia 30 ▶ Ótimo para plantar flores rasteiras, trepadeiras, arbustivas e arbóreas, principalmente rosas.

Galinhas: Ponha-as para chocar nos dias 26, 27, 28, 29 e 30.
Pescaria: De 16 a 24, boa no mar, e de 1º a 8, boa em rios e lagos.
Castrar animais: Nos dias 26, 27, 28, 29 e 30.

Julho 2019

Dia 1º de julho ▶ *Lua Minguante*
Até o dia 8 de julho ▶ *Lua Nova*
Até o dia 15 de julho ▶ *Lua Crescente*
Até o dia 24 de julho ▶ *Lua Cheia*
Até o dia 31 de julho ▶ *Lua Minguante*

Dias 1º e 2 ▶ Ótimos para plantar todo tipo de flores comestíveis, arbustivas e rasteiras.

Dias 3 e 4 ▶ Bons para plantar folhas para salada, fazer transplantes para canteiros definitivos, inclusive de folhagens ornamentais, plantar frutos suculentos e cana-de-açúcar.

Dias 5 e 6 ▶ Bons para fazer enxertos, mudas de galho ou ramas, plantar especiarias e ervas medicinais.

Dias 7 e 8 ▶ Ótimos para plantar todo tipo de frutos como peras, maçãs, lichias, cambuci, acerola, goiabas e jabuticabas.

Dias 9 e 10 ▶ Ótimos para plantar todo tipo de flores, inclusive as comestíveis como couve-flor, brócolis e abacaxi.

Dias 11 e 12 ▶ Ótimos para plantar todo tipo de frutos, maçãs, peras, goiabas, lichias, cambuci, acerola, e grãos como soja, milho, feijão, arroz, aveia e linhaça.

Dias 13 e 14 ▶ Bons para colher para reprodução milho, cevada, feijão, trigo, gergelins, girassol e milho, bem como raiz-forte, bardana, cenoura, beterraba, gengibre, rabanete, amendoim, mandioca, bem como alho, cebola, batata-doce, batata-inglesa, cará e inhame.

Dias 15, 16 e 17 ▶ Bons para plantar folhas para saladas, espinafre, couve, orégano, manjericão, lúpulo e alfavaca.

Dias 18 e 19 ▶ Ótimos para colher ervas medicinais antes do alvorecer, ainda orvalhadas, e flores perto do meio-dia.

Dias 20, 21 e 22 ▶ Bons para fazer transplantes de folhas comestíveis e ornamentais para o local definitivo, e plantar gengibre, cenoura, beterraba, rabanete, mandioca e amendoim.

Dias 23 e 24 ▶ Bons para colher para reprodução cenouras, nabo, beterrabas, bardana, gengibre, erva-doce, amendoim, trigo, feijão, cevada, aveia, café, alho, cebola e batatas.

Dias 25, 26 e 27 ▶ Bons para semear flores ornamentais, fazer enxertos e alporquias.

Dias 28 e 29 ▶ Bons para plantar todo tipo de flores, sejam elas trepadeiras, rasteiras, arbustivas e arbóreas.

Dias 30 e 31 ▶ Ótimos para plantar todo tipo de raízes como cenouras e mandioca, bem como batatas inglesa e doce, cará e inhame.

Galinhas: Ponha-as para chocar nos dias 26, 27, 28 e 29.
Pescaria: De 15 a 20, boa no mar, e de 1º a 8, boa em rios e lagos.
Castrar animais: Nos dias 1º, 25, 26, 27, 28 e 29.

Agosto 2019

Até o dia 6 de agosto ▶ *Lua Nova*
Até o dia 14 de agosto ▶ *Lua Crescente*
Até o dia 22 de agosto ▶ *Lua Cheia*
Até o dia 29 de agosto ▶ *Lua Minguante*
Dias 30 e 31 de agosto ▶ *Lua Nova*

Dias 1º e 2 ▶ Bons para plantar louro, orégano, manjericão, manjerona, malva, sálvia, melissa, camomila, hortelã, chás e mate, fazer enxertos e alporquias, e mudas de rama e galho.

Dias 3 e 4 ▶ Ótimos para plantar jabuticabas, laranjas, limões, mamão, mangas, uvas, bananas, berinjelas, chuchus, couve-flor, brócolis, abacaxis e cana-de-açúcar.

Dias 5 e 6 ▶ Ótimos para plantar flores rasteiras, arbustivas e trepadeiras, bem como as comestíveis, por exemplo, capuchinha.

Dias 7 e 8 ▶ Ótimos para plantar laranjas, limões, bergamotas, framboesas, milho, cevada, arroz, feijão, café, cacau e guaraná.

Dias 9, 10 e 11 ▶ Bons para semear abóboras, melancias, melões e morangas.

Dias 12 e 13 ▶ Bons para colher para reprodução milho, arroz, feijão, café e cacau, alho, cebola, batatas inglesa e doce, cará e inhame, mandioca, cenoura, bardana, gengibre e amendoim.

Dias 14, 15 e 16 ▶ Bons para semear pastos e gramados.

Dias 17 e 18 ▶ Bons para fazer transplantes de folhas comestíveis e folhagens ornamentais para o local definitivo, colher cana-de-açúcar e frutos suculentos para consumo imediato.

Dias 19, 20 e 21 ▶ Bons para colher sementes de ervas medicinais.

Dias 22 e 23 ▶ Bons para semear e plantar flores ornamentais, fazer enxertos e alporquias.

Dias 24 e 25 ▶ Ótimos para plantar flores comestíveis como couve-flor, abacaxi e brócolis.

Dias 26 e 27 ▶ Ótimos para plantar escarola, couve, rúcula, espinafre, alface, acelga, agrião, folhagens ornamentais, cidreira, camomila, hortelã, alho, cebola e cana-de-açúcar.

Dias 28 e 29 ▶ Bons para plantar todo tipo de especiarias e ervas medicinais, fazer mudas de galho ou de rama.

Dias 30 e 31 ▶ Ótimos para plantar frutos como manga, goiaba, maracujá, laranja, limão, mexerica, tangerina, bergamota, ameixa, pera, mamão, uva, banana, pêssego, jabuticaba, jambo e cana-de-açúcar.

Galinhas: Ponha-as para chocar nos dias 24, 25, 28, 29 e 30.
Pescaria: De 1º a 6 e de 28 a 31, boa no mar, e de 28 a 31, boa em rios e lagos.
Castrar animais: Nos dias 23, 24, 25, 28 e 29.

Setembro 2019

Até o dia 5 de setembro ▶ *Lua Nova*
Até o dia 13 de setembro ▶ *Lua Crescente*
Até o dia 20 de setembro ▶ *Lua Cheia*
Até o dia 27 de setembro ▶ *Lua Minguante*
Até o dia 30 de setembro ▶ *Lua Nova*

Dias 1º e 2 ▶ Ótimos para plantar ou semear flores anuais de todos os tipos, sejam elas rasteiras ou arbóreas.

Dias 3, 4 e 5 ▶ Bons para plantar ameixa, marmelo, goiaba, pêssego, manga, banana, graviola, fruta-do-conde, milho, feijão, soja, arroz, gergelim, trigo, cacau, café, alpiste e guaraná.

Dias 6 e 7 ▶ Bons para semear ou plantar morangas, abóboras, melões e melancias.

Dias 8 e 9 ▶ Bons para plantar milho, aveia, feijão trigo, soja, cacau, café, cevada, girassol, guaraná, arroz, alpiste e gergelim.

Dias 10, 11 e 12 ▶ Bons para semear pastos e gramados.

Dias 13 e 14 ▶ Ótimos para plantar folhas para saladas, folhagens em geral, colher frutos suculentos para consumo imediato e cana-de-açúcar.

Dias 15, 16 e 17 ▶ Bons para plantar louro, hortelã, salsinha, cebolinha, camomila, alecrim, manjericão, manjerona, malva e losna.

Dias 18 e 19 ▶ Bons para plantar alho e cebola, batatas inglesa e doce, trigo, milho, arroz, feijão, guaraná, aveia, café e cacau.

Dias 20, 21 e 22 ▶ Bons para colher para consumo rápido frutos suculentos e cana-de-açúcar, fazer transplantes para o local definitivo de folhas para saladas.

Dias 23 e 24 ▶ Ótimos para plantar amendoim, cenoura, mandioca, bardana e batatas inglesa e doce.

Dias 25 e 26 ▶ Bons para colher e armazenar cenouras, beterrabas, gengibre, erva-doce, rabanete, amendoim, pepino, chuchu e berinjela.

Dias 27 e 28 ▶ Ótimos para plantar arroz, feijão, milho, soja, ameixas, figos, marmelos, goiabas, mangas e cana-de-açúcar.

Dias 29 e 30 ▶ Bons para enfeitar o jardim com lindas flores e semear pastos e gramados.

Galinhas: Ponha-as para chocar nos dias 25, 26, 27, 28, 29 e 30.
Pescaria: De 13 a 19, boa no mar, e de 1º a 9 e 25 a 30, boa em rios e lagos.
Castrar animais: Nos dias 25, 26, 27, 28, 29 e 30.

Outubro 2019

Até o dia 4 de outubro ▶ *Lua Nova*
Até o dia 12 de outubro ▶ *Lua Crescente*
Até o dia 20 de outubro ▶ *Lua Cheia*
Até o dia 27 de outubro ▶ *Lua Minguante*
Até o dia 31 de outubro ▶ *Lua Nova*

Dias 1º e 2 ▶ Ótimos para plantar ou semear raiz-forte, gengibre, cenouras, beterrabas, erva-doce, amendoim, bem como plantar ou semear goiabas, mangas, laranjas, limões, e fazer transplantes de mudas para o local definitivo.

Dias 3 e 4 ▶ Bons para fazer mudas de galhos ou ramas e plantar especiarias como mostarda, manjericão e pimentas bem ardidas.

Dias 5, 6 e 7 ▶ Bons para semear pastos e gramados.

Dias 8 e 9 ▶ Bons para colher todo tipo de grãos e flores com tempo seco.

Dias 10, 11 e 12 ▶ Bons para plantar todo tipo de árvores e arbustos frutíferos, bem como urucum, vagens, gergelim, ervilha, trigo, arroz, feijão e milho.

Dias 13 e 14 ▶ Bons para plantar pimenta dedo-de-moça, alho, cebola, mandioca, gengibre, cenoura, beterraba, nabo, erva-doce e raiz-forte.

Dias 15, 16 e 17 ▶ Bons para semear pastos e gramados.

Dias 18 e 19 ▶ Bons para colher sementes de flores e de frutos de todos os tipos para reprodução.

Dias 20 e 21 ▶ Bons para plantar e semear caju, cajá-manga, goiaba, laranja, banana, coco, limão, manga, maçã, pera, figo, milho, gergelim, girassol, trigo, ervilha, feijão, urucum e vagens.

Dias 22 e 23 ▶ Bons para fazer mudas de galho e plantar especiarias como macela, cravo, louro, urucum e canela.

Dias 24 e 25 ▶ Ótimos para cortar madeira de reflorestamento, colher vime e taboa para fazer artesanato, podar, adubar e fazer a manutenção do solo.

Dias 26 e 27 ▶ Ótimos para plantar sementes de flores ornamentais como azáleas, rosas, cravos e margaridas.

Dias 28 e 29 ▶ Bons para fazer transplantes de mudas para o local definitivo, plantar raiz-forte, gengibre, cenouras, beterrabas, erva-doce, amendoim, bem como plantar especiarias como pimentas.

Dias 30 e 31 ▶ Bons para fazer mudas de galho e semear pastos e gramados.

Galinhas: Ponha-as para chocar nos dias 22, 23, 24, 25, 26, 27 e 28.
Pescaria: De 13 a 17, boa no mar, e de 22 a 31, boa em rios e lagos.
Castrar animais: Nos dias 22, 23, 24, 25, 26 e 27.

Novembro 2019

Até o dia 3 de novembro ▶ *Lua Nova*
Até o dia 11 de novembro ▶ *Lua Crescente*
Até o dia 18 de novembro ▶ *Lua Cheia*
Até o dia 25 de novembro ▶ *Lua Minguante*
Até o dia 30 de novembro ▶ *Lua Nova*

Dia 1º ▶ Bom para semear pastos e gramados.
Dias 2 e 3 ▶ Bons para fazer limpeza de canteiros, arar e adubar.
Dias 4 e 5 ▶ Bons para colher milho, soja, arroz, feijão, linhaça, trigo, girassol, ervilha, lentilha e urucum, com tempo seco.
Dias 6, 7 e 8 ▶ Bons para plantar morango, laranja, manga, limão, cocos, maçã, pera, figo, acerola e graviola, e grãos como urucum, trigo, milho, feijão, café, cacau e arroz.
Dias 9 e 10 ▶ Bons para semear ou plantar abóboras, melões, melancias e morangas.
Dias 11, 12 e 13 ▶ Bons para semear pastos e gramados.
Dias 14 e 15 ▶ Bons para colher para reprodução todo tipo de grãos como feijão, arroz, trigo, gergelim, milho e cevada, alho, cebola, batatas inglesa e doce.
Dias 16 e 17 ▶ Bons para plantar e semear hortelã, melissa, camomila, erva-cidreira, folhas para saladas, espinafre, alho, cebola, e colher cana-de-açúcar.
Dias 18, 19 e 20 ▶ Bons para colher para consumo imediato alho, cebola, rabanete, cenoura, amendoim, chuchu, pepino, berinjela e mandioca.
Dias 21 e 22 ▶ Bons para plantar feijão, milho, arroz, trigo, cevada, gergelim, girassol, guaraná, café, cacau e alpiste.
Dias 23 e 24 ▶ Ótimos para plantar folhas para salada, floríferas trepadeiras e rasteiras e ervas medicinais.
Dias 25 e 26 ▶ Ótimos para plantar gengibre, nabo, raiz-forte, batatas inglesa e doce, bem como fazer transplantes de mudas para o local definitivo.
Dias 27 e 28 ▶ Bons para fazer mudas de galho ou rama, e plantar louro, manjericão, orégano, manjerona, alecrim, hortelã, sálvia, coentro, camomila e losna.
Dias 29 e 30 ▶ Ótimos para semear ou plantar pastos e gramados.

Galinhas: Ponha-as para chocar nos dias 21, 22, 23 e 24.
Pescaria: De 11 a 15, boa no mar, e de 23 a 30, boa em rios e lagos.
Castrar animais: Nos dias 19, 20, 21, 22, 23 e 24.

Dezembro 2019

Até o dia 3 de dezembro ▶ *Lua Nova*
Até o dia 11 de dezembro ▶ *Lua Crescente*
Até o dia 18 de dezembro ▶ *Lua Cheia*
Até o dia 25 de dezembro ▶ *Lua Minguante*
Até o dia 31 de dezembro ▶ *Lua Nova*

Dias 1º, 2 e 3 ▶ Bons para colher flores ornamentais para secar, sejam elas rasteiras, trepadeiras ou arbustivas.

Dias 4 e 5 ▶ Ótimos para plantar goiaba, cajá, bananas, laranjas, limões, mexericas, maçãs, pêssegos, feijão, milho, arroz, cevada e trigo.

Dias 6, 7 e 8 ▶ Bons para semear ou plantar de rama abóboras, melões, melancias e morangos.

Dias 9 e 10 ▶ Bons para semear pastos e gramados, bem como limpar canteiros, arar e adubar.

Dias 11 e 12 ▶ Bons para semear grãos como trigo, milho, feijão, arroz, café e cacau, bem como plantar flores comestíveis como couve-flor, abacaxi e brócolis.

Dias 13, 14 e 15 ▶ Ótimos para plantar e semear alface, agrião, acelga, rúcula, melissa, hortelã, erva-cidreira, alho, cebola, e colher cana-de-açúcar.

Dias 16 e 17 ▶ Bons para plantar camomila, manjericão, boldo, cáscara-sagrada e babosa ou *aloe vera*.

Dias 18 e 19 ▶ Bons para colher para reprodução milho, feijão, trigo, cenoura, batatas inglesa e doce, cará, inhame, alho, cebola, cenoura, beterraba e mandioca.

Dias 20 e 21 ▶ Ótimos para plantar floríferas rasteiras e arbustivas como capuchinhas, rosas, amores-perfeitos, dálias, alamandas, azáleas, strelitzias, ipês e acácias, bem como flores comestíveis.

Dias 22 e 23 ▶ Ótimos para plantar e semear cenoura, beterraba, gengibre, nabo, mandioca, batatas inglesa e doce, cará e inhame.

Dias 24 e 25 ▶ Bons para fazer mudas de galho ou rama, plantar especiarias como pimentas, mostarda, orégano e urucum.

Dias 26, 27 e 28 ▶ Bons para semear pastos e gramados.

Dias 29 e 30 ▶ Bons para colher todo tipo de legumes, batatas inglesa e doce, cará, inhame, alho e cebola para armazenar por pouco tempo.

Dia 31 ▶ Ótimo para plantar raízes.

Galinhas: Ponha-as para chocar nos dias 20, 21, 22, 23, 24, 25, 26 e 27.
Pescaria: De 11 a 17, boa no mar, e de 1º a 8 e de 22 a 30, boa em rios e lagos.
Castrar animais: Nos dias 19, 20, 21, 14 e 25.

O que as flores revelam, segundo o horóscopo floral da Atlântida

Como se estivessem montando um mosaico ou um grande quebra-cabeça, os alquimistas europeus da Renascença, com base no conhecimento transmitido oralmente pelos sábios da antiga civilização da Atlântida, acabaram por descobrir um extraordinário horóscopo floral que classificava os homens por sinais característicos provindos das estações do ano e por sinais formais exteriores que as pessoas tinham em comum. Essa "assinatura" ou "combinação codificada" da data de nascimento, da cor dos olhos e do cabelo, fez com que determinadas flores representassem esse conjunto de forma muito expressiva.

Narciso (de 2 de março a 21 de março)

Quem nasce sob o signo de Narciso tem como missão lidar de forma lúdica e sutil com os assuntos sérios da vida. Os nativos de Narciso devem, portanto, questionar até que ponto a natureza jovial simbolizada por essa flor já se manifestou em seu caráter ou, ao menos, até que ponto foi estimulada. Os nativos de Narciso são resistentes e não se deixam abater por uma crise. Ao contrário, somente nas ocasiões críticas é que o Narciso bem desenvolvido demonstra mais precisamente por quanto tempo a força revitalizante dessa natureza primaveril o mantém no pique.

Violeta (de 22 de março a 20 de abril)

Quem pertence a essa família antiquíssima, muito louvada, trabalha na vida atual principalmente no desenvolvimento da capacidade de adaptação e da solidariedade. Na verdade, a Violeta bem desenvolvida pode dedicar-se de maneira altruística aos outros e servir desinteressadamente à comunidade, sem exigir em troca o reconhecimento público. Muitas vezes ela é considerada um tanto tímida e meio indecisa, mas por trás dessa fachada de delicadeza e vulnerabilidade esconde-se uma vontade indomável que na maioria das vezes só é percebida pelos seus opositores tarde demais.

Hibisco (de 21 de abril a 10 de maio)

Quem nasce sob o signo desta flor secular tem a missão de dar novo sentido e forma às antigas organizações. O nativo do Hibisco, seja qual for a sua profissão, impõe a ordem onde reina o caos: ele cria novas formas sempre que as antigas estão ultrapassadas ou desgastadas. Naturalmente, as pessoas deste signo são sociáveis e têm um amplo círculo de amigos e conhecidos. No entanto, quando não recebe o reconhecimento das outras pessoas, o nativo do Hibisco se retrai e adota atitudes exatamente opostas à sua natureza: torna-se mesquinho e, por vezes, literalmente maldoso.

Esporeira (de 11 de maio a 31 de maio)

Quem nasce sob o signo da Esporeira nunca "rasteja", não se curva diante da vontade e da pressão da comunidade. Neste signo, a pessoa vence a hipocrisia, a falsa humildade e a disposição de reconhecer a validade dos objetos comumente aceitos. Isso não quer dizer que ela não tenha medo, pois, assim como as demais pessoas, ela também é acometida por dúvidas pessoais. No entanto, depois de avaliar as coisas, ela considera a dignidade dos seres humanos – que a Esporeira defende com unhas e dentes – muito mais valiosa do que a comodidade pessoal. Ela é romântica, nobre e humana, mas não se submete aos instintos inferiores e sempre luta para obter o que for mais elevado.

Flor-de-maracujá (de 1º de junho a 23 de junho)

A Flor-de-Maracujá, chamada de "Flor de dupla face", simboliza as duas almas que se esconderm no peito de todo ser humano. Quem nasce sob este signo floral deve tentar "unir os dois extremos para encontrar o equilíbrio no centro". Em seu íntimo, esses nativos muitas vezes são o contrário do que demonstram ser na vida do dia a dia. Muitas vezes eles obtêm fama junto à opinião pública, são hábeis oradores, divertidos e irradiam certo encanto irresistível; mas, no íntimo, são na verdade muito tímidos e vulneráveis. Por um lado, como qualquer planta trepadeira, ele quer subir, embora, por outro lado, preferisse retrair-se da sociedade, permanecendo na solidão com um único amigo em quem tivesse total confiança.

Orquídea (de 24 de junho a 11 de julho)

O nativo da Orquídea nasce para viver no luxo e na riqueza, gosta de tudo o que é belo e, à diferença do Hibisco, alegra-se imensamente com a beleza sem, no entanto, sofrer do impulso de criar algo através do trabalho árduo ou de modificar alguma coisa. Muitos dizem, um tanto precipitadamente, que os nativos da Orquídea são sonhadores e preferem deixar os outros trabalhar enquanto gozam a vida; é claro que isso não é verdade. A maioria dos nativos da Orquídea se esforça com seriedade para vencer sua exagerada necessidade de proteção e de cuidados especiais e para manter suas exigências num nível aceitável.

Lírio (de 12 de julho a 5 de agosto)

Quem nasce sob o signo do Lírio tem a missão de estabelecer um distanciamento entre os seus sentimentos e o "eu", entre o "eu" e suas ações. Nesse signo, reconhecemos que "eu" não sou apenas desse ou daquele jeito, ou seja, determinado pela natureza a pensar e a sentir sempre da mesma maneira. A pureza e a dignidade de um nativo do signo do Lírio bem desenvolvido existem não só pelo fato de ele se identificar com o papel que tem de desempenhar na sociedade, no seu círculo de amigos ou no seio de sua família. Ele se identifica, de preferência, com o próprio espírito, que toma conhecimento de todo o enredo e de seus variados papéis.

Papoula (de 6 de agosto a 28 de agosto)

Quem nasce sob o signo da Papoula quer sentir o verdadeiro prazer de viver e gosta de expandi-lo à sua volta. Sua atuação é animadora, refrescante, pois ele é repleto de ideias e contagia os demais com seu espírito de aventura. Mas a Papoula esconde ainda outras características que só iremos perceber depois de conhecê-la melhor – por exemplo, o seu fascínio pelo perigo. Os nativos da Papoula temem o tédio e a falta de interesse mais do que qualquer coisa. Durante algum tempo anseiam por obter paz e segurança, mas, depois de alcançá-las com bastante esforço, acabam por confessar a si mesmos que a paz e a segurança lhes parecem extremamente monótonas.

Rosa (de 29 de agosto a 23 de setembro)

Quem nasce sob o signo da Rosa é um ser humano que sente o prazer em sua totalidade, é um amante terno e maravilhoso. Ele deseja entregar-se totalmente ao outro e, por esse motivo, às vezes busca um parceiro durante anos com certo desespero, pois precisa de alguém que seja capaz de amar da mesma maneira desinteressada. No entanto, convém lembrar que muitas vezes o nativo da Rosa se sente atraído pelo seu oposto, tanto profissional como particularmente em sua vida pessoal. Gosta de atrair obstáculos para o seu caminho, pois assim consegue usar sua força para superá-los. Só assim ele consegue dar valor à sua vitória final e sentir o prazer dessa conquista.

Crisântemo (de 24 de setembro a 18 de outubro)

Os Crisântemos sempre foram um símbolo da luta pela justiça no sentido mais nobre do termo. Assim a luta das pessoas que nasceram sob este signo é dedicada totalmente ao equilíbrio, à justiça e à administração de bens materiais terrenos. Essas pessoas vivem no nosso meio para ultrapassar as exigências, a crença e a confiança cegas e o egoísmo exagerado, pois só assim poderão concretizar seu verdadeiro objetivo de vida. Quando bem desenvolvidos, esses nativos do Crisântemo são confiáveis e amantes da paz, e oferecem a seus parceiros a segurança, o reconhecimento, a gratidão e a certeza de uma vida em comum bela e harmoniosa.

Dedaleira (de 19 de outubro a 7 de novembro)

Quem nasce sob este signo quer aprender e vencer na vida. Pode dedicar-se apaixonadamente a uma causa e por ela ir à luta. Essa força de vontade apaixonada é expressa na linguagem dos nativos da Dedaleira, que falam com ênfase, dando destaque à sua expressão repleta de sentimento, acentuando determinados pontos que lhes parecem importantes. Este nativo quando bem desenvolvido une uma força de vontade a uma capacidade de ação carregada de energia vital. Nunca permite que os outros lhes deem ordens e, mesmo que a situação o exija, não assume uma posição hierárquica inferior.

Íris (de 8 de dezembro a 12 de dezembro)

Quem nasce sob este signo está destinado à liderança e ao poder. Desde cedo ele descobre o efeito causado pela sua agudeza de espírito e aprende a usá-la como um instrumento. Logo consegue alcançar a posição que lhe está destinada: ele toma o seu lugar como mandachuva, representante, governador, mas também como agitador ou pensador revolucionário. O interessante é que o nativo típico de Íris sempre dá a impressão de ser uma pessoa aparentemente acessível, repleta de humor e até mesmo sedutora, quando na realidade ninguém tem acesso ao âmago do seu ser. Um acentuado desejo de liberdade e uma determinada inflexibilidade impedem que este ser humano se revele totalmente às outras pessoas.

Mandrágora (de 13 de dezembro a 5 de janeiro)

Quem nasce sob este signo pretende, antes de qualquer coisa, adquirir o poder nesta vida. Está sempre no caminho que leva à obtenção de mais influência. No âmbito material, isso significa, para a Mandrágora, tanto exercer poder sobre os outros como ter dinheiro e influência graças a uma posição hierarquicamente superior. Os nativos da Mandrágora querem se expandir, ampliar seus horizontes e ultrapassar sua personalidade que, por natureza, é bastante medrosa e retraída. Não são apreciadores típicos de festas, detestam tudo o que é superficial e não se prestam a mexericos. Todavia, são os melhores amigos a quem podemos confiar nossas preocupações e temores mais íntimos.

Campainha-Imperial (de 6 de janeiro a 2 de fevereiro)

Quem nasce sob este signo busca a verdade por caminhos inusitados. Os nativos da Campainha-Imperial não são lutadores, mas amantes do prazer, com um pronunciado talento para usar em benefício próprio todo obstáculo que apareça no seu caminho. A Campainha-Imperial típica atua como um professor meio distraído que tem ideias geniais na direção correta, mas sempre se esquece do que tem de fazer logo a seguir. Muitas vezes ele dá a impressão de estar atrapalhado ou não ter concentração, embora ninguém possa contestar que ele luta com as mais honestas e nobres intenções, que está além de sua época no que diz respeito ao intelecto e que seus conhecimentos são os mais originais.

Flor de Lótus (de 3 de fevereiro a 1º de março)

Quem nasce sob este signo tem como objetivo a inseparabilidade do corpo e do espírito; seu lema é a "unidade fraternal". Em geral, essas pessoas são tão sensíveis e vulneráveis que imaginam ser necessário vestir uma couraça de rigidez exterior que só pode ser penetrada pelos amigos mais íntimos. No entanto, quando bem desenvolvidos, os nativos da Flor de Lótus são visivelmente amantes da paz, compreensivos, intuitivos e predispostos ao sacrifício pessoal. Deixam seus desejos de lado só para não ameaçar a tranquilidade obtida e, às vezes, vão tão longe que se esquecem de dizer, ao menos de vez em quando, um *não* decisivo.

Saúde na mesa com a culinária vegana

Uma dieta baseada somente com produtos de origem vegetal, além de ser absolutamente saudável, pode sim, ser muito saborosa e rica em cores, gostos e aromas, contrariando aquela antiga ideia de que a culinária vegetariana/vegana é cinza, sem gosto e cheia de substitutos de soja. E, para mostrar isso de forma prática a vocês leitores, selecionamos três receitas para uma refeição completa, nutritiva e energética.

Smoothie de frutas vermelhas

1 banana madura
6 morangos
½ xíc. de frutas silvestres congeladas
1 xíc. de leite vegetal ou de água
1 colher sopa de linhaça
1 a 2 colheres de café de canela

1. Bata todos os ingredientes no liquidificador por 1 minuto ou até ficar cremoso. Sirva imediatamente ou guarde no congelador por 20 minutos e consuma como sorvete.

O leve sabor azedo das frutas vermelhas combina perfeitamente com a doçura da banana. As frutas vermelhas são ricas em antioxidantes, a linhaça contém ômega 3, e a canela tem propriedades carminativas e ativadoras do metabolismo.

"Arroz" de couve-flor

400 g de couve-flor
1 dente de alho
1 colher de chá de tomate seco picado (opcional)
1 colher de café de sal
½ colher afé de manjericão em pó
1 raminho de salsa
azeite a gosto

1. Lave e seque a couve-flor (com papel absorvente). Rale os floretes de couve-flor num ralador grosso (não utilize o caule). Pique finamente o alho.
2. Numa wok ou frigideira antiaderente untada com um fio de azeite, salteie a couve-flor, o alho e o tomate seco, sem parar de mexer, por cerca de 3 a 5 minutos. Adicione o sal e o manjericão e misture bem. Polvilhe com salsa picada e sirva quente ou frio, em substituição ao arroz tradicional.

Gelatina de abacaxi

500 ml de suco natural de abacaxi
250 ml de água
1 colher de sopa (rasa) de ágar-ágar em flocos
2 colher de sopa de geleia de arroz ou de xarope de agave (opcional)

1. Leve ao fogo metade do suco, a água e o ágar-ágar. Deixe ferver durante cerca de 3 a 5 minutos, junte o restante do suco e a geleia de arroz e retire do fogo. Triture com o mixer até obter uma consistência lisa e homogênea (separe a espuma). Despeje imediatamente em taças individuais, deixe esfriar e guarde na geladeira.

– Extraído de *Cozinha vegana para quem quer ser saudável*, de Gabriela Oliveira, Ed. Cultrix.